DEL SIGLO DE ORO A ESTE SIGLO DE SIGLAS

BIBLIOTECA ROMÁNICA HISPÁNICA

Dirigida por Dámaso Alonso

VII. CAMPO ABIERTO

Bella cabeza dibujada en el libro comercial donde el padre de Bécquer anotaba los encargos y ventas de sus cuadros (véase más abajo, pág. 107). Creemos que representa a Valeriano Bécquer. ¿Quizá autorretrato?

DÁMASO ALONSO

DEL SIGLO DE ORO
A ESTE SIGLO DE SIGLAS

(NOTAS Y ARTÍCULOS A TRAVÉS DE 350 AÑOS
DE LETRAS ESPAÑOLAS)

SEGUNDA EDICIÓN

EDITORIAL GREDOS, S. A.

© DÁMASO ALONSO, 1968.

EDITORIAL GREDOS, S. A.
Sánchez Pacheco, 83, Madrid. España.

Depósito Legal: M. 4645 - 1968.
Gráficas Cóndor, S. A., Sánchez Pacheco, 83. Madrid, 1968. — 3010.

PRÓLOGO

LA INVASIÓN DE LAS SIGLAS
(poemilla muy incompleto)

> A la memoria de Pedro Salinas,
> a quien en 1948 oí por primera vez
> la troquelación "siglo de siglas".

USA, URSS.

USA, URSS, OAS, UNESCO:
ONU, ONU, ONU.
TWA, BEA, K. L. M., BOAC,
¡RENFE, RENFE, RENFE!

FULASA, CARASA, CULASA,
CAMPSA, CUMPSA, KIMPSA;
FETASA, FITUSA, CARUSA,
¡RENFE, RENFE, RENFE!

¡S. O. S., S. O. S., S. O. S.,
S. O. S., S. O. S., S. O. S.!

Vosotros erais suaves formas,
INRI, de procedencia venerable,
S. P. Q. R., de nuestra nobleza heredada.
Vosotros nunca fuisteis invasión.
Hable
al ritmo de las viejas normas
mi corazón,

porque este gris ejército esquelético
siempre avanza

(PETANZA, KUTANZA, FUTRANZA);
frenético,
con férreos garfios (TRACA, TRUCA, TROCA)
me oprime,
me sofoca
(siempre inventando, el maldito, para que yo rime:
ARAMA, URUMA, ALIME,
KINDO, KONDA, KUNDE).
Su gélida risa amarilla
brilla
sombría, inédita, marciana.
Quiero gritar y la palabra se me hunde
en la pesadilla
de la mañana.

Legión de monstruos que me agobia,
fríos andamiajes en tropel:
yo querría decir *madre, amores, novia;*
querría decir *vino, pan, queso, miel.*
¡Qué ansia de gritar
muero, amor, amar!

Y siempre avanza:
USA, URSS, OAS, UNESCO,
CAMPSA, CUMPSA, KIMPSA,
PETANZA, KUTANZA, FUTRANZA...

¡S. O. S., S. O. S., S. O. S.!
Oh, Dios, dime,
¿hasta que yo cese,
de esta balumba
que me oprime,
no descansaré?

¡Oh dulce tumba:
una cruz y un R. I. P.!

SANCHO - QUIJOTE
SANCHO - SANCHO

En literatura española, la pintura literaria de los procesos de engaño tiene una larga antigüedad (*Cantar de Mio Cid,* Arcipreste de Hita, *Celestina*).

¿Se ha estudiado alguna vez el largo y complicado proceso de engaño y desengaño que nos ofrece nuestro amigo Sancho Panza?

Durante mucho tiempo se ha pensado que de los dos planos, realista e idealista, que con genial confluencia forman la obra inmortal, Sancho era el neto representante del primero. Pero en nuestros días, Unamuno y Papini han defendido la tesis de que sobre Sancho se vierte la idealidad del Caballero; que penetra así en el mundo de lo fantasmagórico; que es, a su manera, otro Quijote. ¿No deja él también su lugar, su casa, su familia y su menguada hacienda, por atender a las visiones de un loco? ¿Acaso no le acompaña en sus aventuras y participa en su fatiga y en sus palos? Y para el pobre escudero, allá en el confín del horizonte lejano, como otra Dulcinea encantada, está presente en todas las peregrinaciones, espejismo de la llanura, siempre cercano a la fantasía, siempre lejos de su alcance, su ideal: la ínsula. Sí, Sancho es también otro caballero de otro ideal. Y los verdaderos

Sanchos, los materialistas, los incapaces de fantasía y de ensueño son el cura y el barbero del lugar, el ama, la sobrina, y como esencia resumen de ellos, el bachiller Sansón Carrasco, que, hombre de letras, en contacto con la belleza y la espiritualidad del mundo, no comprende nada de aquella blanca locura que había de iluminar el Universo, y aun tiene la avilantez de fingirse él (el pícaro sin fe y sin ideal), caballero de ideales, y no para en su empeño de destruir lo fértil, lo activo, hasta dejar inutilizado y tendido al héroe en la playa de Barcelona. ¡Oh cuántos Sansones Carrascos conocemos en el mundo de las letras!

La interpretación de Unamuno y de Papini ha venido a iluminar aspectos esenciales del *Quijote* y a destruir bastantes ideas equivocadas. Sin embargo, es muy simplista y exagerada. No penetra con hondura en el carácter de Sancho. Sancho, del lado humano, es quizá la máxima creación de Cervantes, y él, simple y sabio, es aún quizá más complejo que su compañero de gloria.

Estudiemos unos instantes la psicología de Sancho. Y adelantemos que toda ella es, en su desenvolvimiento, un largo proceso de engaño y desengaño, es decir, de un tipo característico del realismo psicológico, de la pintura de las almas en la literatura española, que tiene entre nosotros una creciente e ininterrumpida tradicionalidad.

Sancho se va con Don Quijote movido por la codicia, pues al hidalgo "tal vez le podía suceder aventura que ganase en un quítame allá esas pajas una ínsula y le dejase por gobernador de ella". Sancho ve siempre la realidad; Don Quijote, su loca fantasía. Pero el primer proceso, en el alma de Sancho, es irse metiendo en la locura de su amo. Y cuando las aspas del molino, de lo que Sancho había bien visto que era molino, han derribado al caballero (*precisamente entonces*) se deja convencer por las razones de su amo. ¡Qué momento para dejarse convencer!

"A la mano de Dios —dijo Sancho—, yo lo creo todo así como vuestra merced lo dice." Luego, ved su fe: acude a despojar de sus hábitos al fraile derribado por Don Quijote, porque le tocaban legítimamente como "despojos de la batalla que su señor... había ganado", y cuando en la misma aventura es vencido el vizcaíno por el gran manchego, Sancho se precipita hacia su amo, le besa la mano, se hinca de rodillas y le dice:

"Sea vuestra merced servido, señor Don Quijote mío, de darme el gobierno de la ínsula que en esta rigurosa pendencia se ha ganado, que, por grande que sea, yo me siento con fuerzas de saberla gobernar tal y tan bien como otro que haya gobernado ínsulas en el mundo."

¡Está loco! ¡Está loco también él! Sí: al llegar aquí nos parece que Papini y Unamuno lo vieron bien claro. En ese punto está ganado por el encantado mundo de las caballerías. Mas no hay loco (salvo Don Quijote) que no sea por la pena cuerdo.

Una nueva ilusión será el bálsamo de Fierabrás (del feo Blas, según la interpretación de Sancho), bebida maravillosa que cura todas las heridas. Aquí están los dos héroes maltrechos, apaleados por los yangüeses. Sancho...

"...con voz enferma y lastimada dijo:

"—Señor Don Quijote, ¡ah, señor Don Quijote!

"—¿Qué quieres, Sancho hermano? —respondió Don Quijote con el mismo tono afeminado y doliente que Sancho.

"—Querría, si fuese posible, que vuestra merced me diese dos tragos de aquella bebida del feo Blas, si es que la tiene vuestra merced ahí a mano; quizá será de provecho para los quebrantamientos de huesos como es para las feridas.

"—Pues, a tenerla yo aquí, desgraciado yo, ¿qué nos faltaba? —respondió Don Quijote."

Por fin, en la venta encantada, tras el aquelarre de una noche de princesas enamoradas, candiles, Maritornes, cuadrilleros de la Santa Hermandad y arrieros, los dos molidos héroes logran gozar del bálsamo de Fierabrás. Tan fuerte es el efecto que el brebaje obra en Don Quijote, que éste se queda limpio como una patena. Pero al pobre Sancho le produce bascas, sudores y dolores de muerte. Y dice Don Quijote:

"—Yo creo, Sancho, que todo este mal te viene de no ser armado caballero, porque tengo para mí, que este licor no debe aprovechar a los que no lo son.

"—Si eso sabía vuestra merced, malhaya yo y toda mi parentela, ¿para qué consintió que lo gustase?"

Aún tiene Sancho fe en el amo, pero se ve excluido del mundo fantástico y brutalmente empujado del lado de lo real. Y no nos extraña que al salir de la venta, manteado y burlado, rechace el bálsamo de Fierabrás y le grite ya —notémoslo bien— sin respeto alguno a Don Quijote:

"—¿Por dicha hásele olvidado cómo yo no soy caballero?... ¡Guárdese su licor con todos los diablos!"

Está en la línea descendente, en la del desengaño. No: si su amo no le pudo socorrer en la venta "en ál estuvo que en encantamentos". Sancho no cree en los encantamientos; acaba, pues, de quedarse en la sombra, tosca criatura de carne, fuera del rayo blanco de la luz ideal.

Y (dos capítulos más allá) se llega al final del proceso. Don Quijote y Sancho duermen en medio del campo. La noche es medrosa. De pronto comienza a resonar un espantoso estrépito. A Don Quijote se le ensancha el corazón y decide partir hacia aquella nueva aventura y dejar allí a su escudero. Pero a Sancho le corre un hielo por la sangre: ¡quedarse allí solo, en medio de la noche con aquel horrible ruido, cosa del otro mundo! Y bonitamente se llega al caballo de su amo y le ata las patas. El caballero espolea, el caballo no se puede mover. "El cielo, conmovido de mis ruegos y plegarias, ha ordenado que no se pueda mover Rocinante", dice Sancho. ¡Oh burdo engaño al caballero! ¡Es la primera infidelidad del criado a su señor! ¡Es la primera vez en que Sancho está en una posición picaresca!

Contemplad el proceso en resumen: Sancho sale de su casa por codicia; aunque ve la realidad de las aventuras, le vence la razonada fantasía de su amo; entra plenamente en el mundo de las aventuras. Hasta ahí, línea ascendente, proceso de autoengaño.

Tras el bálsamo, un movimiento inverso: Primer momento: Sancho sigue creyendo las palabras de su señor; pero él queda excluido del mundo fantástico por no ser caballero. Segundo momento: Sancho no cree ya en los encantamientos de su amo. Tercer momento: Sancho llega a utilizar la locura de Don Quijote para engañarle: le engaña fingiendo —precisamente— uno de sus encantamientos. En ese instante no sólo está fuera del mundo irreal, sino que cae dentro de la órbita picaresca, como Lázaro tras el coscorrón, como Guzmán tras los huevos con pollo y la carne mortecina. Pero Sancho el bueno, Sancho el noble no será nunca un pícaro permanente.

Recordad ahora el proceso de engaño y desengaño en el capítulo del hidalgo, del *Lazarillo*. Lázaro, como Sancho, cree en su señor al asentarse con él; cree cuando cruzan los mercados, como Sancho en las primeras aventuras; empieza a dejar de creer por el hambre insatisfecha, como Sancho tras el bálsamo de Fierabrás. Y termina engañando a su señor, pero engañándole por piedad. Y en esta ocasión Sancho es el desalmado, el verdadero pícaro.

Pero Sancho ha de titubear entre picaresca e idealidad a lo largo de todo el libro. Sí, a lo largo de todo el libro. Porque lo característico del alma de Sancho es que en ella el movimiento de ilusión y desilusión se reproduce ondulatoriamente a través de todas las páginas de la obra. Hemos visto su inocencia primera y su primera desilusión. Cuando un hombre se desilusiona se convierte en un pícaro. En la novela picaresca el héroe se desilusiona pronto (Lázaro con sólo el coscorrón contra el toro de piedra de la fuente de Salamanca), y ya una vez sus ojos abiertos nunca recobra su ingenuidad. Pero Sancho, tras muchos desengaños, vuelve una vez y otra a un original estado de inocencia; vuelve a creer en su caballero.

Precisamente hacia el fin de la primera parte, entre aquella maraña de aventuras que comienzan a tejerse en Sierra Morena y se desanudan en la encantada venta-castillo (Cardenio, Luscinda, Dorotea, Don Fernando, el capitán cautivo, Zoraida, Clara, Don Luis), pasa Sancho por uno de sus periodos de mayor candidez y credulidad. Él bien ve los hilos reales de la fingida trama que les va a llevar hasta el reino de la princesa Micomicona. Bien ve cómo ésta (en realidad la pobre Dorotea) y su olvidadizo esposo Don Fernando se andan besuqueando en cuanto se les presenta la ocasión, en cualquier rincón de la venta. Y así se lo dice a Don Quijote:

"...yo tengo por cierto y por averiguado que esta señora que se dice ser reina del gran reino Micomicón no lo es más que mi madre, porque a ser lo que ella dice no se anduviera hocicando con algunos de los que están en la rueda, a vuelta de cabeza y a cada traspuesta."

Y está por entonces tan apicarado, que engaña por segunda vez a su señor (haciéndole creer que verdaderamente ha llevado la carta a Dulcinea del Toboso). Pero, al mismo tiempo, nunca ha visto más cerca de su mano la venturosa ínsula, que sólo la presencia de la princesa Micomicona puede hacer verdadera. Ocurre a veces, cuando un hombre se desilusiona, cuando ve que se le hunde el castillo —su ínsula— que se aferra más a él, como si quisiera impedir la ruina asentándolo o sustentándolo con el pecho. Así creo que le pasa a Sancho entonces. Cervantes lo observa y también la causa; lo dice bien claro: "Y estaba peor Sancho despierto que su amo dormido; tal le tenían las promesas que su amo le había hecho." También notan esa locura los personajes de la obra, y el Barbero le dice: "¿También vos, Sancho, sois de la cofradía de vuestro amo? Vive el Señor que voy viendo que le habéis de tener compañía en la jaula..."

Todos sabéis cómo se matiza la segunda parte del *Quijote* en relación con la primera. Cómo la segunda es menos brillante, menos briosa, menos fértil, pero cómo crece en dimensión humana; cómo el autor comprende ahora mejor la grandeza de las criaturas que le han salido de las manos; cómo disminuye (salvo en capítulos) el tono de bufonada; cómo siente no ya simpatía, sino una honda piedad por su caballero, y aun por su escudero. Y al sentir piedad, siente tristeza.

Nada de particular que, no lejos del principio de esa segunda parte, nos presenta a Sancho vertido completamente a lo real, es decir, hundido en una sima de desilusión. Y surgen, inmediatamente, la posición picaresca y el ruin engaño al caballero. Es cuando Sancho, que ha dejado a Don Quijote al lado de "la gran ciudad del Toboso", se dirige al pueblo en busca de los alcázares de la princesa Dulcinea. He aquí unas muestras del largo monólogo de Sancho, sentado al pie de un árbol, junto a su rucio:

"Sepamos ahora, Sancho hermano, ¿adónde va vuesa merced? ¿Va a buscar algún jumento que se le haya perdido? No, por cierto. ¿Pues qué va a buscar? Voy a buscar, como quien no dice nada, una princesa, y en ella el sol de la hermosura y todo el cielo junto... ¿Y sabéis su casa, Sancho? Mi amo dice que han de ser unos reales palacios o unos soberbios alcázares. ¿Y habéisla visto algún día por ventura? Ni yo ni mi amo la hemos visto jamás. ¿Y paréceos que fuera acertado y bien hecho que si los del Toboso supiesen que estáis vos aquí con intención de ir a sonsacarles sus princesas y a desasosegarles sus damas, viniesen y os moliesen las costillas a puros palos, y no os dejasen hueso sano?... porque la gente manchega es tan colérica como honrada y no consiente cosquillas de nadie... El diablo, el diablo me ha metido a mí en esto, que otro no... Ahora bien, todas las cosas tienen remedio, si no es la muerte... Este mi amo por mil señales que he visto es un loco de atar, y aun también yo no le quedo en zaga, pues soy más mentecato que él, pues le sigo y le sirvo... Siendo, pues, loco como lo es, y de locura que las más de las veces toma unas cosas por otras y juzga lo blanco por negro y lo negro por blanco... no será muy difícil hacerle creer que una labradora, la primera que me topare por aquí, es la señora Dulcinea; y cuando él no lo crea, juraré yo; y si él jurare, tornaré yo a jurar; y si porfiare, porfiaré yo más y de manera que tengo de tener la mía sobre el hito, venga lo que viniere...; quizá pensará como yo imagino, que algún mal encantador... le habrá mudado la figura por hacerle mal y daño."

Y así queda encantada Dulcinea, convertida en una labradora. Ya sabéis el encuentro, y cómo la labradora adulcineada cae de su borrica, y cuando Don Quijote corre a sostenerla en sus brazos, "levantándose del suelo, le quitó aquel trabajo, porque, haciéndose algún tanto atrás, tomó una corridica, y, puestas ambas manos sobre las ancas de la pollina, dio con su cuerpo más ligero que un halcón sobre la albarda, y quedó a horcajadas como si fuera hombre", y entonces dijo Sancho:

"Vive Roque, que es la señora nuestra ama más ligera que un alcotán...: el arzón trasero de la silla pasó de un salto, y sin espuelas hace correr la hacanea como una cebra y no le van en zaga sus doncellas, que todas corren como el viento."

Estas simas de desilusión dominan en el Sancho de la segunda parte. Cervantes nos lo dice, después de la aventura del barco encantado: "Maguer era tonto, bien se le alcanzaba que las acciones de su amo todas o las más eran disparates, y buscaba ocasión de que, sin entrar en cuentas ni en despedimientos con su señor, un día se desgarrase y se fuese a su casa." Y siguen los engaños al amo: el de los requesones, el de los azotes para el desencanto de Dulcinea. Ahora lo que le ata al señor es una piedad humana. Así se lo dice a la Duquesa: "...si yo fuera discreto, días ha que debía haber dejado a mi amo; pero esta fue mi suerte y mi malandanza: no puedo más, seguirle tengo, somos de un mismo lugar, he comido su pan, quiérole bien, es agradecido, diome sus pollinos, y, sobre todo, yo soy fiel..." ¡Sancho bueno! ¡Sancho noble! No; Sancho no es un pícaro.

En esas mismas páginas avanzadas, cuando aún tiene un nuevo hervor de ilusión con la ínsula, ésta se le derrumba al verse gobernador de burlas unos días. Y deja el gobierno y deja su antiguo ideal, sin una queja. ¡Sancho heroico, heroico en tu buen sentido!

La fórmula de Unamuno y Papini es demasiado sencilla: Sancho no pertenece ni al mundo de lo real (sería un pícaro), ni al de lo fantasmagórico (sería un caballero). Lo que le define es estar oscilando, pasando constantemente de un plano a otro, de la ilusión a la realidad desilusionada. Es un hombre realísimo; es el hombre. También nuestro corazón tiene sus ínsulas ideales; también por ellas servimos, aun a la locura; también se nos desmoronan y reconocemos nuestra necedad, y entonces nos muerde unos instantes el demonio de la posición picaresca; pero la ínsula brilla otra vez a lo lejos y avanzamos, avanzamos oscilando siempre entre el sueño que nos orea la sien y las piedras del camino que nos hieren.

Cervantes ha pintado el alma de Sancho sin prisa y sin preocuparse del orden mismo de las pinceladas. El proceso de su alma es tan entremezclado y enmarañado como el de la realidad. Y la criatura está ahí, viva y eterna. No es en la pintura de las almas la técnica apretada, crujiente, de Juan Ruiz, de la *Celestina,* de pasajes del *Lazarillo.* Esta vivificación del personaje va llevada, a un tiempo, con flojedad y sabiduría, entre una inmensa selva de aventuras. Sí, Sancho titubeará, humanamente, realmente, a lo largo del libro, con quiebros y naturalísimas contradicciones de personaje real. La ausencia de artificio visible, la ligereza de mano, lo esparcidos que aparecen los rasgos caracterizadores, más me recuerda (claro que con arte mucho más complejo y circunstanciado) la técnica psicológica del *Poema del Cid.*

Pero es la línea del realismo español la que hace posible esta maestría amplia, serena y dilatada de Cervantes. En él, como en sus predecesores, el *Poema del Cid,* el Arcipreste de Hita, el Arcipreste de Talavera, la *Celestina* y el *Lazarillo,* las almas se desnudan hablando. Son escasas —en el *Quijote*— las acotaciones del propio Cervantes, las veces en que el autor trata de comentar las reacciones psicológicas de sus personajes. Unid las escasas, mínimas e indispensables indicaciones de la circunstancia que (en contraposición a sus novelas breves) se dan en el *Quijote.* Toda la obra resulta así dramatizada, concierto y oposición de almas que se nos hacen transparentes en el diálogo.

La línea de desarrollo del realismo español, del realismo de almas, no se quiebra nunca. Su cima de reconcentrada intensidad son quizá unas cuantas páginas del *Lazarillo*. El arte de Cervantes es como un amplio descansadero, como un remanso de la nota aguda, remanso en el que la voz se siente más a gusto para cantar ampliamente, serenamente, el mundo binario: el ensueño y la realidad.

EL HIDALGO CAMILOTE Y EL HIDALGO
DON QUIJOTE

Entre la maraña de aventuras que el autor del *Primaleón* entreteje con los amores del falso jardinero Julián, es decir, D. Duardos, y la infanta Flérida, hay una —a lo que creo no suficientemente señalada por los críticos— que puede ofrecer un interés mucho mayor del que saldría sólo de su torpe estructura novelesca: me refiero al episodio del estrafalario hidalgo Camilote y su feísima amada, la doncella Maimonda.

El episodio comienza en el capítulo XII: "Cómo estando el emperador en su palacio con los altos hombres entró un hombre muy feo con una donzella muy desemejada, por la mano; & suplicó al emperador que le quisiesse dar la orden de cauallería; & de lo que acaesció después" [1], y tiene luego su desarrollo a lo largo de varios capítulos. Pero de todos ellos lo que más nos puede interesar es el contenido del XII.

Está, pues, reunida en Constantinopla toda la corte con el emperador Palmerín, "y estando todos como dezimos en el gran palacio, entró un escudero que traya por la mano una donzella, & ambos a dos eran tan feos que no hauía hombre que los viesse que della no se espantasse: él era alto

---

1 *Los tres libros del muy esforçado cauallero Primaleon et Polendos su hermano...*, Venecia, 1534, fol. CXVII v.º

de cuerpo & membrudo..."[2]. Describe aquí el autor de la obra los trajes extravagantes del escudero y la doncella. Uno y otra se postran de hinojos delante del emperador. Y el escudero feo, besada la mano del soberano, le pide a éste que le haga caballero. El emperador le pregunta de qué linaje viene, a lo cual el escudero contesta que es un "fidalgo", y le cuenta cómo se ha enamorado perdidamente de aquella doncella, cuyo nombre es Maimonda. Ante amor tan desatinado, la corte no puede reprimir la risa: "El emperador no pudo estar que no sonriesse & también todos los altos hombres que con él estauan, & dezían: 'Cierto, la hermosura de la donzella es tanta que hará ser al cauallero de gran ardimiento auiéndola ante sí'; & dezían otras cosas de escarnio. La infanta Flérida, acordándosele de la fermosura de su Julián, híçose muy loçana & començó de reir mesuradamente con sus donzellas, del escudero & de la donzella. Camilote, que así se llamaba el escudero feo, bien conosció la burla que la infanta & los caualleros le fazían..."[3]. El emperador, vista la petición de Camilote, le contesta, no sin zumba: "Amigo, pues que tan fermosa amiga tenéys, razón es de fazer su ruego porque ueamos lo que por ella haréys"[4]. Y arma caballero a Camilote. Éste coloca una guirnalda de rosas en las sienes de Maimonda, y desafía a todos los caballeros que quieran combatir con él para arrebatar la guirnalda a su feísima dama, para él más hermosa que la resplandeciente Flérida. Lo que sigue carece de interés para nosotros: Camilote derrota a varios caballeros, hasta que D. Duardos le vence a su vez y mata. El final se complica aún: Maimonda huye con la guirnalda, la cual por fin le arrebata D. Duardos tras muchas peripecias.

---

[2] *Obra cit.*, fol. CXVII v.º.
[3] *Obra cit.*, fol. CXVIII.
[4] *Ibidem*.

Quien haya leído las líneas anteriores habrá visto los puntos de contacto que la historia de Camilote ofrece con la de
nuestro gran manchego Don Quijote: 1.º, uno y otro son hidalgos; 2.º, uno y otro se lanzan en busca de aventuras, y
para empezarlas necesitan ser armados caballeros; 3.º, los
dos están ridículamente enamorados: uno de la horrible
Maimonda, otro de la zafia Aldonza Lorenzo, y los dos creen
a sus amadas más bellas que las más hermosas mujeres del
mundo; 4.º, uno y otro desafían a todos los caballeros para
que reconozcan la hermosura de su dama; 5.º, uno y otro
hacen acompañar esta extravagancia fundamental de una
serie de indicios estrafalarios y grotescos, en vestido, moda-
les, etcétera; 6.º, la reacción del mundo es la misma ante uno
y otro hidalgo desatinado: las damas, los caballeros de la
corte, el mismo emperador se mofan de Camilote y Maimonda del mismo modo como los duques y su corte se mofan
de Don Quijote y del encantamiento de Dulcinea, lo mismo
que se burlan en las primeras páginas del libro los merca-
deres toledanos que iban a comprar seda a Murcia, etcétera.
Este zumbido de vaya que anda por la corte de Palmerín es
el mismo que aureola la figura de Don Quijote a todo lo largo
del libro egregio; 7.º, en fin, hay un extraño paralelismo en
el nombre de los dos héroes: Camilote = Don Quijote. El hidalgo Camilote = el hidalgo Don Quijote.

Son demasiadas coincidencias para ser obra de la casualidad. Hubieran ocurrido en un libro recóndito, lejano de
Cervantes, por los lugares o por el tiempo, o extraño a las
aficiones del gran novelista, y aún darían qué pensar. Pero
no: aparecen en un libro de caballerías, y sabemos que Cervantes era un verdadero especialista en este terreno, y el
Quijote está plagado de alusiones y de reminiscencias de
estas obras. Y aparecen en un libro de caballerías que se
estuvo reimprimiendo una serie de veces en el siglo XVI, y

varias aún en vida de Cervantes, hasta en 1598, es decir, en vísperas de la aparición del *Quijote*. No hay más remedio que concluir que entre uno y otro libro existe una relación, inmediata o mediata, de parentesco. Es posible que allá en los abismos de la subconsciencia de Cervantes quedara enquistada, resto de una lectura más o menos antigua, la extraña figura grotesca de Camilote, y sus extravagantes acciones como unos compases de "scherzo" dentro de la gran sinfonía heroica de la novela caballeresca. ¡El caballero grotesco de cuya caballería el mundo se burla!: ahí estaba el filón original, intacto, que había que explotar. Y de cómo lo explotó, de cómo el germen hubo de desarrollarse, es prueba el *Don Quijote*.

En una cosa se diferencian los dos héroes de desatino: los hechos de Don Quijote son constantemente cómicos; hay en ellos siempre ese contraste entre el ensueño y la realidad, de donde nace lo grotesco. Pero la historia de Camilote, comenzada en tiempo de zumba, se va poniendo seria cuando el "selvaje" hidalgo derrota caballero tras caballero, y tiene un final trágico en la derrota y muerte del propio Camilote a manos de D. Duardos. Pero estos elementos igualaban ya a Camilote con cualquier jayán de los libros de caballerías, y no pudieron impresionar la imaginación de Cervantes. Fueron sólo los primeros, los grotescos, los cómicos, los que tuvieron originalidad bastante para quedarse filtrados en la mente cervantina y llegar a ser así uno de los gérmenes de la mayor novela del mundo. Sólo uno de los gérmenes, porque el recuerdo de Camilote no impidió que en la contextura del libro fueran a mezclarse otras reminiscencias heterogéneas: la de Amadís, la de Orlando, la del *Entremés de los Romances,* sagazmente estudiada por Menéndez Pidal [5]. Pero

---

5 *Un aspecto en la elaboración del "Quijote"* [Madrid, 1920].

ninguna de éstas explicaría la idea central del libro: la fe en la hermosura de su Dulcinea (de Maimonda) tratada en vano de imponer al escéptico mundo (a la escéptica corte de Palmerín) por el estrafalario Camilote (por el loco Don Quijote). Y la gran carcajada del mundo, ante el *Quijote,* no es sino un eco, enormemente amplificado, de aquella sonrisa que pasó un momento por la corte de Palmerín.

Sólo germinaron, pues, en Cervantes los elementos cómicos de una historia cómico-seria. Tal vez podría ser explicada mejor esta sedimentación eliminatoria por el paralelo con otro cerebro genial: el de Gil Vicente. El *Don Duardos,* de Gil Vicente, procede de manera directa, como es sabido, de la misma novela de caballerías: del *Primaleón.* Ahora bien: con la historia de D. Duardos ha pasado también a la "tragicomedia" vicentina el episodio de Camilote y Maimonda. Pero, nótese bien, pasa como un episodio desligado de los amores de Julián (*i. e.* D. Duardos) y Flérida. Desaparece de las tablas Camilote, y apenas si un momento, más tarde, vuelve a sonar su nombre en el diálogo cuando alguien nos dice que D. Duardos ha dado muerte al extravagante caballero. Con otras palabras: en Gil Vicente ocurrió aproximadamente lo que había de ocurrir en Cervantes; en ambos la historia de Camilote y Maimonda pierde los elementos serios que la ensombrecían en el *Primaleón* para conservar sólo sus aspectos de comicidad.

La consecuencia es inmediata: el Camilote de Gil Vicente se parece a Don Quijote aún más que el hidalgo del libro de caballerías. Se le parece más por el tono exclusivamente grotesco que prevalece en el episodio vicentino y en Don Quijote; no en los pormenores, pues hay alguno (la petición de ser armado caballero, por ejemplo) que no figura en la *Tragicomedia de Don Duardos.* Pero el perfil cómico del feísimo

Camilote aparece realzado, intensificado en la obra del dramaturgo portugués. Maimonda será ya "o cume de toda a fealdade", y el lenguaje apasionado de Camilote recordará los encendidos requiebros de Don Quijote a Dulcinea:

CAMILOTE.   *¡O, Maymonda, estrel[l]a mía!*
¡O, Maymonda, frol del mundo!
¡O, rosa pura!:
¡Vos sois claridad del día,
vos sois Apolo segundo
en hermosura!
Por vos cantó Salamón (sic)
el cantar de los cantares
namorados,
sus canciones vuessas son
y vos le distes mil pares
de cuydados [6].

Daré algunos ejemplos del tono cómico de la escena de presentación en la corte de Palmerín:

(Chegan diante o Emperador e diz Camilote.)

Claríssimo Emperador,
sepa vuestra magestad
imperial
que esta donzella es la frol
de la hermosa beldad
natural.

EMPERADOR.   *¿Cúya hija es, si sabéis?*

CAMILOTE.   *¡Hija del Sol es por cierto!*

EMPERADOR.   *¡Bien parece!*
¿En qué intención la traéis?

CAMILOTE.   *Por mostrar por quien soy muerto*
qué merece.

---

[6]   *Copilaçam de todas las obras de Gil Vicente...*, Lisboa, 1562, folio CXXIIII. Suprimo la repetición de vocales que sirve en ciertos casos en el original para señalar las acentuadas.

EMPERADOR.   *¡Cobrastes alta ventura!*
             ¿Qué años aurá ella?
CAMILOTE.   *Daré prueua*
             que a poder de hermosura
             el tiempo biue con ella
             y la renueua.
             ... ...

             Empero, señor, será
             muchacha de quarenta años,
             mas no menos [7].
             ... ...

Véase ahora la burla que hacen las damas de la corte:

CAMILOTE.   *...¿No le hazéis, damas, a ésta*
             la deuida cortesía
             a vuessa guisa?
AMANDRIA.   *Señoras, ¿qué cosa es ésta?*
ARTADA.   *¡Ésta deue ser Gridonia*
             o Melisa!
FLÉRIDA.   *¡Parece a la reyna Dido*
             y Camilote a Eneas!
ARTADA.   *Sí, ¡a osadas!*
FLÉRIDA.   *¡Espantado es mi sentido!*
             ¿Quién hizo cosas tan feas
             namoradas? [8].

Etcétera.

Una cuestión podría plantearse aún: ¿No pudo Cervantes
leer la historia de Camilote en el *Don Duardos,* de Gil Vicente? Podría inclinar a pensar así la mayor proximidad entre
el Camilote vicentino y Don Quijote [9], por la eliminación de

---

[7]   *Obra cit.,* fols. CXXIIII v.º-CXXV r.º.
[8]   *Obra cit.,* fol. CXXV r.º, *b.*
[9]   Con la restricción indicada más arriba, pág. 24.

los elementos no cómicos existentes en el *Primaleón,* y desde luego no existe imposibilidad material para ello: Cervantes pudo leer la edición de *Obras,* de Gil Vicente, de 1562, en Castilla, o en su viaje a Portugal, en 1581; o si no, la segunda de 1586 [10].

Que no leyera a Gil Vicente durante su estancia en Portugal en 1581 resultaría bien extraño, como cosa en desacuerdo con todo lo que de Cervantes sabemos: su gran interés por el teatro, su gusto de conocer la vida literaria en los distintos sitios adonde le llevaban sus negocios, su desmedida afición a la lectura ("aunque sean los papeles rotos de las calles"). También es muy difícil de admitir que no hubiera leído el *Primaleón* [11], segunda novela del tronco de los *Palmerines.* Lo verosímil, lo humanamente pensable es que conociera lo mismo el *Primaleón* que la *Tragicomedia de Don Duardos.* Dos veces habría pasado por su mente, si ello fue así, la imagen del hidalgo Camilote. ¿Cuál de las dos habría dejado su huella en el *Quijote?*

Creo que la eliminación de elementos no cómicos queda bien explicada como lo hemos hecho más arriba, y que hay más probabilidades de que las reminiscencias de Camilote, que han pasado al *Ingenioso Hidalgo,* sean recuerdo de lecturas (tal vez juveniles, tal vez de la época inmediata a la

[10] Aunque en esta edición el episodio de Camilote y Maimonda aparece con desdichadísimas variantes originadas por la censura. También lo pudo leer en alguna edición suelta del *Don Duardos.* Hubo, por lo menos, una anterior a 1551, y después de 1613 se reimprimió varias veces. Comp. Braamcamp Freire, *Gil Vicente, trovador, mestre da balança,* Oporto, 1919, págs. 288, 292, 293, 294, 297, y 317-320. Es muy probable que existiera alguna otra edición suelta entre 1551 y 1613.

[11] En la historia de Don Duardos, según el *Primaleón,* hay una aventura de "barco encantado" (*Primaleón,* Venecia, 1534, fol. 88; *Quijote,* 2.ª parte, cap. 29). Claro que no se puede estribar en lo que es un tópico de los libros de caballerías.

aparición del *Quijote)* del episodio del escudero "selvaje", tal como aparece en el primer libro de *Primaleón* [12].

---

[12]   No recuerdo ninguna cita del *Primaleón* entre las obras de Cervantes. Lo cual no quiere decir que no lo conociera. Clemencín, en nota al capítulo XVII de la primera parte del *Quijote,* observa alguna semejanza entre el maltrato de Sancho en la venta y los desaguisados que se hacen a Risdeno, escudero de Primaleón, en el capítulo 85 de esta novela caballeresca. En el momento de redactar la presente nota no tengo a mano el *Primaleón.* La semejanza entre una y otra desgracia escuderil es, según recuerdo, sumamente pequeña.

MARAÑA DE HILOS

(Un tema de cautiverio entre Fulgosio, Pero Mexía, Bandello,
Juan de la Cueva y Cervantes)

I

El nudo central de la acción en *Los Baños de Argel* son
los amores de Zara y de D. Lope, y a ellos deben de referirse
los versos del final de la comedia:

> *No de la imaginación*
> *este trato se sacó,*
> *que la verdad lo fraguó*
> *bien lexos de la ficción.*
> *Dura en Argel este cuento*
> *de amor y dulze memoria...* [1].

Pero Cervantes sintió la necesidad de complicar esta trama con una serie de episodios más o menos desligados de la
acción principal, que convierten la obra en un desfile de ani-
madas escenas de la vida del cristiano cautivo en Argel. Muchas de ellas proceden indudablemente de los recuerdos
personales de la cautividad del autor. Pero hay un episodio
que llega a ser como una acción de segundo orden, inhábil-
mente llevada a través de los tres actos, para el cual creo

---

[1] Pág. 352, líns. 8-13. Cito por la edición de las *Comedias y Entremeses* de Cervantes, tomo I, de Schevill y Bonilla, Madrid, 1915.

poder sugerir una fuente literaria. Me refiero a los amores de Constanza y de D. Fernando.

Al comienzo de la obra, los corsarios, conducidos por el renegado Izuf y a las órdenes de Cauralí, sorprenden un pueblo de la costa de España. Entre los prisioneros toman a una doncella llamada Constanza, cuyo prometido, D. Fernando, llega al pueblo demasiado tarde. El galán busca en vano, entre las tinieblas de la noche, a su enamorada; primero pregunta a las murallas de la población:

> D. FERNANDO. *...¿dónde hallaré, dezidme, a mi Costança?*

Luego repite la misma pregunta a los techos, que aún vomitan "llamas teosas", y a las calles "de sangre y lágrimas cubiertas"; y, por último, increpa a los ausentes sol y aurora:

> D. FERNANDO. *Descubre, ¡o sol!, tus hebras luminosas;*
> *abre ya, aurora, tus rosadas puertas;*
> *dexadme ver el mar, donde navega*
> *el bien que el cielo por mi mal me niega.*

Del silencio —respuesta a sus preguntas— y de tanta ruina deduce la cautividad de su amada:

> D. FERNANDO. *Mas ¿qué digo, cuytado? Bien se infiere*
> *de las reliquias deste maleficio*
> *que va cautiua mi querida prenda,*
> *y es bien que a dalle libertad atienda* [2].

Sube el triste D. Fernando a la cumbre de un risco, y ve las fustas que huyen:

> D. FERNANDO. *Ya a descubrir se empieça*
> *la máquina terrible*

---

2 Pág. 242, líns. 21 y 27-30, y pág. 243, líns. 5-8.

> *que con ligero buelo*
> *la carga de mi cielo*
> *lleua en su vientre tragador y horrible;*
> *ya las alas estiende,*
> *ya le ayudan los pies, ya al curso atiende* [3].

Y desde la cima hace señas y da voces a las naves, prometiendo cuantiosas riquezas si le devuelven a D.ª Constanza. Pero viendo que todo es inútil, agrega:

> *Locuras digo; mas, pues no merezco*
> *alcançar esta palma,*
> *lleuad mi cuerpo, pues lleuáis mi alma* [4].

Dichas estas palabras, se arroja del risco al mar. El Sr. Cotarelo Valledor, al comentar este trozo, dice únicamente que D. Fernando "se desespera y se arroja al mar" [5]. Cuando lo cierto es que, según el sentido del último verso y de las explicaciones posteriores de la misma comedia, don Fernando se arroja al mar para que los corsarios que llevan cautiva su "alma", a su Constanza, lleven también su cuerpo, le lleven a él. En efecto: llegan los cristianos a Argel, y D. Fernando, que durante la travesía y a la llegada ha estado buscando inútilmente a su prometida, la encuentra, por fin, cautiva de Halima:

> D. FERNANDO. *¿No están mirando mis ojos*
> *los ricos, altos despojos*
> *por quien al mar me arrojé?* [6].

Pero el sentido de estas palabras queda aclarado mejor en la explicación de lo sucedido que hacia el final de la jornada segunda hace D. Fernando a Constanza:

---

[3] Págs. 243, líns. 28-29, y 244, líns. 1-5.
[4] Pág. 245, líns. 10-12.
[5] *El Teatro de Cervantes*, Madrid, 1915, pág. 241.
[6] *Comedias y Entremeses*, pág. 272, líns. 27-29.

D. FERNANDO.   *Subí, qual digo, a aquella peña, adonde*
las fustas vi que ya a la mar se hazían.
Bozes comencé a dar; mas no responde
ninguno, aunque muy bien todos me oían.
... ...
Mas ¿qué remedio, amor, ay que no enseñas
para el dolor que causa tu agonía?
... ...
El coraçón...
el cuerpo hizo que arrojasse al agua,
sin peligros mirar ni inconuenientes,
juzgando que alcançaua hermosa palma
si llegaua a juntarse con su alma.
...arrojéme
al mar, en amoroso fuego ardiendo,
y otro Leandro con más luz tornéme,
pues yua aquella de tu luz siguiendo.
Cansáuanse los braços y esforcéme,
por medio de la muerte y mar rompiendo,
porque vi que vna fusta a mí boluía,
por su interesse y por ventura mía [7].

Cuenta luego cómo le recogieron los de la fusta, y termina:

¡Mira si es cuento
digno de admiración y sentimiento! [8].

Las subsiguientes andanzas de D. Fernando y su prometida no nos interesan ahora. Lo importante es esto: Cervantes, amigo de introducir hechos heroicos en sus ficciones,
entremezcla aquí la hazaña de un hombre que, ausente del
lugar al tiempo que los piratas argelinos le arrebatan a su
prometida esposa, movido por el amor, no tiene inconveniente en arrojarse al agua y nadar hacia las fustas de los que se
la roban, diciendo que le lleven a él también, puesto que a

---

[7]   Pág. 301, líns. 11-15, 25-26 y 29, y pág. 302, líns. 4-7 y 8-16.
[8]   Pág. 302, líns. 23-24.

ella se la llevan, y prefiere ser esclavo y estar junto a su amor antes que ser libre y estar separado de él.

Veamos ahora este pasaje de la *Silva de varia lección,* perteneciente al capítulo XV de la Segunda Parte, en el cual se cuentan "algunos exemplos de casados, que mucho y fielmente se amaron":

Entre estos exemplos antiguos, bien merece ser contado el de vn labrador, natural del Reyno de Nápoles, por ser muy notable, el qual Baptista Fulgoso escrive: "Fue, que andando vn pobre cerca de la mar en su alabor, acaso andaba su muger algo apartada de él, y de vna fusta de Moros, que andaba a hazer salto, fue tomada y metida en la mar. De allí a poco, como el labrador no halló a su muger donde la avía dexado, y vio fusta cerca, luego fue conocido y visto por él que su muger era cautiva; queriendo antes ser cautivo con su muger que vivir libre sin ella, se echó a nado a la mar, dando vozes al Capitán de la fusta, diziendo que tomassen a él, pues llevaban a su muger. Y assí, fue recibido en la galera con grande admiración de todos y con lágrimas de su muger. Y como después fue llevado al Rey de Túnez, de donde era la fusta, y contado el caso como passaba, movido el Rey de compassión de el marido que aventuró la vida y la libertad por sólo serle compañero en la desventura sin tener fin a otro remedio alguno, les hizo dar libertad a ambos y los embió libres a su tierra" [9].

La simple lectura de este trozo pone de manifiesto el parecido entre la narración que Mexía toma de Fulgosio y el episodio de *Los Baños de Argel.* Puntualizaré, sin embargo, el paralelismo entre el desenvolverse de la acción en la *Silva* y en la comedia: 1.º La mujer del labrador es arrebatada por los moros durante una breve ausencia de su marido. Constanza es hecha cautiva estando su prometido esposo D. Fernando ausente de la población. Es al principio de la jornada primera:

---

[9] *Silva de varia lección.* Madrid, 1673, pág. 162.

(Sale vn moro con una donzella llamada Costança medio desnuda.)

COSTANÇA.   *Saltos el coraçón me da en el pecho;*
             falta el aliento, el ánimo desmaya.
             ¡Lléuame más despacio!
MORO.   *¡Aguija, perra,*
             que el mar te aguarda!
COSTANÇA.   *¡Adiós, mi cielo y tierra!* [10].

2.º Llega el labrador adonde había dejado a su mujer y conoce por indicios que ésta había sido cautivada. Llega D. Fernando al poblado y pregunta por Constanza a las murallas, a las casas, a las calles; el no encontrarla y las huellas del reciente saqueo le dan claro indicio de la cautividad de su prometida. 3.º El labrador "vio fusta cerca". D. Fernando nos dice: "Las fustas vi que ya a la mar se hacían". 4.º El labrador realiza la acción heroica, según Mexía, aventurando la vida y la libertad sólo por ser compañero de su mujer en la desventura. D. Fernando, según él mismo cuenta, "sin peligros mirar ni inconvenientes, | juzgando que alcanzaba hermosa palma | si llegaba a juntarse con su alma". 5.º Acción heroica: el labrador se arroja a nado al mar y da voces al capitán de la fusta para que le recojan. D. Fernando, igualmente, llama, primero a voces a las naves y luego se arroja al mar nadando hacia una de las fustas que huyen, hasta que los corsarios le recogen. 6.º Palabras que decía el labrador mientras iba nadando: "Que tomasen a él, pues llevaban a su mujer." Exactamente las mismas palabras —traspuestas al lenguaje poético— son las que dice D. Fernando al arrojarse del risco al mar: "Llevad mi cuerpo, pues lleváis mi alma."

El final de la historia es diferente. No podía ser de otro modo, porque en la comedia, para dar una apariencia de unidad a la acción, la suerte posterior de Constanza y D. Fer-

---

[10]   *Comedias y Entremeses*, pág. 240, líns. 16-23.

nando tenía que ir ligada a la de la principal pareja de amantes, héroes de la comedia: la de Zara y D. Lope. Pero lo esencial, la acción heroica por amor, es idéntico, con estas diferencias fácilmente comprensibles. 1.ª Que en los *Factorum dictorumque memorabilium libri IX*, de Fulgosio, y en la obra de Pero Mexía, se trata de un pobre labrador, y en la comedia, de un caballero. 2.ª Que en la historia los protagonistas son marido y mujer, y en la obra de Cervantes, esposos prometidos.

No me parece probable que Cervantes leyese la historia en el texto de Fulgosio [11]. Menos improbable sería que se tratase de un cuento repartido por las regiones costeras de Europa, expuestas a los frecuentes asaltos de los piratas musulmanes, y que Cervantes lo hubiera oído, ya durante su estada en Argel, ya en sus otras andanzas por el mundo. No

---

[11] Véase el texto de Fulgosio:

"De Neapolitani regni quodam accola.

"Resistere nequeo, quin agricola Lentiscolensis in Neapolitano regno ortus, humili fortuna sed quoque magnis viris, vbi de coniugali charitate agitur, inserat. Is cum iuxta mare agrum coleret, vxórque ab eo aliquantisper disiuncta, à piratis Mauris, qui in littus praedatum descenderant, capta esset, statim vt vxorem non apparere, trirememque piraticam haud longè anchoras iecisse conspexit, arbitratus id quod erat, in ea vxorem esse, ad triremem statim adnatauit, atque eius gubernatore vocato, dixit, se idcircò venisse, quod sequi vxorem statuerat. Minimè barbarie illa territus, nationis fideíque Christianæ inimica, neque ingenti miseria, qua remigio addicti laborant: omnium horum immemorem coniugalis amor eum fecerat. Quam rem, cum Mauri non sine ingenti admiratione audiuissent, permultos enim eius regionis accolas viderant, prius perpeti mortem, quam illam miseriam, malle, atque eam postea per ordinem Tunetensi regi narrassent, tanta hominis charitate motus rex, & virum & vxorem liberos esse iussit, atque inter regiæ custodiæ milites, virum adoptauit. (Bap. Fulgosii *Factorum Dictorumque Memorabilium, libri IX*, a P. Ivsto Gaillardo Campano, in Paris, Senatu aduocato, aucti et restituti. Paris, 1578.— Liber IIII, cap. VI, *De coniugali charitate*, fol. 144 v.º)." Nótese que en la narración de Pero Mexía los esposos son enviados libres a su tierra.

sería esto último inverosímil si no hubiera de una parte la extraña semejanza de las palabras que el arrojado amador en uno y otro caso dice, y de otra, la semejanza del proceso de la acción en la historia y en el episodio de la comedia. Además: poseemos un número suficiente de irrefutables pruebas de que la *Silva de varia lección* fue leída y aprovechada en otras ocasiones por Cervantes. Efectivamente, aparte de la innegable influencia que sobre Cervantes ejercen algunas de las ideas filosóficas y morales recogidas por Pero Mexía, hay, como ha demostrado Américo Castro en su obra *El pensamiento de Cervantes,* varios pasajes del *Quijote* que proceden directamente de la *Silva de varia lección,* mientras que otros dimanan indudablemente de la *Parenesis o exhortación a la virtud,* de Isócrates [12], traducida por el mismo Pero Mexía y frecuentemente impresa a continuación de la *Silva.*

No es, pues, sino muy racional pensar que el episodio de D. Fernando y Constanza venga directamente de la *Silva* de Pero Mexía. Tal vez en la realidad, en el penoso trabajo de redacción de la obra, observó que la historia que tanto le había seducido tenía mala continuación teatral, y la dejó perdida y como borrosa a la sombra de los amores de D. Lope y Zara. A esto inclinaría el que al principio de la comedia parezca que D. Fernando y Constanza van a ser los protagonistas, y luego el lector los vea suplantados por la otra pareja de amantes.

Hipótesis racional, sí..., pero hay otras que lo son también.

---

[12] Véase *El pensamiento de Cervantes,* pág. 337, nota; 360-361, 371, nota, etcétera.

II

Entra ahora en esta liza la *Comedia del degollado,* de Juan de la Cueva [13].

En ella aparecen también los personajes esenciales del cuento: una mujer (se trata aquí, como en Cervantes, de una doncella, Celia) arrebatada por piratas moros cuando estaba su amante, Arnaldo, en sitio no muy cercano al lugar salteado por la morisma. Siempre igual que en las obras antes citadas, el bueno, triste amante, ya enterado del rapto de Celia, acuerda seguir la suerte de ésta, dejando que los piratas le lleven

---

[13] Reproduzco a continuación extractos del argumento tal como figura en la edición de Cueva: "Arnaldo, capitán de Vélez-Málaga, cativó en vna refriega a vn moro llamado Chichivali, al qual dio libertad..., quedando con Arnaldo de le embiar o traer el rescate... Y bolviendo a traello, tuvo orden de cativar a vna donzella llamada Celia, que el capitán Arnaldo servía, yendo en ábito de ombre a ver vn banquete quel capitán dava a otras damas. Sabido de Arnaldo que los moros le llevavan a Celia, se puso a donde fue tan bien captivo por los moros, y llevado a Berbería y presentado al rey, y assí mismo lo fue Celia, los quales estando en el servicio del rey, Chichivali descubrió al príncipe, hijo del rey, cómo aquel page era muger, y contándole toda la istoria, el príncipe se enamoró de Celia. [Chichivali, enamorado también de Celia, pretende alcanzarla; Arnaldo le mata, por lo cual es condenado a degollar. Celia pide la vida de Arnaldo, la cual el príncipe le concede, haciendo que degüellen a otro preso en lugar de Arnaldo. Celia ve al degollado, y creyendo que era su amante, se queja al príncipe.] El príncipe le pidió que, como ella hiziesse lo que él le pedía, él le daría a Arnaldo vivo. Celia, teniendo la promesa del príncipe por impossible, concedióle que sí haría. El príncipe mandó traer allí a Arnaldo, y viéndolo Celia y que avía dado al príncipe su palabra de cumplir su voluntad, se puso muy triste. Sabida de Arnaldo la ocasión de su tristeza, le dixo que cumpliesse la palabra que le avía dado al príncipe... El príncipe, conmovido a lástima, largó a Celia la palabra, y dándoles secretamente libertad, los embió a su tierra." (*Comedias y Tragedias,* de Juan de la Cueva, en Bibliófilos Españoles, XL, págs. 212-213.)

a él también prisionero. No se arroja al mar como los héroes
de Fulgosio, Pero Mexía y Cervantes, sino que se queda echa-
do en la costa para que los robadores le vean y le cautiven:

> Echado en esta marina
> quedaré, do me faltó
> mi alma; quizá quedó
> fusta alguna convezina
> que me lleve adonde va
> mi vida captiva... [14].

Así ocurre, y es también llevado a Berbería.

Prescindamos de lo secundario y episódico. Ateniéndonos
a lo principal, el destino de la pareja de amantes es casi idéntico en Cueva y en Mexía. En uno y otro, el rey —o el príncipe— moro, admirado del heroísmo del amante, pone en libertad a él y a su amada. En la *Silva,* el único determinante
de la generosidad real es la acción heroica del marido al dejarse cautivar por no separarse de su mujer; en *El degollado*
deciden el ánimo del príncipe no sólo el voluntario cautiverio
de Arnaldo para juntarse con Celia, sino también otras fine-
zas y caballerosidades del cautivo español [15]. Pero en Cervan-

---

[14] *Ibidem,* pág. 230.

[15] Desde luego, la acción heroica de Arnaldo al dejarse cautivar por
no separarse de Celia era conocida del príncipe, pues se la había referido Chichivali:

> Arnaldo, sin duda alguna,
> como viesse cativalla,
> determinó acompañalla
> y ofrecerse a la fortuna.
>
> (El degollado, pág. 239.)

Una lectura superficial puede hacer creer que el príncipe concede
la libertad a los amantes movido de la última fineza de Arnaldo: el
aconsejar a Celia que corresponda al príncipe para cumplir la palabra
que dio. Véase la escena [el príncipe ha preguntado a Celia si le ha
contado a Arnaldo la palabra dada por ella]:

tes —frente a Mexía y a Cueva—, después de los amores trocados y no correspondidos de Halima por D. Fernando y Caurulí por Constanza, los amantes españoles se fugan de Argel junto con otros cristianos. Queda así la historia de la comedia de Cueva mucho más cercana a la estructura total de la anécdota de Mexía, donde acción heroica del amante y generosidad real son términos correspondientes.

Pero hay otros aspectos en que la coincidencia entre Juan de la Cueva y Cervantes es muy grande. Don Fernando dice, desesperado, al tiempo de arrojarse al mar:

> *Locuras digo; mas, pues no merezco*
> *alcançar esta palma,*
> *lleuad mi cuerpo, pues lleuáis mi alma* [16].

CEL.   *Sí, señor, ya l'e contado*
        la palabra que te di.
PRÍNC. *Y, ¿qué responde?, me di.*
CEL.   *Que te cumpla lo mandado.*
        Que goze por él tu alteza
        el bien por quien a sufrido
        tantos males, y a venido
        a tan mísera baxeza.
        ... ...
PRÍNC. *Nunca Alá quiera, señora,*
        que a tan leal amador
        yo haga tal sinsabor
        qual de mí recela agora.
        Él se os deve a sola vos
        y por fe lo merecéys:
        largos años os gozéys
        en gran descanso los dos.

Las palabras de Celia subrayadas por mí, aluden a la voluntaria cautividad de Arnaldo, y la traen, momentos antes de la concesión de gracia, ante los ojos del príncipe. Se reanuda así, tras el agotamiento de la intriga necesaria para las tablas, el hilo de la historia principal.

[16] *Ocho comedias y ocho entremeses*, Madrid, 1615, fol. 61 v.º.

Y en situación análoga, dice Arnaldo:

> *Moro, áspero enemigo,*
> *alcance de ti por palma*
> *que vaya el cuerpo del alma*
> *que llevas presa conmigo* [17].

Hay juegos de palabras (bien que triviales en la época) en que coinciden también los dos. Habla D. Fernando:

> *Subí, qual digo, a aquella peña, adonde*
> *las fustas vi que ya a la mar se hazían...*
> *Mas ¿qué remedio, amor, ay que no enseñas*
> *para el dolor que causa tu agonía?*
> *Vno sé me enseñaste, de tal suerte*
> *que hallé la vida do busqué la muerte* [18].

Y ahora Arnaldo:

> *...quizá quedó*
> *fusta alguna convezina*
> *que me lleve adonde va*
> *mi vida captiva y presa,*
> *y haziendo de mí presa,*
> *vida a mi muerte dará* [19].

¿En qué relación, pues, están los textos de Cueva y de Cervantes respecto al de Mexía-Fulgosio? La *Comedia del degollado* se representó en la Huerta de D.ª Elvira en 1579, cuando Cervantes era aún un cautivo en Argel, y se imprimió en 1588 con las otras *Comedias y Tragedias* de Cueva.

En cuanto a *Los baños de Argel* (impresos con las *Ocho comedias y ocho entremeses*, 1615), pertenecen a la segunda época dramática de Cervantes, bastante distante de la de *La*

---

[17] *El degollado*, edic. cit., pág. 229.
[18] *Ocho comedias*, fol. 73 v.º
[19] *El degollado*, edic. cit., pág. 230.

Numancia y *El trato de Argel*. Todo esto, unido a las coincidencias de expresión entre Cueva y Cervantes y a la mayor fidelidad de la historia, tal como se cuenta en la *Comedia del degollado*, con relación a la *Silva* de Pero Mexía, podría inclinarnos a pensar que quien leyó la anécdota directamente en Mexía fue Juan de la Cueva, y que su contenido tal vez pasara a Cervantes a través del dramaturgo sevillano. No cabe duda de que Cervantes conocía el teatro de Juan de la Cueva, con el cual tantas afinidades presenta el suyo propio.

Sin embargo, ya hemos visto que el heroico amante se echa a nado en Cervantes, para que le cautiven (como en Fulgosio y en Pero Mexía), mientras que en Cueva se echa en la costa para que los piratas le vean y se lo lleven. Ni tampoco es de olvidar, como he dicho, que Cervantes era lector aficionado de la *Silva de varia lección*. ¿Cómo no había de leer esta obra en una época en que andaba en manos de todos?

Viene aún a enmarañar más los hilos que pudieron llevar esta anécdota hasta Cervantes el hecho de que aparezca también en Bandello en la *novella* 50 de la 3.ª parte: "Petriello segue per mare la rubatagli moglie; e con lei lieto e ricco a casa se ne ritorna per cortesia del re di Tunisi." Su narración procede de Fulgosio; así lo prueba la coincidencia de muchos pormenores, entre otros el nombre mismo del pueblo donde la mujer es robada [20]. Y la novela de Bandello no contiene más trama que la anécdota misma de Fulgosio. No cabe duda de que Cervantes había leído (y con fruto) a Bandello [21], pero entre la narración de esta historia por el *novelliere* y por Cervantes no hay ninguna de las coincidencias verbales [22] o,

---

[20] Según Fulgosio, el marido era un labrador "Lentiscolensis in Neapolitano regno ortus", y, en Bandello, "in Lentiscosa, villa del reame di Napoli".

[21] Trato este tema en mi libro, aún inédito, *España y la Novela*.

[22] Cuando, en Bandello, el esposo se arroja al agua no dice nada igual al "llevadme mi cuerpo pues lleváis mi alma" en que vienen

en general, de pormenores, que, como hemos visto, se pueden establecer entre la versión de Cervantes, por un lado con la de Mexía, y por otro con la de Cueva.

Bien pudo Cervantes fundir en su subconsciencia recuerdos de la *Silva de varia lección* y de la *Comedia del degollado*. Éstas serían las versiones que más le impresionaron. Pero es muy probable que hubiera leído la *novella* de Bandello; y mucho también que durante su cautiverio hubiera oído narrar alguna tradición parecida.

---

aproximadamente a coincidir Mexía, Cueva y Cervantes. Lo más próximo, en Bandello, sería: "Ben v'affermo che viver senza lei tanto a me saria possibile, quanto se la vita levata mi fosse."

UN SONETO DE MEDRANO IMITADO DE ARIOSTO

En la *Vida y obra de Medrano* he señalado cuánta precaución es necesaria al hablar de los sonetos del poeta: "De algunos se ha descubierto el cercanísimo modelo; de otros, todavía no. Digo *todavía* porque tal descubrimiento es siempre esperable tratándose de un poeta como Medrano cuyo arte, cuyo valor... consiste precisamente en la imitación" [1]. Y aún en otro lugar insisto en la necesidad de precaverse [2]. Recién impresas las mencionadas obras, encuentro en Ariosto un soneto que es fuente inmediata de otro del poeta sevillano:

XXIII

A Dio, perché lo sottragga, pentito, all'inferno

Come creder debbo io che tu in ciel oda,
Signor benigno, i miei non caldi prieghi,

---

[1] Obra cit., vol. I (único impreso), Madrid, 1948, pág. 120. En el segundo tomo (ahora en prensa) doy una edición crítica de las obras del poeta, con un estudio más pormenorizado de fuentes y toda la documentación en que se ha basado mi trabajo.

[2] "...los sonetos, donde tenemos que hablar provisionalmente porque el estudio de las fuentes puede avanzar aún". Real Academia Española. *Vida de don F. de Medrano. Discurso leído... por... Dámaso Alonso...* Madrid, 1948, pág. 97. (Formado con partes del libro citado antes, pero con algunas modificaciones de pormenor.)

se, gridando la lingua che mi sleghi,
tu vedi quanto il cor nel laccio goda?

Tu che'l vero conosci, me ne snoda,
e non mirar ch'ogni mio senso il nieghi;
ma prima il fa' che di me carco, pieghi
Caron'il legno alla dannata proda.

Iscusi l'error mio, Signor eterno,
l'usanza ria, che par che sì mi copra
gli occhi che'l ben dal mal poco discerno.

L'aver pietà d'un cor pentito, anco opra
è di mortal; sol trarlo da l'inferno
mal grado suo, puoi tu, Signor, di sopra[3].

El soneto de Medrano es el que lo mismo en el ms. 3783 de la Biblioteca Nacional de Madrid (importantísimo autógrafo)[4] que en la edición panormitana de 1617 ocupa el último lugar entre todas las poesías:

¿Cómo esperaré yo que de mi pena
tibias las quejas toquen en tu oído,
si con la lengua libertad te pido,
y el corazón se goza en la cadena?

Tú, Señor uno, ves cuánto esté ajena
la voz que te importuna, del sentido;
y así, en bandos injustos dividido,
¿ver placada tu faz podré y serena?

Tal es. Haber piedad de un quebrantado
corazón, aun es obra que en un crudo
pecho mortal halló tal vez cabida.

Mas, tirar del infierno a un obstinado,
malgrado suyo, en ti, uno, caber pudo,
árbitro de la muerte y de la vida.

---

[3] Ariosto, *Lirica*, a cura di Giuseppe Fatini, Bari, 1924, pág. 38.
[4] Descrito ligeramente ya por La Barrera en sus apuntes inéditos, y por mí, *Vida y obra de Medrano*, I, págs. 88 y sigs. (= *Discurso*, págs. 68 y sigs.). Una descripción más rigurosa aparecerá en el tomo II de mi libro.

No hay por qué hablar de las semejanzas, obvias; la diferencia principal está en el segundo cuarteto, del que el traductor ha eliminado a Caronte. Esta supresión de la mitología era muy conveniente en un soneto religioso. Pero es además costumbre de Medrano, siempre que le resulta posible[5]. El primer terceto italiano ha desaparecido, y el segundo ha sido desarrollado en los dos españoles. El valiente verso último, de Medrano, no tiene correspondencia en el original.

No hace mucho, en esta misma revista, Chandler B. Beall[6] mostró que cuatro sonetos de Medrano procedían de sonetos y de una octava de Tasso. Y aquí mismo también, Bettie Mae Hall[7] probó que otro soneto del poeta de Sevilla procede de otro de Tasso. En la citada *Vida y obra de Medrano*[8] señalo ya las fuentes latinas o bíblicas de algunos otros sonetos, pero esta cuestión de modelos sólo me ha preocupado en el tomo ya impreso, de un modo general, como rasgo caracterizador. Un estudio más pormenorizado de fuentes aparecerá en la segunda parte de esa obra.

He querido adelantar lo que atañe a este caso concreto, porque en el tomo ya impreso he aducido este soneto como prueba de la intensidad del sentimiento religioso de Medrano y del torcedor en que, entre mundanidad y vida espiritual, se debatía. Al ver ahora que es casi traducción de uno de Ariosto,

---

[5] *Vida y obra de Medrano*, I, págs. 145-147, 156-157, 161, 255-259, 283, etcétera.

[6] "Hispanic Review", XI, 1943, págs. 76-79.

[7] XIV, 1946, págs. 65-66.

[8] Págs. 138-142. En la pág. 144 de mi libro hablo de "una reminiscencia de Boscán": me refiero al soneto XLI de Medrano (comp. Boscán, soneto LI, Knapp, pág. 200). Es más que reminiscencia evidente imitación: Medrano desarrolla en el segundo cuarteto y los tercetos (embelleciéndola) la imagen casera del terceto último del barcelonés. (Rectifíquese, pues, también la nota 7 a la pág. 226 de mi libro: el vínculo que allí busco es Boscán, aunque es probable que la imagen de éste tenga aún otra fuente.)

no creo necesario alterar mi juicio. Quien lea mi libro comprenderá, espero, cómo es característico de aquel gran imitador el atraer lo imitado a la esfera de su propia pasión y de su propia vida [9].

---

[9] *Nota de 1962.* — Se ha respetado el texto de este artículo, pero el tomo II (edición crítica) de *Vida y obra de Medrano,* escrito en colaboración con Stephen Reckert, se publicó en 1958.

LOPE EN ANTEQUERA

Por varios sonetos incluidos en la *Segunda parte de las rimas,* y por una carta dirigida al Duque de Sessa, sabemos que Lope estuvo en Granada "en tiempos de los Reyes Católicos, Lucinda y Belardo" [1], días sevillanos de los amores con Micaela de Luján. La carta es de julio de 1611, y en ella se dice que la visita a Granada había tenido lugar haría siete años, es decir, aproximadamente, a fines de 1603 o principios de 1604. En cuanto a los sonetos, su texto no da lugar a dudas: fueron escritos por Lope en la ciudad del Darro (del Dauro, por cierto bien traído y llevado en ellos) [2] los que tienen los números CLIX, CLXV y CLXVII, dirigidos, respectivamente, al Dr. Arjona, al Dr. Tejada y al Dr. Mira de Mescua, para agradecer las atenciones que con el ilustre visitante entonces tenían; y el que lleva el número CXI, dedicado a Don Álvaro de Guzmán, probablemente fue escrito también durante la visita (D. Álvaro de Guzmán [3] fue el caballero gra-

---

[1] Es frase de dicha carta al de Sessa. V. La Barrera: *Nueva biografía de Lope de Vega,* en el tomo I de la gran edición de la Acad. Española, pág. 98, n.

[2] *Dauro* aconsonanta con *restauro, Mauro* y *Tauro,* en los sonetos a Mira de Mescua y Tejada; y con *lauro,* en el de Tejada a Lope, que en este trabajo publico.

[3] La Barrera, pág. 98, n.

nadino que hospedó al poeta madrileño), pero pudo también serlo antes o después; por lo que hace a este punto, nada se deduce de su texto. En fin, hagamos resaltar que la impresión de estos sonetos en la *Segunda parte de las rimas,* en el mismo volumen de *La hermosura de Angélica* (1602), prueba que el viaje a Granada fue anterior a los últimos meses del 1602 [4], pues aunque parece que el autor hizo algunas modificaciones del texto estando la obra en prensa, Lope se hallaba ya por esos meses en Madrid [5].

Hay, por tanto, una contradicción entre la fecha del viaje a Granada, según el testimonio de la carta, y el de los sonetos. Algunos [6] piensan que tuvo lugar la visita en el verano de 1603, o más probablemente en la primavera de 1604. Otros [7] han tratado de conciliar los datos de la carta y los sonetos, con imaginar dos viajes a Granada, uno después del *Corpus* [8]

---

[4] La "Tassa" es de 30 de noviembre de 1602. En prensa la obra, se hicieron supresiones por ser demasiado texto para "lo que permite un libro en octavo folio". (Comp. La Barrera, pág. 106.) Razón de más para suponer que los sonetos estaban ya en el cuerpo del original.

[5] Lope se encontraba ya en Madrid en el 11 de noviembre, en que fecha *El cuerdo loco,* y se hallaba todavía en Toledo el 23 de diciembre (V. Rodríguez Marín: *Lope de Vega y Camila Lucinda,* "Boletín de la Real Acad. Española", I, pág. 278). En enero había llegado ya a Sevilla.

[6] Rennert y Castro: *La vida de Lope de Vega,* pág. 160. La Barrera, págs. 110-111, coloca el viaje en el verano o el otoño de 1603.

[7] Cotarelo y Mori: *La descendencia de Lope de Vega,* "Boletín de la Real Acad. Española", II, págs. 41 y 44.

[8] El imaginar que el viaje se verificó después del *Corpus,* se basa en suponer: 1.º Que Lope fue a Granada con Micaela de Luján (suposición nada absurda, que está ya en La Barrera, pág. 110, pero que de ningún modo podría deducirse de la citada carta al de Sessa). 2.º Que Micaela iba en la compañía de Baltasar de Pinedo. 3.º Que Baltasar de Pinedo, después de actuar por el *Corpus* en Sevilla, se fue a trabajar a Granada. Y es muy probable. Desde el día de Navidad de 1602 hasta febrero de 1603, actuó en Córdoba, según N. Díaz de Escovar: *Comediantes del siglo XVII: Baltasar de Pinedo,* en el "Bol. de la Acad. de la Historia", t. XCII, pág. 164. De todo ello, sin embargo, lo único que

de 1602 y otro en el verano de 1603. No tendría nada de particular tampoco que los dos supuestos viajes no hubieran sido más que uno, el indudable de 1602 [9], y todo se redujera a que cuando Lope escribió en 1611, en la mencionada carta al de Sessa, "hará siete años", debería tal vez haber escrito, con más exactitud, "hace nueve años".

En favor, sin embargo, de la hipótesis de un segundo viaje a Granada, en 1603, parece que habla la inclusión en *El peregrino en su patria*, impreso a principios de 1604 (la dedicatoria del libro es del último día del año de 1603, y la aprobación del 25 de noviembre del mismo), de algunos sonetos laudatorios escritos por sus amigos de aquella ciudad: uno del Dr. Agustín de Tejada Páez y otro de D. Álvaro de Guzmán; así como que en el mismo libro aparezca, aunque con otro nombre de autor (de ello hablaremos después), un soneto del antequerano Luis Martín de la Plaza. ¿Pero acaso no está metida también en el cuerpo del libro la famosa epístola a Lucinda, "viniendo a negocios de su hacienda (de Jacinto, *i. e.* Lope) de Sevilla a la Corte", epístola que casi seguramente fue escrita durante el viaje a Toledo y Madrid de fines del año 1602? [10]. No creo fácil el llegar a decidirse entre las

---

parece verdaderamente seguro es que Baltasar de Pinedo representó en Sevilla en las fiestas del *Corpus*. (V. Sánchez Arjona: *Noticias referentes a los anales del teatro en Sevilla.*)

[9] No parece que haya fundamento sólido para suponer, como se ha hecho a partir de La Barrera, la existencia de un viaje de Lope a Andalucía a fines de 1600 o principios de 1601. En cambio, el viaje de 1602 resulta comprobado por el soneto sevillano *A Lope de Vega cuando vino de Castilla el año de 1602*, y por la inclusión en la *Segunda parte de las Rimas* de los ya citados sonetos escritos en Granada: todos los movimientos de Lope resultan así más claros, y perfectamente explicada la epístola a Camila Lucinda, que aparece en el libro tercero de *El Peregrino en su Patria*; dicha epístola habría sido escrita a fines de 1602 (lo más probable en noviembre o diciembre). Comp. Cotarelo y Mori, art. cit., págs. 38-40.

[10] Véase la nota 9.

dos posibilidades, la de una sola ida a Granada en 1602 y la de una en 1602 y otra en 1603. Prescindiré, pues, de tratar de distinguir durante cuál viaje, o a raíz del cuál de estos viajes, fueron escritos los sonetos de que voy a hablar.

En un manuscrito antequerano (fechado en 1627), en el que un aficionado a la poesía, Ignacio de Toledo y Godoy, reunió una copiosa colección de sonetos (482, según su cómputo, pero hay algunos errores), figura el siguiente:

El Dr. Agustín de Tejada a Lope de Vega en Granada.

Soneto 114:

> *Rebuelta en perlas y oro, la alta frente*
> *alçó Dauro mirando su riuera*
> *más adornada que en la primauera*
> *quando el Sol dora al Toro el cuerno ardiente;*
>
> *y uiendo flores desusadamente*
> *su uega no conoce, que antes era*
> *estéril, y ue agora por doquiera*
> *quanto el Tempe y Arcadia y Hibla tiene* (sic).
>
> *Y assí ufano de uerse dice Dauro*
> *al Arno, Tajo, Po, Mincio y Partolo* (sic):
> *"En flores, uega y lauio me aventajo".*
>
> *Mas respondióle a su blasón Apolo:*
> *"Es prestado tu bien y ageno el lauro,*
> *que esas flores y uega son del Tajo"* [11].

He reproducido este soneto, sin duda alguna no muy bueno y algo estropeado en la copia, para que se tenga en cuenta al lado de otro del mismo Tejada en alabanza de Lope y de su *Peregrino,* que figura al folio 264 de la edición de este libro, de Sevilla, 1604. Resulta, pues, que Tejada le dedica a

---

[11]   *Bariedad de sonetos Recoxidos de diferentes Authores Por Ignacio de Toledo y Godoy. Año 1627,* fol. 57 v.°, manuscrito publicado por Dámaso Alonso y Rafael Ferreres con el título de *Cancionero Antequerano,* Madrid, 1950, pág. 35.

Lope dos sonetos, el uno, probablemente, en 1602, estando el madrileño en Granada, y el otro en 1602 ó 1603, en alabanza de la novela próxima a publicarse.

Pues exactamente lo mismo hizo Luis Martín de la Plaza. En el mismo manuscrito antequerano, que he citado hace poco, se encuentran los dos sonetos siguientes:

Del mismo [Luis Martín de la Plaza] a Lope de Vega estando en Antequera, aunque él, ingratamente, lo puso en su libro del "Peregrino" con nombre de otro autor.

Soneto 241:

*Espíritu gentil que el alto cielo
asaltas con ingenio peregrino,
buela siguro, pues el Sol diuino
te presta aliento, te respeta el buelo,*

*que no serás como el audaz mozuelo
(bien que imitas el áspero camino)
que dando nombre al Ponto cristalino* [12]
halló en las ondas de su muerte el yelo.

*Que él las alas opuso al Sol ardiente,
de cera y de soberbia, pues con ella
al cielo presumió poner escalas,*

*mas tú, que llebas en la docta frente
el priuilegio de su Dafne* [13] *bella,
puedes subir sin abrasar tus alas* [14].

---

[12] Ícaro, derretida de tanto acercarse al Sol la cera de sus alas, cayó al mar que de su nombre se llamó Mar Icario.

[13] Lope lleva en la frente el laurel en que fue convertida Dafne al ser perseguida por Apolo, por eso el Sol —Apolo— permite que Lope se levante hasta él, sin abrasarle las alas.

[14] Ms. cit., fol. 121, dentro de una serie de 85 sonetos de Luis Martín. Está repetido con ligerísimas variantes en el mismo manuscrito, al fol. 42 v.º, donde lleva el siguiente epígrafe: "A Lope de Vega estando en Antequera", dentro de otra serie de 60 sonetos del mismo Luis Martín de la Plaza (la mayor parte de estos sonetos son comunes a ambas series). Comp. *Cancionero Antequerano*, pág. 58.

Al mismo Lope, del mismo [Luis Martín de la Plaza].

Soneto 242:

Hermosas ninfas que en alegre coro
holláis a Guadalhorze las espaldas,
cogiendo de su margen esmeraldas
para vuestro cauello (anillos de oro):

assí miréis con inmortal decoro
en su cristal las frentes con guirnaldas
y en buestros senos y pintadas faldas
del rico Mayo el celestial tesoro,

que os paréis a escuchar atentamente
del extrangero cisne el dulce canto,
gloria del Tajo, admiración del Betis,

pues no os lo impide la raudal cor[r]iente
de Guadalhorze, que suspenso en tanto,
no da bramidos ni tributo a Tetis 15.

Que Lope de Vega "ingratamente" se lo achacó en su *Peregrino* a otro autor, nos dice Ignacio de Toledo y Godoy del soneto 241 del manuscrito. En efecto, en el *Peregrino* (Sevilla, 1604) aparece en el folio 264, atribuido no a Luis Martín de la Plaza, sino a un Agustín de Castellanos. ¿A quién daremos la razón, a Lope, que parece lo debía saber bien, o al antequerano 16 Toledo y Godoy? A primera vista, la respuesta parece indudable: a Lope. Mas si se tiene en cuenta que Ignacio de Toledo y Godoy está ordinariamente muy bien informado de todo lo referente a Antequera, y que, dada su afición a la poesía, debió conocer personalmente a los poetas de su ciu-

---

15 Ms. cit., fol. 121 v.º. Como el anterior, está repetido otra vez en el mismo manuscrito, fol. 43, donde va a continuación del soneto de que hemos tratado en la nota precedente, y el epígrafe es: "Del mismo al mismo". Comp. *Cancionero Antequerano*, pág. 59.

16 No sé dónde habría nacido; pero Antequera es constantemente el centro de interés de las composiciones por él recogidas en este manuscrito y en otros. Son los tres manuscritos reunidos en el *Cancionero Antequerano*. Véase el "Prólogo" al mismo.

dad (pues no se trataba de la Babilonia de un Madrid), y si repasamos la rúbrica del soneto y notamos la queja, el tono de sentimiento local herido, como de algo que se había comentado en Antequera y considerado caso de notable ingratitud, comenzaremos a dudar de la afirmación de *El Peregrino*, y a creer al antequerano. Y más aún si reparamos en el soneto, de asunto trivial, sí, como todas estas poesías ocasionales, pero de un movimiento rítmico elegante, de un desarrollo perfecto y un concentrado final que están revelando la mano de un poeta, de un sonetista que sabía su oficio. Pero estas condiciones de poeta no aparecen con mucha claridad en las quintillas de Agustín de Castellanos, que figuran al fin de la *Segunda parte de las rimas* [17].

Pues si hemos de inclinarnos a creer a Toledo y Godoy, ¿de dónde procedió el error? Claro está que en el turbión de Lope, al cual no tendría nada de particular que alguna vez se le hubiera traspapelado un hijo, un trueque de dueños a un soneto no podía tener importancia, y tenemos conocimiento de alguna otra confusión suya [18] de esta naturaleza. Ni tam-

---

[17] Tal vez este Castellanos fuera de Toledo o pudiera tener alguna relación con esa ciudad. En la última de sus quintillas le dice a Lope:

> *Quiso Dios porque quedasse*
> *entre los dos esta lid*
> *porque nada te faltasse*
> *que te engendrasse Madrid*
> *y Toledo te criasse.*

(*Segunda parte de las Rimas*, en *La hermosura de Angélica*, Madrid, 1602, fol. 333 v.º)

¿Tendría algo que ver con el toledano doctor Peña Castellano, uno de los ensalzadores de Lope en la *Expostulatio Spongiae*? (V. Entrambasaguas: *Lope de Vega y los preceptistas aristotélicos*, pág. 211). La Barrera cita una comedia de Agustín Castellanos, *Mientras yo podo las viñas*, que se hallaba manuscrita en la Biblioteca de Osuna.

[18] Por ejemplo, la atribución en *El Laurel de Apolo* a Gonzalo Mateo de Berrío de un soneto de D. Cristóbal de Villarroel, según ha

poco es difícil de imaginar una equivocación semejante en el descuido de las imprentas de entonces, con sólo pensar que el Castellanos pudo haber enviado una composición laudatoria cuyo texto tal vez se extraviara o fuera omitido por cualquier causa. Porque no hay motivo para suponer, ni sería razonable, una alteración maliciosa hecha por el mismo Lope.

Y en fin, si alguien no quiere dar crédito a la afirmación de Toledo y Godoy en el soneto 241 de su manuscrito, siempre nos quedará el muy gallardo 242, tan de Luis Martín como el que más seguramente lo sea suyo. Y con él una prueba de que en su viaje (o en uno de sus viajes a Granada) Lope de Vega se detuvo en Antequera, y fue allí atendido y festejado por el excelente poeta Luis Martín de la Plaza, y no es mucho suponer que, al par que por éste, por los otros de la culta ciudad andaluza, donde en aquel tiempo tantos y tan buenos ingenios había.

hecho notar Rodríguez Marín (*Pedro Espinosa, Estudio biográfico*, página 152, núm. 3).

PARA LA BIOGRAFÍA DE DON LUIS CARRILLO

Reconoceré mi equivocación. En mi libro *Estudios y Ensayos gongorinos* [1], he continuado considerando a don Luis Carrillo como natural de Córdoba y nacido en 1582 ó 1583. Era esto lo que se había creído durante mucho tiempo. Sin embargo, ya en 1941, García Soriano había dicho que, según "cierta fehaciente información", Carrillo había nacido no en la ciudad de Córdoba, sino en la villa de Baena, y "por los años de 1585 ó 1586" [2].

Don Justo García Soriano no dijo de dónde tomaba sus datos. Testigos de esa "fehaciente información" declararon en 1604 que Carrillo tenía entonces "de edad de diez y ocho años poco más o menos".

Esa información, no especificada por García Soriano, era, sin duda, las pruebas para el hábito de Santiago, practicadas,

---

[1] Madrid, 1955 ("Biblioteca Románica Hispánica"), pág. 395. Es la primera edición. En la segunda de ese mismo libro (Madrid, 1960) se ha omitido el ensayo sobre *La poesía de D. Luis Carrillo*, porque va ahora —muy modificado— al frente de una edición de *Obras* de Carrillo, actualmente en prensa.

[2] Francisco Cascales, *Cartas Filológicas*, edición de Justo García Soriano, III, Madrid, 1941, págs. 254-255. La noticia había pasado ya también a la 6.ª edición de la *Historia de la Literatura Española*, de Hurtado y González Palencia.

en efecto, en 1604. Don Justo García Soriano tenía razón al decir que la patria de Carrillo era Baena.

En el Archivo Histórico Nacional existen los expedientes de pruebas de Santiago de don Luis Carrillo, de sus hermanos don Pedro y don Alonso y de su padre don Fernando.

1) Santiago. Signatura: 1639. Carrillo y Valenzuela, Don Luis, natural de Baena. Año 1604 [3]. (Vignau-Uhagón, pág. 69 *b*.)

Es nuestro poeta. Faltan los primeros folios. Fueron interrogados doce testigos de la ciudad de Córdoba, doce de Baena y doce de Málaga. Las declaraciones de los primeros testigos de Córdoba estaban en los folios perdidos. Los primeros folios que se conservan tienen grandes manchas de humedad que hacen difícil, y a veces imposible, la lectura.

La genealogía del pretendiente debía estar en los primeros folios, hoy perdidos. De las declaraciones de los testigos se infiere que era la siguiente:

PADRES

D. Fernando Carrillo de Valenzuela, D.ª Francisca de Valenzuela,
natural de Córdoba. natural de Baena.

ABUELOS PATERNOS

Luis Muñiz de Godoy, D.ª Elvira de Valenzuela,
natural de Córdoba. natural de Baena.

ABUELOS MATERNOS

El capitán Pedro de Valenzuela, D.ª Isabel Faxardo,
vecino y natural de Baena. natural de Málaga.

El último testigo de Córdoba (don Luis de Cañaveral de Cárdenas) dice que "no conoce de vista a don Luis Carrillo, pero tiene de él buena noticia, y que conoce a don Fer*nando*

---

[3] Así en la moderna carpetilla de papel, que cobija el expediente.

Carrillo, cauallero de la orden de Sanctiago de el qonsejo Real y cámara de su magestad, natural desta dicha ciudad, y así mesmo conoció al padre y madre del dicho don Fernando, que él se llamó Luis Muñiz de Godoy, tanbién natural desta dicha ciudad y a su muger doña Elvira de Valençuela, natural de la villa de Baena, abuelos paternos de el dicho don Luis". Afirma que don Fernando Carrillo desciende "de los señores de la cassa de Pinto" y "de el Maestre de Sanctiago don Pedro Muñiz de Godoy", y que "descienden de mui antigua y noble sangre, y que tienen oy en Sta. Iglesia desta ciudad la capilla y entierro de el dicho Maestre".

Afirmaciones parecidas sobre abuelos paternos y maternos hacen todos los testigos. Uno dice que Luis Muñiz de Godoy descendía "de los Carrillos de Toledo".

De los testigos de Baena, el Ldo. Antón de Galves "vicario de la dicha villa y comissario de el Santo Officio de la Inquisición de la ciudad de Córdova" dice que "conoce a don Luis Carrillo, natural desta dicha villa... que será de edad de diez y ocho años" poco más o menos. "No conoció de vista a doña Elvira de Valençuela, madre de don Fernando Carrillo y abuela paterna del dicho don Luis, pero que sabe que fue vezina y natural desta dicha villa; y que conoció al capitán Pedro de Valençuela abuelo materno del dicho don Luis que fue vezino y natural desta dicha villa y que conoció a doña Isabel Faxardo su muger vezina de la ciudad de Málaga, abuelos maternos de el dicho pretendiente".

Los testigos varían algo en cuanto a la edad atribuida a don Luis, ya 18, ya 18 ó 19, ya 19 ó 20, ya 18 ó 20, ya 20. Uno dice "16 ó 18".

Los testigos de Málaga declaran brevemente sobre doña Isabel Faxardo.

No hubo contradicción ninguna, y en Valladolid el 4 de mayo de 1604 se vio la información y los señores del Consejo mandaron que se despachara el hábito de "don Luys Carrillo vezino de Córdoba".

2) Santiago. Signatura: 1638. Carrillo y Valenzuela, Don Fernando, natural de Córdoba. Año 1595. (Vignau-Uhagón, página 69 *a.*)

Es el padre de nuestro poeta. Los testigos dicen que tenía más de cuarenta años. No hay dato de que surgiera contradicción alguna, y el hábito salió despachado sin dificultad.

3) Santiago. Signatura: 1640. Carrillo [Fajardo de] Valenzuela, Don Pedro, natural de Baena. Año 1600. (Vignau-Uhagón, pág. 69 *b.*)

Hermano de don Luis. Los testigos atribuyen a don Pedro 14 ó 15 años. No hubo dificultad. Se mandó dar el hábito el 19 de Enero [de 1601].

4) Santiago. Signatura: 1622. Carrillo Muñiz de Godoy y Fernández de Valenzuela, Don Alonso, natural de Madrid. Año 1615. (Vignau-Uhagón, pág. 68 *b.*)

Hermano menor, cuyo nombre figura muchas veces en el volumen de las *Obras* de don Luis, como poeta, como prologuista y como anotador de Séneca; a don Alonso está dedicado el *Libro de la erudición poética* [3 bis].

De mano del mismo funcionario del Consejo de Órdenes que firma otros documentos (Juan Francisco de Ortega) hay una tira de papel, entre los del expediente, que dice:

"En Madrid a 17 de Agosto de 1615. A don Alonso Carrillo (hijo de Don Fernando Carrillo Presidente de mi qonsejo de hazienda y qontaduría mayor della y de quentas) que al pres-

---

[3 bis] Véase la cariñosa biografía que a don Alonso dedica Nicolás Antonio (D. Alphonsus Carrillo Lasso de la Vega), *Nova,* I, pág. 15.

*se*nte me está siruiendo en el estado de Milán por Capitán de una compañía de Corazas."

De los testigos de Córdoba, el segundo dice que don Fernando, padre del pretendiente, "labra una cap*illa* y la reedifica, que está en la Igl*esi*a mayor desta d*ich*a ciudad, a las espaldas de la cap*illa* de los Reyes della, la qual por cosa pú-b*lic*a sabe este *testig*o fue de sus passados del d*ich*o presi-*den*te" (fol. 4).

Pedro Fernández de Reyna, testigo de Baena, declara a 23 de julio de 1615, "que conoze al d*ich*o don A*lons*o Carrillo... a el qual vio en la Universidad de Sal*aman*ca, estando estudiando en ella abrá nuebe años" (fol. 25 v.º).

Y añade: "...este *testig*o ha visto al d*ich*o don Fern*and*o Carrillo, Presidente, con el hábito de Sanctiago, y a otros dos hijos suios, que el uno dellos es ya difunto que se llamó don Luis Carrillo con el hábito de Calatr*au*a, y el otro que se llama don P*edr*o Carrillo con el d*ich*o hábito de S*antiag*o" (fol. 26). En el párrafo transcrito, el testigo primeramente había atribuido a don Luis el hábito de Santiago ("con el mismo hábito", es decir, con el mismo que su padre); pero "mismo" aparece tachado y "de Calatr*au*a" escrito entre renglones. Sin embargo, la primera idea del testigo era la verdadera.

Entró en el Consejo la información el 17 de Agosto de 1615, y ese mismísimo día mandaron los señores del Consejo que se despachase...

Cosidas aparte están las informaciones de Madrid, patria de don Alonso.

Don Alonso se cristianó en San Martín. Un testigo declara que conoce las noticias que refiere "por posar en frente de las casas donde bibió junto a los Ángeles, donde nació el dicho don Alonso". Otro informante dice que don Alonso será de 25 años. Pero los comisarios se fueron a S. Martín y copiaron la partida de bautismo:

"Bautiçose Alonso Luis hijo del Licenciado don Fernando Carrillo y de doña Francisca de Valençuela Fajardo, último día de Agosto del año de mil y quinientos y ochenta y ocho. Fueron sus padrinos de pila García de Muriel, criado de Su Magestad y doña Petronila de Gibaja, su mujer..."

Los que firman son los mismos que hacían la información.

Don Alonso, nacido en 1588, estaba, pues, a punto de cumplir 27 años.

Su hermano don Pedro, según las ya mencionadas declaraciones de los testigos, habría nacido en 1586, 1585 ó 1584.

El otro hermano, el que más nos interesa, don Luis, ¿cuándo nacería? En su información, como ya he dicho, unos testigos, en los primeros meses de 1604, declaran que tenía unos 20 años; según eso habría nacido entre 1583 y 1584. Otros, que tenía 19 años; habría nacido entre 1584 y 1585. Otros, que 18; nacido, pues, entre 1585 y 1586. Alguno, que 16; ¿habría nacido, según eso, entre 1587 y 1588?

Cuatro testimonios, además de esta información para el hábito, nos quedan de la edad que tenía Carrillo en el momento de su muerte.

Quevedo, en el "Epitaphium" que publicó en los preliminares de las *Obras* de don Luis, dice que éste murió "anno 1610, aetatis 27" (lo cual nos lleva a 1582-1583).

Un historiador de la casa de los Carrillo, don Alonso Carrillo Laso de Guzmán [4], escribe: "Tuuo [don Fernando Ca-

---

[4] Este don Alonso no es, nótese bien, el hermano del poeta, como se deduce de la lectura del *Epítome* y del siguiente pasaje: "Don Alonso Carrillo Laso y Doña Brianda Carrillo de Córdoua tuuieron por su hijo, que le sucedió, a don Alonso Carrillo de Guzmán (que escribe este Epítome) y otros hijos" (fol. 40 v.º). Ya sabemos que los padres de don Luis fueron otros: don Fernando Carrillo y doña Francisca de Valenzuela.

rrillo] por sus hijos a don Luis Carrillo, a quien dio su encomienda: de los más insignes y particulares caualleros de
este tiempo, en quien concurrieron tan grandes partes como
es notorio. Fue particular cauallero en las armas y las letras, de quien andan impressos algunos libros assí en verso
como en prosa, y quatralbo de las galeras de España y con-
sultado para general de las de Portugal, quando murió en
edad de veinte y seis años, pérdida grande para su casa y
que tocó a todos los deste linage. Murió en el Puerto de
Santa María, con sentimiento general de todos, y declaró
que tenía hecho voto de castidad y religión. Fue su cuerpo
depositado en el Conuento de San Francisco, hasta que fue
traydo a Córdoua, a la capilla del Maestre don Pedro Muñiz
de Godoy, donde yaze. Otras muchas cosas pudiera dezir
deste gran cauallero, lo qual dexo de hazer por ser tan
parte". (*Epítome del origen y descendencia de los Carrillos*,
Lisboa, 1639, ff. 41-41 v.°). Esta edad de 26 años nos llevaría
a 1583-1584.

Los otros dos testimonios son coincidentes y de especial
valor. Primeramente, Nicolás Antonio, que escribió una biografía particularmente cariñosa, nos dice que la muerte fue
el 22 de enero de 1610, "in ipso aetatis flore, annum scilicet
agens quartum supra vigesimum", es decir, de 24 años cum-
plidos, lo cual lleva, para el nacimiento, a 1585 (o a los vein-
tidós primeros días de 1586).

En fin, la madre misma del poeta, doña Francisca [de
Valenzuela] Fajardo, ya viuda de don Fernando Carrillo, se
dirige a Felipe IV en un memorial, diciendo: "A don Luis
Carrillo, mi hijo mayor, hiço merçed Su Mag^d. que está en
el çielo, del áuito de Santiago, con que fue a serbir a las
galeras de España, desde hedad de diez y siete años, de en-
tretenido en las dichas galeras, de capitán de la Patrona de
España y de Quatralvo, y murió siruiendo el dicho ofiçio de

hedad de veinte y quatro años; híçole S. M. merçed nueue meses antes que muriese de la encomienda de Fuente de Maestre, de la qual no pudo tener aprouechamiento ninguno, y así se hiço merced de la dicha encomienda a don Pedro Carrillo, mi hijo". (Madrid, 8 junio 1622. AHN, Consejos, libro 1427, fols. 218-222; Arch. Hist. Esp. Colecc. de Docs. Inéditos para la Hist. de España. Publicado por la Acad. de Est. Hist.-Sociales de Valladolid, t. V. *La Junta de Reformación,* Valladolid, 1932, págs. 351-352.)

Por la misma señora sabemos que don Luis era el mayor de sus hijos, y don Alonso el menor (n. en agosto de 1588, no se olvide), lo cual hace que don Pedro no pueda haber nacido más tarde de 1587.

Parece, pues, lo más probable que don Luis naciera, efectivamente, hacia 1585-1586, tal vez mejor 1585. Y don Pedro, su hermano, hacia 1586-1587, cosa que coincide parcialmente con las declaraciones de sus testigos, ya citadas.

Poco antes de su muerte, el ilustre investigador don José de la Torre y del Cerro me dijo, en Córdoba, que él tenía nuevos datos sobre el nacimiento de don Luis Carrillo en Baena. Supongo que con ellos, si aparecen entre sus papeles, se resolverá el problema de la fecha.

Hemos visto que un testigo nos dice que vivía frontero a la casa donde don Alonso nació, "junto a los Ángeles". El convento de los Ángeles estaba en la parte alta de la actual Costanilla de los Ángeles, subiendo por ella, a mano izquierda, hasta desembocar en la plaza de Santo Domingo [4 bis]. Don Alonso nos importa muy poquito. Pero es indudable que esa calle y esa zona fue lo más conocido de Madrid para don

---

[4 bis] Véase *Guía de Madrid para el año 1656. Publícala, 270 años más tarde, don Luis Martínez Kleiser,* Madrid, 1926, pág. 82, y en ese mismo libro la reproducción de la parcela núm. 9 del plano de Teixeira.

Luis Carrillo, y que en alguna escapada del servicio para ir al regazo de la familia [5], sobre ese barrio cuyas calles conservan bastante bien el trazado antiguo, se posaron sus puros ojos de poeta.

---

[5] Uno de estos viajes (por lo menos) no es conjetural. Habla Suárez de Figueroa: "Allí [en Sanlúcar, donde había trabado amistad con Carrillo] me detuve un mes, y tratando de volver a la Corte, fue llamado a ella, de sus padres, el mismo don Luis. Estimé tan buena ocasión de hacerle compañía, gozando juntos de alegrísimo viaje." (*El Pasagero*, ed. Rodríguez Marín, Madrid, s. f., pág. 282).

LA SANTIDAD DE DON LUIS CARRILLO

En el otoño de 1609, don Luis Carrillo era uno de los capitanes que escalaban la sierra de Laguar, en las operaciones de limpieza contra los moriscos que en algunos puntos resistían a la orden de expulsión; en enero de 1610 muere en el Puerto de Santa María. Sólo tres o cuatro meses, por tanto, entre aquella acción guerrera y la muerte [1].

Don Alonso Carrillo, en la edición póstuma de las obras de su hermano don Luis, nos dice: "Dos años antes de que muriese, todo ocupado en maciza virtud de santidad, ni aun se daba a estos ejercicios de ingenio."

Los lectores de don Luis Carrillo saben muy bien cuán auténtica era su pasión por la poesía. La dedicación a los ejercicios de virtud, sin embargo, ocupó por último el alma de don Luis y le hizo dejar el cultivo de las letras.

Antes de conocer la intervención de Carrillo en las operaciones contra los moriscos, había pensado que quizá ese período de dejación de las letras y atención a la vida del alma habría coincidido con el proceso de una larga dolencia que habría sido la que terminó su vida. Hoy, gracias a Eugenio Asensio, conocemos algo de las actividades guerreras de don Luis en el otoño de 1609. Consecuencia: la enfermedad final fue breve, y el período de ejercicios ascéticos tuvo que coincidir con muchos meses en que Carrillo vivió su vida activa

---

1 Véase D. Alonso, *La poesía de D. Luis Carrillo,* en *Estudios y ensayos gongorinos,* 1.ª edición, Madrid, 1955, págs. 397-401. Téngase en cuenta lo dicho más arriba, pág. 55, nota 1.

ón del título comienza el texto del sermo
ma: *Quam pulcri sunt gressus tui in calce*
t., 7.

o, Fray Luis Núñez de Prado explica que
ina (es decir, Medinasidonia), "albacea test
n Luis Carrillo, es quien le ha mandado pr
de éste. Llama a don Luis "noble en sangr
ersona, esclarecido en virtud, la nata de
el ave Fénix de aquestos tiempos presentes
elocuencias, Tulio en sus elegancias, Alejan
ndezas, religioso en sus virtudes, devoto e
grande elemosinario de los gajes de la Ma
bienes paternos, siervo prudente y fiel en lo
raleza y de gracia; y al fin, hombre que, se
de su vida y de su muerte, murió predesti
loria de Dios" 2. Continúa luego diciendo que
de cumplir ese mandato, pues por ser las
vida y de la muerte de don Luis tan verdade
s —habla con sus oyentes— "puestas las ma
signias gloriosas, unas del Patrón de España,
tras blancas, que en vuestros pechos traéis, lo
ar", él podrá declarar la verdad de la que ellos
testigos mayores de toda excepción.

s olvidar esas palabras para valorar debidamen-
e siguen: Fray Luis Núñez de Prado hablaba a
camaradas del cuatralbo muerto; no podía decir
e ajustaran a la verdad.

En esta cita y en las demás del sermón que siguen he
ortografía, en todo lo que no puede significar variación
a lector moderno. Por tanto: *estuviese, hacer, dijera,*
de *estuuiesse, hazer, dixera, Ximénez,* etc. Por el crite-
conservo *efetos, estremo, recebir,* y todos los casos
úo y acentúo a la moderna.

SERMON
QVE PREDICO
EL REVERENDO
Padre Fray Luis Nuñez de Prado,
de la Orden de los Minimos de nuetro Padre san Francisco de Paula,
en el Conuento de san Agustin
del gran Puerto de San-
tamaria.

A LAS HONRAS DEL
nobilissimo Cauallero de buena memoria
Don Luis Carrillo del Habito de Santiago,
Comendador de la Fuente del Maestre, y
Quatraluo de vna Esquadra de galeras de
España por su Magestad, año de mil
y seiscientos y diez.

Quàm pulcri sunt gressus tui in calceamentis, &c.
Cant. 7.

IENDOME Mandado el
Excelentissimo Duque de Medina,
albacea testamentario de nuestro
noble difunto, le predique las honras de don Luis Carrillo, Quatraluo de las Ga-
A   leras

de marino y solda
don Luis se dedica
ción. No había senti
fesión naval; había
como tentación peligro

Miguel Herrero —
tos aspectos de nuestr
cho un precioso follet
nores de esos últimos
a las prácticas ascétic
querido que sea yo
y lo dé a conocer al
profundo agradecimiento

Son 20 folios de 14
lente papel. En la primer

Q V E
E L   R
Padre Fray
de la Orden
tro Padre
en el Co
del gr

A   L A S
nobilifsimo Ca
Don Luis Carri
Comendador de
Quatraluo de vi
Efpaña por fu
y feif

A continuac
precedido del l
mentis, etc., Ca

En el exord
Duque de Me
mentario" de
dicar las honra
generoso en p
juventud florid
Séneca en sus
dro en sus g
sus oraciones,
jestad y de lo
talentos de na
gún los efetos
nado para la
se siente feli
virtudes de la
ras, como tod
nos en las i
otras verdes,
podréis testific
son dignísimos

No debem
te los datos q
jefes, amigos
cosas que no

2 Fol. 1 v.
modernizado la
fonética para
Jiménez, en vez
rio mencionado
semejantes. Pu

Pág. 1, del folleto del P. Luis Núñez de Prado, que contiene el
título de la obra y el comienzo del texto.

Todo el sermón es una aplicación a los pasos de don Luis Carrillo por la vida, del versículo escogido como lema. Reproduzco a continuación los tres pasajes en que se contienen noticias concretas sobre la vida del poeta.

[I. *Devociones de Carrillo desde que entró en las galeras de España*]

...Cuentan, señores, deste noble caballero, que desde el punto en que entró en las galeras de España, no sólo siendo capitán de la patrona, sino cuatralbo, por ninguna vía saltó en tierra, que los primeros pasos que daba no fuesen a visitar los templos de la Virgen. En llegando a Gibraltar, salía de sus galeras a visitar la iglesia de Nuestra Señora de Europa a pie, ora que hiciese sol, ora lodos, ora aguas, estando como está la ermita tres cuartos de legua de la ciudad. Y aquesta estación hacía todos los días que estaba en aquel puerto. Donde estando de rodillas una, dos y tres horas, con profundísima oración y devoción, besando con grande humildad la tierra, se volvía a su galera. En Barcelona, visitaba todos los días la Virgen de Monserrate, saliendo de la ciudad a la prima de la noche, por tener menos impedimento para hacer su estación; y a la hora que volvía, se alojaba en su galera. De la misma ciudad fue en romería a pie y descalzo a Nuestra Señora de Monserrate por todas aquellas dificultades de sierras; y allí hizo grandes diligencias, confesando y comulgando y repartiendo en pobres y peregrinos mil reales que llevaba; y concluyendo con su devoción, se volvió a la ciudad a pie y descalzo como primero había ido. Lo mismo hacía cuando llegaba al Puerto de Santa María, visitando la Virgen de los Milagros y Nuestra Señora de la Vitoria por grande espacio de tiempo, humillándose en el suelo y besando con grande humildad y sumisión la tierra, con grande edificación y ejemplo de todos sus camaradas y de los que estaban presentes.

Rezaba todos los días, sin faltar uno tan sólo, el oficio menor de Nuestra Señora, el santísimo Rosario y otras particulares devociones que tenía; y tanto que muchas veces, habiendo comenzado su oración a la prima de la noche, desnudas las rodillas y puestas en tierra, le amanecía rezando.

Ayunó todos los sábados a pan y agua, por devoción de la Virgen, de manera que en veinticuatro horas no comía sino algunos bocados de pan y algunos tragos de agua; y esto lo hacía ora navegando por la mar, ora en tierra, sin que fuesen poderosos sus camaradas, que comían espléndidamente a su mesa, para hacerle comer, fuera de lo referido: y esta virtud del ayuno era tan indispensable en él, que si no es que le agravaba gravísima enfermedad, de manera que al parecer de los médicos y del confesor les parecía tenerla, jamás dejó de ayunar.

Fue devotísimo del Santísimo Sacramento, pues estando en tierra y saliendo el Sacramento, aunque estuviese acostado, se levantaba al momento y le iba acompañando hasta dejarlo en su iglesia.

Andaba por todos los conventos procurando los religiosos de más perfección de vida para conversar con ellos las cosas de Dios y de su conciencia; y tanto que, estando en el gran Puerto de Santa María, venía muy de ordinario al convento de Nuestra Señora de la Vitoria y se estaba todo el día con religiosos de grande espíritu y grandes siervos de Dios que en aquel convento hay; y particularmente venía todos los miércoles y viernes en la noche a los ejercicios de la Congregación, que en aquel santo convento se hacen, siendo uno de los congregados, haciendo actos y demostraciones de grande humildad, postrándose por la tierra y dando lugar que los demás congregados le pisasen y pusiesen las plantas de sus pies sobre su cabeza y cuerpo, y poniéndose en cruz, los brazos abiertos, por espacio de una hora, besando la tierra y los pies de los otros congregados, tomando asperísimas disciplinas, mortificando su cuerpo con silicios y asperezas.

Y no era nuevo en este caballero tan cristiano esta maceración de sus carnes, pues aun navegando por la mar, todas las noches tenía una hora de disciplina, recogido en el camarín de su galera; de manera que, estando tan verberado y herido del rigor de la disciplina, era necesario que con todo secreto le curasen, sin ser posible decir de dónde procedía aquella sangre y aquellas llagas.

Reformó la cofradía de las galeras, y esto con tanto estremo que cuando algún soldado moría, y aunque fuese un galeote, él mismo en persona convidaba a todos los señores y príncipes que en las galeras había para hacer el entierro; y con este acompañamiento, llevando todos velas encendidas, y el buen don Luis Carrillo las insignias y el guión delante, le llevaban a enterrar con tanta pompa como si fuera uno de los señores que le acompañaban.

Pulcri sunt gressus tui: estos pasos de oro son, estas obras merítisimas son y dignísimas de la gloria que ahora goza... (fols. 6-7 v.º).

[II. *Cualidades de Carrillo. Su constante meditación de la muerte.*
Sus penitencias. Su caridad. Su manera de corregir al prójimo]

...Una de las excelencias, señores y grandes príncipes míos, que
tenía nuestro buen don Luis Carrillo era tan buenas memorias de su
muerte y reconocer que al fin, aunque tan gallardo, tan dispuesto, tan
gentilazo de talle, con tan singulares partes que naturaleza le dio, ora
fuesen naturales, discreción, aviso, agrado, benevolencia, generosidad,
entendimiento acutísimo, memoria rara, voluntad perseverante, saga-
cidad de ingenio, y mozo tan circunspecto en todas sus operaciones
que dudo haber muchos que pudiesen igualarle. Pues venido a las
partes acquisitas, ¿quién duda que no tenía la elocuencia de Demós-
tenes, la retórica de Cipriano, la oratoria de Cicerón, la poesía de
Homero?, pues era tan singular en la ciencia revelada, maestra de los
teólogos, en la inteligencia de la divina Escritura y santos, en las
dificultades naturales y filósofas, en la lección de tantos y tan diferentes autores, unos cómicos, otros oradores, ora griegos, ora latinos,
ora italianos, franceses y flamencos, que casi os podré con grande
verdad decir que adquirió más con la agudeza de su ingenio estas
ciencias y estas lenguas que con la industria y enseñanza que tuviese
de maestros. Con tener, pues, digo, todas estas buenas partes, con
grande fortaleza de ánimo, así en los peligros del mar como en asaltos de la tierra, pues fue uno de los más valerosos soldados que
sirvieron a Su Majestad en los Alfaques de Aragón, en la exclusión
que se hizo de los moriscos, lo que más, digo, por excelencia tenía
era considerar que, aunque era tan caballero, tan mozo, tan gentil-
hombre y bizarro, al fin él había de tener fin, y sus pasos se habían
de pasear por siete palmos de tierra; y fue aquesto de manera, que
personas fidedignas, por serlo nobles por sangre y mucho más en
conciencias, de cuyos papeles, firmados de sus mismos nombres, yo
he hecho presentación, todos afirman que en diez y ocho meses antes
de su muerte no entienden que pecó mortalmente; antes saben que
en orden al buen fin que Dios le había de dar, tenía muchos ayu-
nos, muchas diciplinas, muchas horas de oración, muchos silicios,
pues cuando enfermó para morir le hallaron uno puesto, que por vivir
en castidad y limpieza traía ceñido en sus lomos y en sus mismas
carnes el cordón del patriarca y fundador de los mínimos, San Francisco de Paula, cuyo devotísimo era, porque decía que así como este
tan gran santo guardó siempre integridad y limpieza hasta que Dios
le llevó para gozar de su gloria, así a este caballero le parecía que

por andar ceñido con el cordón deste santo, le había Dios de dar la limpieza del cuerpo y puridad en el alma. Traía también la cinta o correa del gran padre San Agustín y escapulario de la Virgen del Carmen.

Fue muy grande limosnero, no sólo con pobres de los hospitales, a quien daba muchas veces de comer con sus manos, y con pobres vergonzantes y enfermos, pagándoles las boticas y médicos, y dándoles muy copiosas limosnas, sino también a los pobres ordinarios, dándoles a unos, siendo soldados, espadas y otros instrumentos bélicos, a otros daba vestidos, a otros, caballeros principales, camaradas y amigos, tenía siempre a su mesa; y en materia de limosnas os sé decir, con verdad, que fue confusión de avarientos.

Era tan recatado y mirado en sus palabras, que no permitía que en su presencia se ofendiese a Dios jurando, ni al prójimo murmurando; y tanto, que a uno de sus camaradas que vivía con profanidad y con vida escandalosa, de manera le redujo a la virtud por sus consejos y ejemplo, que es hoy un grande siervo de Dios.

Déte, caballero noble, déte el cielo el premio de tus virtudes, que pasos tan bien andados mucha gloria nos prometen... (Fols. 14 v.º-16.)

[III. *La enfermedad de don Luis. Confesión general. Viático. Votos. Testamento. Una casi profecía. Muerte*]

...¡Oh buen don Luis Carrillo, y cuán dichosamente moriste! Esto es partirse la alma en paz, y esto es entrar en la sepultura y sentarse *in pulcritudine pacis*. Dichosa tu alma, caballero tan cristiano como noble, pues gozas de aquesta paz desde el día de tu muerte. Isai., 57: *Veniat pax, requiescat in cubili suo, qui ambulavit in directione sua*. Venga la paz: paz en este lugar es lo mismo que muerte, porque la muerte buena pone todas las cosas en paz. Venga la muerte, coja al justo en su cama... Recoja sus pies en su lecho, como Iacob en su muerte, o como Cristo en la Cruz.

Así lo hizo nuestro don Luis difunto, pues desde el día de su enfermedad, habiendo llamado al reverendo padre fray Francisco de Montesdoca, Corrector del convento de Nuestra Señora de la Vitoria, del Puerto de Santa María, para examinar y purgar la plata de su buena vida y el oro de su conciencia (no obstante que de ocho a ocho días confesaba y comulgaba) con devoción increíble dio principio a una confesión general, colegida de escrúpulos de las pasadas; y de manera me dice el padre su confesor que quedó su alma para ofrecer el sacrificio de su muerte a Dios, *quasi aurum et quasi argentum*. Pues preguntándole una y muchas veces si se acordaba de algunas reliquias de pecados veniales para poder hacer materia de confesión, respondía que por ninguna vía tal se acordaba; y llevándole el Santísimo Sacramento de la Eucaristía, para consolarle la alma y darle salud al cuerpo, aunque estaba agravado de su enfermedad y dolores, puesto de rodillas en la cama, con su hábito de Santiago, adoró el Santísimo Sacramento, y antes de recebirle hizo una protestación cristiana, confesando los misterios y sacramentos de nuestra santa Fe católica, y morir en la defensa dellos, como cristiano en la profesión y caballero en el hábito; y en aquese espectáculo, tan ejemplar de los hombres y de los ángeles, hizo voto y se ofreció a Nuestro Señor y a su sacratísima Madre, para ser religioso del orden del padre San Benito, en el convento de Nuestra Señora de Monserrate, si Dios le diese salud. Y con esta protestación de cristiano y caballero, y declaración in voto de ser religioso profeso, recibió el Santísimo Sacramento, con tan grande devoción que no lo sabré encarecer, pidiendo para la mayor necesidad el Santo Óleo.

Luego otro día hizo su testamento, remitiéndose en todo a sus tan amados y carísimos padres; y de los muebles que de presente tenía hizo partición a sus camaradas y criados: a los unos les dio armas, a los otros sus vestidos, y al convento de Nuestra Señora de la Vitoria, a quien tanto con sus devociones y estaciones frecuentaba, dejó toda su librería. A quien también diera su cuerpo (como primero entregó su alma al dicho Padre Corrector, por la confesión ya dicha, y al padre fray Antonio Jiménez, individuo amigo suyo, en los bienes espirituales del alma por las consultas de su conciencia) si por las obligaciones de su regla no le fuera impedido. Señaló por sus albaceas al Excelentísimo Señor Duque de Medinasidonia y al proveedor general de las galeras de España. Y en estos pocos días, que fueron por todos once, dio maravillosos ejemplos, admirables consejos, pues preguntándole muchos caballeros si les dejaba mandado algunas cosas para después de su muerte, respondía: "No tengo otra cosa, señores y amigos míos, sino que tengáis memoria que os habéis de ver en el punto que me veo, y que si la muerte marchita y tala la flor de mi juventud, habéis de pasar por ella."

Recibió la Estremaunción con la devoción que había antes recebido el Sacramento viático, y sintiendo que se moría, sábado, día dedicado a la sacratísima Virgen, devota y señora suya, estando pre-

sente el dicho padre fray Antonio Jiménez, teniendo en presencia
suya ardiendo una vela de Nuestra Señora de Monserrate, dijo a los
que presentes estaban: "Sólo podré durar en esta vida lo que durase
esta vela hasta que llegue al sello", señalando la insignia de Nuestra
Señora. Y diciendo esta casi profecía, rezando con el dicho padre
fray Antonio Jiménez aquel verso de la Virgen, *Maria, Mater gratiae,
Mater misericordiae, Tu nos ab hoste protege et hora mortis suscipe,*
luego que llegó la lumbre al sello y a la insignia de la Virgen, deján-
donos a todos consolados con su dichosa muerte y desconsolados por
faltarnos su gratísima presencia, subió el alma a gozar de Dios en su
gloria, *quam mihi et vobis,* etc. (Fols. 18 v.º-20.)

El predicador habla, lleno de entusiasmo por don Luis
Carrillo, con un apasionamiento que le brota directamente
del corazón. Con gusto le perdonamos a Fray Luis Núñez de
Prado su tendencia a amplificar y sus ocasionales anacolutos.
La imagen que nos queda es una estupenda estampa de la vida y la muerte de un español de los comienzos del siglo XVII.
Piedad muy española, muy pormenorizada, con su devoción
a advocaciones particulares de la Virgen (Nuestra Señora
de Monserrat, en Barcelona, y en su santuario; Nuestra Señora de Europa, en Gibraltar; la Virgen de los Milagros y
Nuestra Señora de la Victoria, en el Puerto de Santa María;
la Virgen del Carmen), con oraciones rituales o prefijadas,
como el oficio parvo de Nuestra Señora y el Rosario. Con
prácticas ascéticas: ayuno a pan y agua todos los sábados,
oración de rodillas toda la noche, con durísimos ejercicios
de mortificación y humildad en la "congregación" del convento de la Victoria (que le pisoteasen, besar los pies de los
otros congregantes, ásperas disciplinas); dura verberación
diaria, aun navegando en su galera, hasta verter sangre y hacerse heridas que requerían cura, y cilicios sobre su cuerpo,
a más del cordón de San Francisco de Paula, la correa de
San Agustín, el escapulario de la Virgen del Carmen. Añádan-
se las limosnas, delicadamente matizadas, según la condición

de los necesitados, y tantas, que fue "confusión de avarientos", dice su panegirista. Y la organización y reforma de la cofradía de las galeras y la corrección, con su consejo y ejemplo, de compañeros de vida escandalosa. Y siempre la constante meditación de la muerte.

No nos extraña que cuando, súbitamente, en medio de su juventud, el duro trance le sorprendió, el buen caballero estuviese preparado. Ya sabíamos que la enfermedad tuvo que ser breve. Ahora lo confirma el P. Núñez de Prado: "Once días", dice. Indudablemente, una infección aguda. Don Luis limpia su conciencia de últimos escrúpulos en una confesión general, hace voto de profesar como benedictino de Monserrat si Dios le da salud, comulga arrodillado en su cama, sobre sus hombros el hábito de su orden militar de Santiago, pide la unción, dispone su testamento (deja herederos a sus padres y mandas a amigos y criados; su librería, al convento de la Victoria), pide a los presentes que mediten siempre en la muerte, y muere —como había dicho— cuando la vela de Nuestra Señora de Monserrat llega al sello o insignia.

Nada de esto podría imaginarse de la lectura de sus obras. Todo lo más, podría abrirnos algún atisbo su predilección por *De la brevedad de la vida,* de Séneca, que tradujo. Lo que ocupa su pensamiento es la literatura (*Libro de la erudición poética*), y el matiz de esta preocupación es el de un exquisito refinamiento. Pero si leemos su poesía, encontramos también por todas partes esa exquisitez, a veces unida a lo sentencioso y grave; pero cuántas matizando deliciosamente preocupaciones de amor, o, antes, de amoríos: Lisi (que murió), Laura (evidentemente, mujer de otro), Celia (el amor más duradero). Destellos de espiritualidad: unas cuantas afirmaciones de la vida futura. Pero, escritor laico, como Garcilaso (con quien tantos parecidos tiene). Por ninguna parte ni una composición que pueda llamarse poesía religiosa. Y todo esto —amores, amoríos, elegancia intelectual— parecía corresponderse muy bien con lo que sabíamos de este mozo gallardo —"tan gentilazo de talle", dice el P. Núñez de Prado—, rico, noble, hijo de un hombre muy importante en la política, marino (con la aventura posible en cada puerto)... Teníamos ya la afirmación del hermano: los dos últimos años de D. Luis dedicados a maciza virtud, con abandono de las letras. Pero nada podía hacernos presagiar la intensidad de esta imagen que el sermón del P. Núñez de Prado nos descubre: imagen entre luces lívidas, como en el S. Francisco del Greco de Cádiz, duramente ascética y llena a la par de pormenores de devociones y prácticas muy concretas.

Es posible que no haya en la literatura un testimonio tan compacto y pormenorizado de las preocupaciones, la conducta general y las acciones particulares de un escritor español, como éste contenido en la oración fúnebre pronunciada por el P. Fray Luis Núñez de Prado en las exequias de don Luis Carrillo. Teníamos el don Luis de los amores y amoríos; ahora se nos superpone, final, esta imagen imborrable, macerada, del caballero ascético, diríamos que del santo. Estas dos imágenes, tan distintas, ¿no están exigiendo un punto de enlace, una "conversión"? Pero nada nos dice de esto el P. Núñez de Prado.

DOS CARTAS

Se han conservado muchas veces las cartas de los hombres extraordinarios por su valer o su posición social. Pero pensemos en las pobres cartas perdidas, en las cartas de seres desconocidos: amores, odios, pequeñas preocupaciones diarias. Cartas que anduvieron a través del mundo, vínculo alado, de amigo a amigo, de amor a amor: la lenta carta de la dicha, la súbita de la desgracia. Formaron parte de días muertos. Fueron un signo de un instante. Se han borrado también.

A veces la casualidad nos ha conservado una de esas cartas sin importancia. Y en ellas se nos abre una vislumbre fría hacia los soles de aquellos minutos remotos. No son un dato para la Historia. Pero despiertan en nuestra alma —y más, tal vez, cuanto más insignificantes— una nostalgia, una suave emoción.

Don Martín Vázquez Siruela, canónigo del Sacro Monte, era, sin duda, hombre ahorrativo, o no debía de andar muy sobrado de papel. Para sus comentarios gongorinos del manuscrito 3893 de la Biblioteca Nacional aprovechó los trozos que tenía a mano, cartas, muchas veces, dirigidas a él o a otras personas del Sacro Monte. Así se nos han salvado las dos que a continuación reproduzco.

La primera —de recomendación— es de un hombre conocido en las letras y también comentador gongorino. Está escrita con una fina "estética" letra de literato.

De D. Francisco de Amaya, probablemente, a Vázquez
Siruela:

> "Sr. mío: el que dará ésta a Vm. es Frco. Muñoz Vadillo, natural
> de Anteqʳᵃ. Desea entrar en esa casa para saber más y valer más. Co-
> nozco sus deudos, que son gente muy onrrada, y si él es como vn
> ermano suyo que fue mi dicípulo en Salamᵃ y aora un santo capuchino,
> puede fiársele quanto ay en las cavernas del Sacro Monte, y por esta
> parte le fío en la virtud como en la sufficiencia. Vm. a de tomar la
> mano en esto, y en que se quede con los elegidos, que será para mí
> muy grande md.; y que se lo pida también de mi pte. al sʳ. Abad, y
> que le beso las manos. Mire Vm. que quedan en Anteqʳᵃ. todos con-
> fiados en mí y Vm. es mi fiador. Guᵉ. Dios a Vm. eta. No ay quien
> vea a Vm.
>
> D. Francᵒ. de Amaya."

Y ahora un padre escribe a su hijo —al que nos imaginamos estudiante en el Sacro Monte—. No eran sólo los ojos,
no; el bueno del padre no debía de ser muy versado en letras.
La de la carta —seguramente de amanuense— es de mucho
mejor calígrafo que los torpes trazos de la firma.

De un padre a su hijo. Antequera, 1636:

> "Con cuydado estamos después que recibimos vuestra carta, en
> saber por ella que tenéys poca salud. Yos a la mano en beber agua
> fría, porque n'os cause alguna enfermedad. Para el dolor de estómago
> os enbío dos reales [1] de anís de hinojo, para que os desayunéys por las
> mañanas y quando os bays acostar; y si no tubiere remedio con esto,
> mando hacer en casa de vn boticario vn estomático y ponéoslo, que
> es de mucho probecho, porque es de muncha especia y conforta el
> estómago. Y quando me escribáys haced la letra más abultada, por-

---

[1] "Dos reales" fue lo que leí, en su día, en el manuscrito. Pienso
ahora que he podido leer disparatadamente, porque con "dos reales",
en aquella época, se debía comprar demasiado anís de hinojo.

que no ay quien la acierte a leer de menuda que es, y io no e de andar
con la carta por la becindad, sabiendo leer. Siendo Dios serbido, dentro
de pocos días estaré en esa ciudad a beros y besar las manos a esos
señores a quien daréys muchos recuerdos de mi parte... Y a Dios, que
os guarde. Antequera, junio 21 de 636. Buestro Padre, *Pedro López
Valiente.*"

Dos muchachos empezaban la vida en aquella luz —¡qué
distancia helada!— de la primera mitad del siglo XVII. ¿Y qué
queda de aquellas vidas? Signos sobre papel: dos cartas.

LUIS ROSALES, LA LÍRICA BARROCA
Y LOS DESENGAÑOS DE IMPERIO

Hace ya más de diez años que se publicó la *Poesía heroica del Imperio,* antología seleccionada por Luis Rosales y Luis Felipe Vivanco, obra importante y que conserva todo su valor. Es que fue hecha por dos poetas. Y son los poetas los únicos que pueden reunir libros de esta clase que resulten verdaderamente fértiles, creativos: es decir, que al acervo de lo ya reconocido como valor permanente de una literatura, añadan novedades. Esto —tan poco frecuente— es lo que ocurrió con la *Poesía heroica del Imperio,* porque sus coleccionadores leyeron mucho, despacio y con gusto, y guiados por su intuición (regalito que no puede dar Salamanca) aumentaron el caudal de la poesía española en bastantes nombres de autores y muchas composiciones. Quiero decir: el caudal de la poesía viva, operante. Ese milagro se produce cuando la intuición separa, por ejemplo, un soneto de tema novedoso, fuerte sentimiento y poderosa expresión (que andaba en compañía de otros topiconcetes y friáticos) y lo pone a un lado para que los lectores lo contemplemos [1].

---

[1] La colección de Vivanco y Rosales no dejaba de tener defectos, digamos pedagógicos (el lector no puede saber a qué época pertenece el poeta que lee: defecto de mayor gravedad en el segundo tomo, dedicado al siglo XVII, en el que figuran poetas sobre los que en vano se buscarán datos en los manuales de Historia literaria). En una nueva edición habrán de corregirse las erratas.

Dos tomos tiene la obra: el primero (con un bello prólogo por Luis Felipe Vivanco) contiene, principalmente, poesía del siglo XVI (y algo del XVII): es el de la impetuosa marcha ascendente, el de las ilusiones imperiales. El segundo tomo es el de la otra vertiente de todo imperio, la que lleva a la hondonada. Estos desengaños de Imperio [2] están prologados por Luis Rosales. Comentario al prólogo de Rosales son las palabras que siguen.

LUIS ROSALES, EN "MANUSCRITOS"

Rosales era ya bien conocido en España por la extraordinaria calidad de su propia poesía. Pero pocos sabían que por debajo del creador estuviera cuajando un erudito. Pocas veces se habrá dado una preparación más silenciosa, más metódica, más lenta. Hace ya varios años que Luis Rosales cruza todos los días la plaza de Colón y asciende por las escaleras de la Biblioteca Nacional. Entra en el edificio, tuerce a mano izquierda, se sume tras una puerta de cristales. Se pierde en un bosque. Porque no entra en una sala, entra en un bosque. Es decir, se mete por esa selva virgen de los manuscritos de poesía del siglo XVII que se guardan en nuestra Biblioteca Nacional. Otros hemos pasado por allí, pero hemos ido siempre a tiro hecho, en busca de un dato, en el alcance de una pista. Luis Rosales, no. Rosales se ha impuesto la exploración de todo el tesoro. Mucho le falta aún para terminar su trabajo. Así y todo, el archivo que ya posee de materiales poéticos inéditos del siglo XVII, es quizá el mayor en manos de erudito. Ahora bien, hasta que este campo inmenso no haya sido recorrido, no se podrá escribir con absoluta certeza la historia de la poesía española del siglo XVII. De ella conocemos las visibles grandes crestas de la primera mitad de la

---

[2] No todo, ni mucho menos, en la antología justifica el título (*Poesía heroica del Imperio*). No es tema para discutido ahora.

centuria; de la infraestructura de esa misma época sabemos ya muy poco. Y de la segunda mitad del siglo se puede decir que nada.

¿HISTORIA DE LA LITERATURA?
NO: HISTORIA DE LA CULTURA

No espero, sin embargo, grandes sorpresas, descubrimientos revolucionadores. No, no aguarda su exhumación otro Góngora. En poesía, en general, lo mejor, conocido ya por los contemporáneos del poeta, ha sido publicado en seguida, vivo aún el creador o poco después de su muerte. Alguna joya inédita encerrarán aún esos manuscritos. Pero no es eso lo importante.

Hay investigadores que creen que cuando han descubierto un par de sonetos inéditos han puesto, con eso, una pica en Flandes. Pero esos sonetos, ¿tienen, desde el punto de vista literario, algún interés? ¡Qué pocas veces ocurre! No, señores míos: publicar un par de sonetos más —si no son de excepcional belleza— no es otra cosa que añadir un par de arenillas minúsculas a la pirámide en construcción (muy atrasada) de la historia de nuestra cultura.

Hay una terrible antinomia en el fondo de nuestro concepto actual de la historia de la literatura. Si atendemos a la viva, es decir, a la que tiene un permanente influjo sobre la sensibilidad o el pensamiento del hombre, entonces el concepto de la historia de la literatura casi va a confundirse con el de la crítica literaria. Porque la Historia sólo estudia el paso, el fluir, el devenir. Pero cuando nosotros consideramos el *Quijote*, *La vida es sueño*, etc., miramos a núcleos cuajados y fraguados; a seres, a criaturas gloriosamente invariables. El hecho de que, p. ej., el *Quijote* o *La vida es sueño* (esas profundas indagaciones en el alma humana), se escribieran en el siglo XVII es puramente accidental. Son obras que pudieron igual haber sido escritas en el siglo I o en el XX. Su existir como criaturas de arte, su eficacia sería la misma. Ente de arte es el que emerge de la corriente de la historia, el que no es arrastrado por las aguas. En una palabra, la historia sigue el fluir de la veta de la madera, pero lo que entendemos por historia de la literatura atiende casi exclusivamente a los nudos, a los nódulos creativos. Y lo mismo ocurre, en general, con la historia del Arte. Ahora bien, fluencia y permanencia son nociones contrarias. Si a mí, crítico, lo que me interesa es precisamente ese concepto tradicional en el que la historia de la literatura es, en esencia, antihistórica, se debe sencillamente al hecho de no ser yo habitualmente historiador. Pero llegará un día en que se escriban, como partes de la historia de la cultura, verdaderas historias del devenir, del fluir literario. Para este tipo de investigación es para el que es en absoluto indispensable la exploración exhaustiva de los materiales inéditos, que son como monstruosos depósitos de las "limaduras" o desperdicios del Arte en la oficina del tiempo. Sí, tal vez alguna joya aparece revuelta con las limaduras, pero esto será accidental; lo verdaderamente interesante es que sólo en esos enormes depósitos de materiales inéditos es donde se puede seguir la trascendencia social de la literatura, donde más claro se ve el rastro iluminado de las grandes figuras, la suma de imitativas adhesiones que suscitaron. Y más importante aún, en esos depósitos es donde mejor se trasparenta, cuando como en la segunda mitad del siglo XVII faltan las figuras geniales, la voluntad de una época en busca de su expresión, en busca de un estilo que tal vez no llegó a cuajar. Por eso hoy, Rosales puede hablar con más autoridad que nadie de la poesía española en la segunda mitad del siglo XVII.

LOS ANTÓLOGOS Y NUESTRA IMAGEN
DE LA POESÍA DEL SIGLO DE ORO

Tanta y tan preocupada actividad es imprescindible. Ocurre, y el prologuista hace muy bien en recordarlo, que nuestra perspectiva poética de toda esa época literaria está predeterminada por la imagen que de ella se formaron los críticos del siglo XIX (como la de éstos, se basa en gran parte en la de los eruditos del siglo XVIII). Tenían un conocimiento muy parcial, se orientaban casi a ciegas y cimentaron lo mejor que pudieron con los materiales que tenían a mano. Si se prescinde de las primeras figuras, claro está, apenas tocables, los dos tomos de líricos de los siglos XVI y XVII, seleccionados por don Adolfo de Castro en la biblioteca de Rivadeneyra, hubieran casi podido cambiar esencialmente de contenido. Otros nombres que han quedado en sombra podrían haber sido elevados a la chillona luz de la fama, ciertos poetas que en esos tomos figuran podrían aparecer representados de un modo muy distinto. (Y lo mismo se podría decir, yendo más atrás, de antologías más antiguas, como el *Tesoro,* de Quintana, o el *Parnaso,* de Sedano.) Don Adolfo de Castro eligió lo que eligió, y este hecho ha determinado en buena parte nuestra visión de la poesía de aquel siglo. Porque el esfuerzo de Rivadeneyra (aunque sea confesión vergonzosa) aún no ha sido superado.

En Luis Rosales que, no hace falta decirlo, tampoco ha descuidado los materiales impresos, han venido, pues, a juntarse un profundo conocimiento de la gran masa semianónima de poesía del siglo XVII, y una delicada sensibilidad de poeta. Señalemos con júbilo ese raro suceso que ya por sí solo nos obliga a considerar con la mayor atención el prólogo de la segunda parte de esta antología. El prólogo es muy extenso: impreso en otro formato llegaría a ser casi un libro.

LUIS ROSALES: UN ESTILO

La primera novedad nos la ofrece el estilo. El estilo del investigador literario suele ser, por nuestras culpas, el de una carreta que fuera a barquinazos por una cuesta mal empedrada. Y este prólogo de Luis Rosales está escrito en un estilo muy personal, suave, sedeño, sentencioso, reposado, con una especie de grave ternura que le anda por dentro, que le enardece por dentro. Es la misma mano de prosista que ha escrito *El contenido del corazón*. Estilo, ahora, con gran poder de síntesis: de vez en cuando concentra el autor en apretada fórmula un concepto que cubre dilatada perspectiva. Pero el mismo Rosales conoce los escollos del procedimiento, y muchas veces sólo de modo provisional se atreve a adelantar sus brillantes troquelaciones.

Dividido el estudio en capítulos, podría decirse que los primeros tratan, en términos generales, de las diferencias entre la lírica del siglo XVI y la del siglo XVII, mientras que los capítulos finales atienden más al pormenor y a la posición política, moral, etc., en que se refleja la actitud de desengaño.

SOBRE LA NOVEDAD DE LA POESÍA BARROCA

La necesidad de condensación es un grave aprieto para el autor. A pesar de las dimensiones del prólogo, éste le resulta un cajón estrecho. ¿Cuándo nos dará el imprescindible grueso volumen? Porque es que ahora algunas afirmaciones muy ro-

tundas pueden parecer arriscadas y necesitadas de prueba.
He aquí la que considero central, porque resume el pensamiento más auténticamente nuevo de Rosales: "En muchos
de sus aspectos, y desde luego en los fundamentales, la poesía
barroca es altamente original. No tiene precedente." Luego,
algo más abajo, nos dice que lo que produce esta novedad es
"la invención poética". Para que se comprenda lo delibera-
damente osado de tales afirmaciones, ha de tenerse en cuenta
que lo que hasta ahora hemos entendido por poesía barroca,
lo que el mundo aún entiende por poesía barroca, es una
consecuencia en temas, en técnica, de la poesía del siglo XVI.
Nunca más evidentes y claros los antecedentes. Cierto que
por algo la lírica del siglo XVII es diferente, que hay algo nuevo. Lo que hay de nuevo en esa poesía que hasta ahora hemos considerado como la centralmente, la ejemplarmente
barroca, es un ímpetu, un frenesí, un dinamismo, que agrupa,
amontona, contorsiona a los elementos del siglo anterior.
Pero este morbo, esta virulencia, no se instaura de golpe, sino
en un lento, en un seguro avance que viene del fondo del siglo XVI, y yo creo haber contribuido en varios trabajos a esta-
blecerlo así. Y es que, además de los varios tipos de poesía
que el siglo XVII nos pueda ofrecer, es éste, es decir, el que
yo preferentemente he estudiado (que puede quedar bien
ejemplificado si mentamos el *Polifemo* de Góngora), aquel
al que mejor le conviene el término *barroco,* porque arranca
(lo mismo que el barroco arquitectónico) de los elementos
clásicos para utilizarlos como adorno o para recargarlos, para
ponerlos frenéticos diríamos, para convertirlos casi en alari-
do. Y aquí lo único nuevo no es la *invención poética,* sino la
voluntad. El barroco, así entendido, es un fenómeno de pasión,
es decir, de "querencia".

UN SIGLO ES UNA ENCRU-
CIJADA DE LOS VIENTOS

Luego víno una nueva amplificación del concepto *barroco,* y. el término llegó a cubrir toda la literatura del siglo XVII, y aun todo el siglo, todas sus formas de vida. Por lo que respecta a la literatura de España, la innovación se atribuye (malamente) a Pfandl. Dejémoslo en que Pfandl es su representante más sólido, más extenso. Y a mí me parece muy bien que a toda literatura del siglo XVII se la llame *barroca,* y aun yo se lo he llamado muchas veces. Con tal de que se tenga en cuenta que un siglo jamás es un manchón de un color único o un viento incambiable; que un siglo es siempre el arco iris y la encrucijada de los vientos. Y equivocadamente designaremos el siglo XVIII, por ejemplo, como *neoclásico,* si en el fondo de esta expresión no vemos latir la idea contraria (y en fin de cuentas, la más importante, la decisiva, la superviviente): aquella férrea voluntad de continuidad española que a través de toda la centuria persiste contra todos los esfuerzos europeizantes, voluntad que sólo tardíamente, hacia 1800, está en serio peligro de tenerse que rendir, pero a la cual viene a salvar en el último momento la recia galopada del romanticismo. En definitiva, dada la amplificación constante del término *barroco* y las numerosas vetas diferenciadas, de poesía, que por aquel siglo fluyen, yo hubiera deseado que Rosales hubiera empezado por definir el término (y una definición no le vendría mal tampoco al de *invención poética*). Ahora bien, esto es lo que hará, lo que imprescindiblemente tiene que hacer en su ya imprescindible libro. (No creo en las definiciones, si no son *a posteriori.*)

UNA VETA LÍRICA SENTI-
MENTAL EN EL SIGLO XVII

¿Puede deducirse de lo dicho que Rosales se equivoque en su afirmación? De ningún modo. Lo único evidente es que la afirmación resulta de carácter, digamos, "escandaloso", si por barroco entendemos en poesía lírica lo que de modo indudable es el centro y el dechado del barroquismo español. Y comenzamos a entrever no sólo la amplitud con que Rosales emplea el concepto "barroco", sino que su atención ha sido desviada de esa zona tradicionalmente considerada como típicamente barroca hacia otros ambientes. Creo que lo que más le desazona a Rosales en el prólogo es el hecho de haber tenido que reprimir (por falta de espacio) su descubrimiento mayor. Es descubrimiento curioso, y, si no me engaño, de importancia en la historia de nuestra poesía. Él, antes que nadie, ha observado la existencia en el siglo XVII de una veta lírica de carácter íntimo, de grave y apasionada voz, cuyo lejano antecedente puede ser Garcilaso y cuyo más completo representante al principio de ese periodo es Villamediana. No el de la *Fábula de Faetón*, claro, sino el de las dolientes coplas en que dulcemente se atormenta a vueltas con su desgraciado amor. Rosales ha notado, además, que esta línea, en cierto modo, en lo que tiene de conceptista y en lo que tiene de tradicional castellana, se perpetúa hasta el fin del siglo XVII, o tal vez con más exactitud, que con ella va a entremezclarse la puramente conceptista, mientras van menguando los poemas mitológicos, los complicados y suntuosos, a todo lo largo del siglo. Sea de esto lo que fuere, una cosa queda como indudable: que el siglo XVII, como todos los del espíritu, se escapa a las definiciones demasiado simplistas, que cada vez más habrá que considerarle como una superposición y aun un entrecruzamiento de vetas dispares por su origen, por su color, por su sustancia. El prólogo de Rosales viene a remover unas aguas que llevaban varios lustros en reposo. Siempre es conveniente. Muchas cosas se aclaran en concepto o en belleza en el estudio que reseño; yo siempre preferiré la apasionante problemática que, brutalmente casi, nos coloca de nuevo ante los ojos.

DESENGAÑOS DE IMPE-
RIO EN EL SIGLO XVII

En la que he llamado antes segunda parte de su trabajo [3], ya no se atiene el autor a la visión de conjunto o al concepto general, sino que va analizando sumariamente aquellos datos concretos de la poesía del siglo XVII que presentan contradicción o por lo menos variación respecto a la del siglo XVI.

Ante todo el "cambio de sentido de los motivos heroicos". Rosales ha condensado muy bien los rasgos que acreditan el cambio de actitud en el transcurso de un siglo: desplazamiento de lo heroico hacia lo estoico; frente a los sentidos de "conformación social" (fe, valentía, esfuerzo, espiritualidad, eficacia) se oponen ahora los de "conformación individual" (ascetismo, prudencia, mesura, abnegación, tesón); frente a la actitud esperanzada y creadora, la de conservadora resignación. El autor va ahora dando siempre ejemplos confirmatorios. En este punto nos ofrece el de "la actitud estoica frente al mar". Ya Rosales indica la procedencia horaciana y senequista del tema. Yo hubiera preferido que se detuviera algo más en esta ascendencia y también en las ramas colaterales. Sólo así se puede llegar a establecer lo que haya de "siglo XVII" en los ejemplos elegidos de un tema que en sí

---

[3] Desde el cap. VII.

mismo ni es exclusivo de aquella centuria ni de nuestra Patria.

Busca luego Rosales el cambio de actitud del siglo XVII ante la muerte, y encuentra un bello ejemplo en lo que llama "la medida del tiempo". "El barroco español —nos dice— es todo él una desolada elegía." En el tratamiento de los diversos aspectos del tema, tiempo y muerte melancólicamente se entrelazan: la brevedad de las flores, las ruinas, el barco encarenado, el *carpe diem...* Elige Rosales un bellísimo ejemplo: el del tratamiento del tema "de las cenizas del amante, o de una belleza, puestas en un reloj", que ilustra con sonetos de Quevedo, de Ulloa Pereira, de López de Zárate y de don Francisco de la Torre Sebil, finamente analizados.

El sentimiento del desengaño aparece por todas partes en este siglo. El hecho heroico no es considerado ya en su magnífica unidad de sentido, sino disgregado picarescamente en pequeñas naderías. Es lo que Rosales llama afloramiento del "ambiente subhistórico". Son, en este punto, aleccionadores los dos romances que como ejemplo publica el autor: la "Carta de las damas de la Corte para los galanes que iban en la Armada" y la contestación de los galanes. Es el envés de la desgraciada expedición contra Inglaterra. De la burla contra el guerrero que nos defiende, a la admiración hacia el que nos ataca no hay sino un paso. Y ese paso se dio. La poesía del siglo XVII primero entona fríos panegíricos a héroes desmedrados, mientras bajo cuerda se burla de la contrahecha hazaña (por ejemplo, la actitud de Góngora ante la toma de Larache). Pero llega un momento en que ya canta netamente al enemigo. Tiene razón Rosales: sólo la admiración hacia el contrario, unida al asco por lo propio, puede explicar la emoción poética que la muerte de Enrique IV suscita en España (la veneración por la realeza, por toda realeza, pudo también influir). Sí, llegamos a un lamentable final: se cantan los Tratados de paz, las virtudes del enemigo, las entregas por dinero de una plaza... Es la cuesta abajo de los Imperios. De todos los Imperios: un poco antes o un poco después.

NECESIDAD DEL ESTUDIO
DE LOS TEMAS POÉTICOS

El estudio de nuestra poesía, "por temas", está por hacer. Las muestras que Rosales aquí nos da nos dejan con la miel en los labios. Esperamos de él, por lo menos, el estudio temático completo de la llamada poesía barroca española. Saldrían ganando nuestro conocimiento de la poesía y aun nuestro conocimiento de España.

Nadie tan capacitado como Rosales para hacerlo. Pero para que esa labor sea perfecta juzgo necesario no sólo que tenga en cuenta los antecedentes, sino que penetre también profundamente en la poesía europea del siglo XVII. Sólo sobre ese fondo se podrá matizar qué es lo divergente, lo específicamente español y lo peculiarmente barroco.

Si me atrevo a aconsejar es únicamente porque veo ya en Rosales un nuevo valor en el campo de la investigación literaria. Va al terreno científico llevado por el corazón; elige el tema porque hacia él se siente íntimamente atraído. Sabe gustar la poesía: la hondura y la emoción del pensamiento y la magia de la palabra. Todo esto (y ya es bastante) le suele faltar al erudito profesional. Pero, además, este poeta se apercibe cuidadosamente, se prepara con lento sosiego, como el más demorado profesional de la erudición. Todos son augurios favorables: no, no se puede engañar nuestra esperanza.

"FUENTEOVEJUNA" Y LA TRAGEDIA POPULAR

Es una noche del mes de abril de 1476. Algo insólito ocurre en el otras veces pacífico pueblo de Fuenteovejuna. La noche de primavera está turbada por un confuso rumor de voces, sobre el que llamean agudos gritos: "¡Fuenteovejuna! ¡Mueran los tiranos!" El común de los vecinos del pueblo, con sus autoridades al frente, avanza en son de guerra hacia una casa de señoril aspecto. Cada uno de los del grupo se ha armado como ha podido, y tal instrumento de labranza hoy lo será de venganza y muerte. Ya delante del palacio, la puerta ha cedido al popular empuje, y los más, en irreprimible alud, se precipitan allá dentro. Ruido de pelea, gritos de muerte, y por encima las mismas voces: "¡Mueran los tiranos! ¡Fuenteovejuna! ¡Fuenteovejuna!" Lo que sigue repugna a nuestro sentido de piedad: es algo horrible que quisiéramos no ver. Una ventana se ha abierto en la casa. Los de abajo, en compacto grupo, apoyan sus lanzas en la tierra, apuntan al cielo con sus espadas. Hay todavía un conato de resistencia allá arriba, y un cuerpo humano, el cuerpo de un hombre mal herido, de un moribundo, cae a clavarse en las puntas de acero que abajo le esperan. Así le llevan, entre el regocijo de danzas y cantos de las mujeres, y, en fin, le despedazan.

En la *Chrónica de las tres Órdenes y Caballerías de Santiago, Calatrava y Alcántara, por el Licenciado Frey Francisco de Rades y Andrada,* impresa en Toledo, año de 1572, es donde se nos dan estos pormenores. Aquel hombre tan horriblemente muerto era don Pedro Gómez de Guzmán, Comendador de Calatrava, que tenía la villa de Fuenteovejuna por el Maestre de la Orden, don Rodrigo Téllez Girón. Había hecho el Comendador increíbles desafueros: había forzado doncellas y casadas del lugar; había saqueado, para mantener a la soldadesca, las haciendas de los vecinos.

Agrega la crónica que los Reyes Católicos mandaron un pesquisidor que indagara lo que había pasado. Éste dio tormento a muchos de los habitantes del lugar. Pero ninguno quiso decir los nombres de los principales o promotores del levantamiento. Preguntábales el juez: "¿Quién mató al Comendador mayor?" Respondían ellos: "Fuenteovejuna." Preguntábales: "¿Quién es Fuenteovejuna?" Respondían: "Todos los vecinos de esta villa." "Y lo que más es de admirar, que el juez hizo dar tormento a muchas mujeres y mancebos de poca edad, y tuvieron la misma constancia y ánimo que los varones muy fuertes." Los Reyes Católicos, ante el heroísmo de que aquella gente daba pruebas en el tormento y las indudables tiranías del Comendador, "por las cuales había merecido la muerte", mandaron que el negocio se quedase sin proseguir la averiguación adelante.

Un día, a principios del siglo XVII [1], la crónica de Rades y Andrada cayó en manos de un excelso poeta español, del creador que más hondo y con más cariño ha calado el alma de su pueblo. Para Lope de Vega todo era materia dramatizable: las crónicas, los romances, las novelas, las más breves y humildes cancioncillas. ¿Qué sintió el alma del poeta al po-

---

[1] Antes de 1619.

nerse en contacto con aquel trozo sangrante de realidad histórica? ¿Qué estremecimiento corrió por sus entrañas ante el heroísmo, aún sin gloria y sin cantor, de los pobres villanos de un lugar cordobés? El bello, el frenético ángel de la justiciera rebelión rozó su frente. Y Lope se puso a escribir con su velocidad vertiginosa de genial *fa presto,* con su sangre popular y española más flúida, más generosa, más emocionada que nunca. Porque nunca, tal vez, se le había ofrecido un argumento a la par tan dramático y tan bien enraizado con los sentimientos más entrañables del pueblo de España. Y así, desde la motivación por honra, que tan bien casaba con las conclusiones de su experiencia teatral ("los casos de la honra son mejores"...), hasta la regia resolución del fin, Lope pudo seguir la narración de la crónica sin desviarse ni un punto de ella. El fugaz momento histórico se hizo poesía, se hizo eterno. ¡Maravillosa transubstanciación, término a término, del mundo de la realidad al del arte!

Esta profunda intelección de la belleza del alma popular, rebelada contra el tirano, no la hizo Lope sin rodeos. Sería grosero error creer que el sentido total de la tragedia es revolucionario. Lope escribía en los días del más fuerte poder personal de los Austrias, cuando el Imperio estaba ya minado, pero no desmoronado aún; servía (y, ¡ay!, a veces con poco decoro) a aquella brillante sociedad de lujo y miseria. Todo esto le ataba. Sentía además como nadie la historia de España, y su sentido histórico le decía que aquella justiciera rebelión de Fuenteovejuna formaba parte de un largo proceso: el de la alianza del estado llano y el poder real contra su enemigo común: la nobleza turbulenta y tiránica. Esta alianza tácita culmina en el reinado de Fernando e Isabel, y lentamente va luego degenerando primero, envileciéndose más tarde y desapareciendo, por último, durante el reinado de los últimos Austrias y de los Borbones. La obra de Lope tuvo, pues, un propósito inicial —o, por lo menos, oficial— de exaltación del poder regio. Es imposible negarlo.

Mas, aparte de los propósitos que un autor se confiesa a sí mismo, existen otros mil móviles del ánimo, confusos colaboradores en el complicadísimo misterio de la creación, por los que ésta, precisamente, obtiene su virtualidad de arte, y son, a veces, tales móviles secundarios, o reprimidos, los que triunfan en definitiva. Lope, artista servidor de una organización social, va a hacer lo que siempre: a escribir como le dicta el ambiente en que alienta, la tradición inmediata, su necesidad de vivir.

Es en el camino hacia ese fácil cumplimiento normal de sus deberes de escritor, cuando ocurre lo fuerte, lo inesperado, lo portentoso. El alma de Lope, su alma hipersensible de gran artista, se queda absorta ante la belleza rutilante de un nuevo caballero, de un nuevo héroe, que nadie ha visto aún en aquel siglo, pero que está ya en los umbrales de la luz histórica del mundo, y dispuesto nerviosamente a entrar, más puro, más trémulo de entusiasmo, más arrebatado de indignación que nunca lo fueron los Percivales o los Amadises; y ese nuevo héroe, que el poeta español, antes que nadie, ve, es el Pueblo. Lo ve, intuye su trágica belleza, toda aliento hacia el futuro. Lope, el hijo del bordador, se olvida de sus arcádicas falsas torres, y se pone a escribir apasionadamente, volcando sobre los versos su corazón, ¡tan pueblo de España!; y la obra que iba hacia la exaltación de la realeza resulta tibia hacia lo regio y candente hacia lo popular, y se convierte en la primera obra dramática en favor de los oprimidos, y, al saltar el nuevo héroe al escenario, en la primera tragedia popular de la literatura europea. Las sombras del teatro griego, desde su trasmundo de arte, contemplan con admiración al nuevo personaje, al Pueblo, allá en las tragedias clásicas sólo eco o tornavoz de individuales pasiones, al Pueblo, que ahora sube a la escena y recibe de lleno el haz luminoso de la intuición artística. Y cuando sobre las tablas resuena aquel repetido "¡Fuenteovejuna! ¡Fuenteovejuna!" de los atormentados por el señor juez pesquisidor, se ha inaugurado una nueva era de la historia del arte: de la historia del arte y de la del mundo.

PREDICADORES ENSONETADOS

La Oratoria Sagrada, hecho social apasionante en el siglo XVII

Muy de alabar es la empresa iniciada hace años por Miguel Herrero García con su *Sermonario clásico* [1]; se trataba de dar a conocer al público algo del inmenso caudal de la oratoria sagrada española, soterrado y diseminado "para tranquilo pasto de la polilla" por los estantes de las bibliotecas. Tal vez yo no puse en ello tantas esperanzas —por lo que al arte se refiere— como el autor de ese libro parecía poner. Quiero decir que no esperé descubrimientos de total y avasalladora belleza. Literatura es ésta de temas muy limitados, que tiene, además, que dar de continuo las mismas vueltas en torno a autoridades conocidas, y siempre con refreno en la interpretación. Ni hay que olvidar que en la oratoria como en el teatro, lo que nos queda son cenizas, literatura, al fin, muerta, que fue viva sólo con el aliento de la palabra hablada, el garbo y el arreo de los gestos y ademanes del orador. Ni sabemos tampoco si lo que se imprimió y sobrevive tuvo perfecta correspondencia con lo hablado. En lo que nos resta

---

[1] *Sermonario Clásico. Con un ensayo sobre la Oratoria Sagrada*, por Miguel Herrero García; colección Poesía y Verdad, 3. Madrid-Buenos Aires, 1942.

(y como buen ejemplo, en el *Sermonario Clásico* de Miguel Herrero) no se vislumbran gigantes de la elocuencia. Mas no por eso deja de ser un libro muy interesante; para el gusto nos da algunas bellas piezas literarias, ya llenas de los más expresivos jugos de nuestra lengua, ya cuidadosamente, atormentadamente buriladas; y para nuestro conocimiento literario, muestras matizadas del cambiar de los estilos. Aún tiene más interés —y aquí me refiero principalmente al prólogo del seleccionador— por la ventana que comenzó a abrirnos sobre un aspecto tan importante como poco conocido de la vida española de los siglos XVI y XVII.

Tal vez de los hechos sociales en que la literatura tiene intervención, los dos más importantes de aquellos siglos sean el teatro y la oratoria sagrada. Dejada a salvo la fundamental diferencia, los parecidos son grandes: fenómenos ambos atados a las categorías de tiempo y espacio, que buscan —y tienen forzosamente que hacerlo— el sacudir al público, y, por tanto, son buen indicio para rastrear los móviles estético-afectivos de aquellas muertas generaciones; pero, además, fenómenos totalmente sociales y nacionales, para todo el pueblo (aunque en determinados casos podían también dirigirse a sólo una clase especial), que tenían una difusión para toda España, y que entraban en las preocupaciones del español de aquella época con una viveza, con una intensidad que apenas si hoy podemos imaginarnos.

Las obras de los mayores poetas son prueba de ello, unas veces con exaltada admiración, otras con burla. Pero oscuros copleros, legión innumerable que no ha superado su merecido anónimo (en tanto manuscrito como del siglo XVII nos queda) hacían lo mismo.

Entre las noticias dignas de ser comunicadas a sus corresponsales Góngora suele darnos alguna relativa a sermones: "El mejor sermón de todos —escribe jubiloso a D. Francisco de Corral— fue el de nuestro P. Maestro Hortensio, como lo verá vuesamerced en dándome una copia que le he pedido." ¡Copias de sermones, como de sonetos! Por él sabemos las malas consecuencias que el demasiado ímpetu en un sermón de Cuaresma podía acarrear: "...hace ocho días que su General mandó al Padre Fray Gregorio Pedrosa partiese dentro de cuatro horas para San Bartolomé de Lupiana..., por haberse dejado llevar Su Paternidad esta Cuaresma, no tan modestamente como debiera del celo o espíritu". En otra carta nos cuenta cómo la gente huye de un sermón del P. Galindo, y, con su malicia y gusto por los conceptuosos chistes, continúa: "tuvo, con todo eso, más oyentes que autoridades de santos, que no quiero decirlo al revés, por la suya. La comedia, digo el *Antechristo* de don Juan de Alarcón, se estrenó el miércoles..."; y sigue, hablando de las incidencias de aquella "première": de la redomilla de mal olor, etcétera. Ha pasado insensiblemente de la reseña del sermón a la del teatro; para Góngora son valores equivalentes. Claro está que su poesía había de tener también el mismo empleo; suyo debe de ser el soneto que se le atribuye contra un famoso predicador, el P. Florencia:

> *Doce sermones estampó Florencia,*
> *orador cano, sí, mas, aunque cano,*
> *a cuanto ventosea en castellano*
> *se tapa las narices la Elocuencia...*

Lope tiene la misma preocupación. Así, en las *Rimas de Tomé de Burguillos* hay, por lo serio, un soneto en alabanza de algunos predicadores naturales de Madrid[2]; y, en lo joco-

---

[2] Madrid, 1634, fol. 19 v.º.

so, uno a cierto licenciado que deseaba predicar en las honras del *Fénix,* a lo cual contesta:

> *Mejor es que yo escriba en tales días*
> *sonetos tristes a las honras tuyas*
> *que no que tú prediques a las mías* [3].

No eran sólo los literatos, grandes o pequeños; el público en general participaba vivamente en la crítica de los predicadores, con escándalo a veces de las personas piadosas, y muchos iban al sermón "con espíritu de curiosidad, no haciendo oficio de oyentes humildes, sino de censores y oidores rigurosos; ya condenan, ya aprueban el predicador en lo que va diciendo con arquear las cejas, torcer el rostro, dar de codo al que está al lado".

Imaginemos el número extraordinario de sermones a principios del siglo XVII. Pensemos en la gran masa de predicadores, sus celos, sus competencias, agravadas por la rivalidad entre las distintas órdenes. Sobre este campo, vastísimo y revuelto, sobre tantas banderías y parcialidades, cae el nuevo gusto barroco que introduce Paravicino (no sin predecesores, como acertadamente ya señaló Herrero). La predicación se divide entonces en dos escuelas, y los opuestos a las novedades hacen gala de ello y se burlan de las extravagancias de los otros. Porque extravagancias es indudable que las hubo: en la línea culta ("Las intercadencias del pulso eran irrefragables correos de su muerte", P. Manuel de Nájera), y en la del chabacano conceptismo (palabras de Cristo al Apóstol incrédulo, según la versión de Fray Andrés Pérez: "Dadme la mano, Tomás, que ya que me he metido a gitano, os he de decir la buenaventura por los dedos"). Este ambiente —en cuanto a los modos de predicar y a la participación del pú-

---

[3] Fol. 31 v.º

blico— se prolonga en el siglo XVIII, y es lo que nos explica la necesidad del *Fray Gerundio de Campazas* y su éxito fulminante. El lector de hoy con dificultad soporta unas cuantas páginas de esa novela. Cuando se publicó apasionaba y dividía a la gente de tal modo que hubo de ser prohibida. Pero siguió circulando bajo cuerda.

Hemos visto a Góngora, a Lope, interesados por el hecho social de la predicación. Lo mismo que los ingenios preclaros, los oscuros. He aquí, procedente de un manuscrito antequerano (copiado en 1627)[4], un soneto estrambótico de una doña María de Rada "a un fraile Trinitario que predicó un sermón largo y enfadoso a los oyentes"[5]. Podría llevar como lema aquel refrán antiguo: "Sermón y zamarro no es para verano":

> *Sermón de ivierno en medio del estío,*
> *carga mal repartida toda a un lado,*
> *dicho español con griego ajedrezado*
> *y en un largo hablar confuso el brío;*
>
> *citas ignotas más que arena un río,*
> *mucho esperar y poco lo esperado,*
> *trabajo inmenso nada aprovechado,*
> *y un auditorio que comprara el frío.*
>
> *Copia de pan y tortas, maná y fruta,*
> *textos gentiles para el gusto vario*
> *y a un hombre que por tres cansó a trecientos:*
>
> *todo aquesto nos dio en larga minuta*
> *con su sermón el Padre Trinitario*
> *que vence en hinchazón los cuatro vientos.*

---

[4] Véase *Cancionero Antequerano*. Recogido por Ignacio de Toledo y Godoy y publicado por Dámaso Alonso y Rafael Ferreres. Madrid, 1950.

[5] Todo lo que se dice de este trinitario iría bien a Fray Hortensio Paravicino. En el ms. el 5.º verso dice "citas incógnitas", con lo que sobra una sílaba. Corrijo al tuntún. Tal vez sería "cógnitas".

Y, *según estos cuentos,*
el ser de Trinidad bien le convino,
pues con ser uno, fue en enfadar trino.

En el mismo manuscrito antequerano figuran, uno a continuación del otro, los dos sonetos siguientes:

A LOS PREDICADORES DE MADRID

Ya cobra fama a un buen dormir Pedrosa;
Fray Plácido abotona el acicate;
Oliva dice bien un disparate
y Fonseca una chanza maliciosa.

El provincial González, mala cosa,
arráes muere como sol en el combate;
arma tretas Florencia, no da mate;
y pies de coplas Salablanca glosa.

Alega la Escritura el trinitario;
dejan al portugués por no entendido;
siguen a Lerma, y pica por lo santo.

El Parnaso corona al mercenario;
Lucero, de las nubes ni ha salido,
ni otros predicadores del Calvario [6].

A LO MISMO

Sotomayor cansónos y molióse;
no se cansó Montoya, mas moliónos;
a oler Cornejo el Evangelio dionos,
mas olió luego el poste, y acogióse.

De mil remiendos y harapos cose
el francisco su manto, y manteónos;
coplas sin consonantes, a tres tonos,
cantó fray Ángel, y a sí mismo oyóse.

---

[6] El verso 6.º parece debería leerse: "...muere solo en el...". Pero hace dudar el hecho de que en cada verso, salvo en ése, figure un predicador. En los tercetos la rima *santo* queda sin correspondencia.

> *Derribó el agustino su capilla,*
> *templó el copete por diversos modos,*
> *esgrimió de la manga, en vez de espada.*
>
> *Salió postrero el buen rector Padilla,*
> *epilogó lo que dijeron todos,*
> *y todos juntos no dijeron nada* [7].

Los tercetos de este último soneto no dejan de tener gracia. La gracia se concentra en el verso último. Muy intuitiva es la descripción de los ademanes del predicador en el primer terceto. Se acuerda uno de la famosa pintura del lozano Predicador Mayor en el *Fray Gerundio,* con su *copete* pulido, aquel gesto de desahogarse la capilla y su juego de sacar y meter en la *manga* un enorme pañuelo de seda [8].

Las dos composiciones últimamente transcritas (si el título "A lo mismo" encierra algo de precisión) deben, pues, referirse a predicadores de Madrid. Pero sátiras semejantes circularían por otras ciudades grandes y chicas. Inmediatamente antes va en el mismo manuscrito este otro soneto:

EN LAS HONRAS DEL GENERAL FRAY JUAN DEL HIERRO DE SAN FRANCISCO, PREDICADORES DE SEVILLA

> *En el acto funesto y lastimoso*
> *la loa echó Miranda el afeitado,*
> *y en su nido la música ha entonado*
> *un nuevo silguerillo sonoroso.*
>
> *Rajó Velázquez como generoso*
> *y el cisne mercenario lo ha llorado;*
> *cansó el vitorio y escapó cansado,*
> *el teatino rocóse* (sic) *y fue enfadoso.*

---

[7]   En el verso 3.º el ms. dice: "a ver Cornejo"; la indudable alusión al Lazarillo parece exigir la corrección que hago. *Capilla* se llama la capucha del fraile.

[8]   Libro 2.º, cap. II, ed. Lidforss, Leipzig, 1885, pág. 83.

Trocósele el papel a Cruz su día
y Plata remató con el entierro
del general que sumamente alabo.

Fueron malos herreros a porfía,
pues todos juntos dieron en el Hierro,
y ninguno de todos dio en el clavo.

Ya don Emilio Cotarelo publicó en su *Villamediana* [9] dos tandas de predicadores espetadas en sendos sonetos. El primero tiene algunos predicadores en común con el primero de los sonetos aquí publicados por mí:

A LOS PREDICADORES DE LA CORTE

Muerto Fonseca, Piedra desahuciado,
metió en Madrid Tosantos pestilencia;
pegósela a Ponciano y a Florencia
y el jerónimo estuvo algo tocado.

De puro sano Oliva está oleado
y el indigesto monstruo de aquinencia (sic);
Torres de desigual intercadencia
y Hortensio de incurable resfriado;

de fiebre lenta el melindroso Daza;
de flema salsa el portugués confuso;
Valle de melancólica cuartana.

De reuma Salablanca se embaraza,
y como estos son médicos al uso,
no ha quedado en la corte cosa sana.

OTRO

En sus martas Martén puede arroparse;
el pobre carmelita está sin prosa;
en el púlpito Rojas no reposa;
Carrillo todo es pomponearse;

---

[9] Págs. 303-304.

Liendo nunca acaba de explicarse;
echa Núñez la voz muy melindrosa;
el clérigo menor nunca ata cosa
y así yo le doy soga con que atarse.

Por el francisco envía Jeromilla;
tráelo el Vicario todo por las greñas;
el agustino es bravamente agudo.

Reyes en los sermones se acuchilla;
mete borra cruel, habla por señas
como si fuera el auditorio mudo.

De toda esta retahíla de predicadores (engarzados en, a veces, muy medianos versos) son muchos los que yo no podría identificar. (El mismo don Emilio Cotarelo, en los dos sonetos por él publicados, sólo reconoció algunos de los oradores aludidos.) Seguramente que un especialista como Miguel Herrero podría suplir mi escasez.

Quien tenga paciencia podrá juntar una considerable sonetada satírica contra predicadores del siglo XVII dispersa por esos manuscritos de Dios. No era ese ahora mi propósito. Pero no quiero dejar de incluir la que considero perla de este género literario. Es un soneto del conde de Salinas contra Fray Hortensio Paravicino. El texto lo debo a Luis Rosales.

A FRAY HORTENSIO
PREDICANDO UN SERMÓN OSCURO DEL SACRAMENTO

¡Oh cuánto bien, oh cuánto cultamente
(si culto llaman lo que no se alcanza)
critiquizó Hortensio la alabanza
del cuanto más oculto, más patente!

Aturdió con sus términos la gente,
desempreñó de muchos la esperanza,
y obró su cultivez tanta mudanza
que arabigó todo cristiano oyente.

> *Velada le fue a oir, ya es religioso;*
> *Alcañices también, ya es varón justo;*
> *monjas y damas se han hortensizado;*
>
> *habla hebraísmos ya todo curioso.*
> *Salíme yo (que tengo muy mal gusto)*
> *con pedazos de luz aporreado.*

Gracioso y no carente de intuición poética. De los otros, no tengo inconveniente en reconocer que la mayor parte de esos sonetos son muy malos. ¿Habría en nuestros tiempos quien se entretuviera en hacer parir a la musa soneticos con motivo tan fútil? Y si alguien perdiera así el tiempo, ¿existiría quien se entretuviera en copiarlos o imprimirlos?

El lector obrará con prudencia si —después de lo que acabo de decir— me pregunta por qué, pues, los imprimo yo ahora.

Los publico únicamente porque prueban la importancia que como espectáculo tenía la predicación en el siglo XVII. ¡Dios mío, aquella gente no tenía conferencias, esa peste de hoy! Pero, en fin, las conferencias son un buen derivativo para el snobismo y la ociosidad. En una vida demasiado aburrida, demasiado monótona, teatro y oratoria sagrada eran dos diversiones hasta cierto punto equivalentes, dos hechos sociales de parecido poder de penetración. E idénticas bromas gastaba la poesía a representantes y a predicadores.

TRES REHABILITACIONES LITERARIAS

El siglo XVIII ejerció una crítica demoledora contra la fama de los principales escritores del XVII. Para Luzán, por ejemplo, Lope de Vega, Góngora y Calderón eran tres representantes del desenfreno de la literatura de España. El siglo XIX rectificó este juicio en la parte en que le podía interesar (Calderón, Lope de Vega). Pero ni románticos ni positivistas podían sentir interés por el arte antirreal de Góngora. Y con respecto a este escritor, la crítica repite, en esencia, los anatemas del neoclasicismo. (La posición antigongorina de Menéndez Pelayo fue necesaria, fatal. Hubiera sido menester una genial evasión de las premisas de tiempo y espacio para que el gran crítico comprendiera el valor de la poesía gongorina.)

Negado Góngora, quedaba truncada la línea de desenvolvimiento de nuestra lírica del "Siglo de Oro". Primera consecuencia: menosprecio de la lírica clásica española. Consecuencia última (si ya no postulado general): "la literatura de España es fundamentalmente realista, popular o vulgarista, democrática, etcétera". En la enunciación de estos principios ha colaborado, junto a la forzosa limitación crítica del positivismo, el hispanismo extranjero, atraído por *lo pintoresco español*. Y lo pintoresco español no se encontraba (a primera vista) en lo lírico; pero estaba, a flor de piel, en el teatro y la novela picaresca.

En el primer cuarto del siglo XX, poco a poco, por causas muy varias y muy complejas, se produce un cambio total en la manera de considerar la vida como materia de ciencia o de arte. Al nuevo modo de entender el fenómeno estético, acompaña una nueva valoración crítica de la literatura del pasado. Y vuelve a adquirir importancia un poeta como Góngora, cuyo central empeño fue la creación de un cosmos poético en el que la realidad del mundo está traducida, término a término, en materia irreal, orden, sistema, nitidez, depuración: un mundo estético, superpuesto y paralelo al contingente de aquí abajo, como un cielo inmutable sobre un mar polimórfico y tornadizo. Nos habíamos equivocado. Había en la literatura del siglo XVII español, en esa literatura realista, democrática, localista, algo que era excelsamente antirrealista, aristocrático y universal (sin dejar de ser entrañablemente hispánico). Hoy, la crítica europea (Trend, Cassou, Valery-Larbaud, Petriconi, Boselli...) saluda en Góngora al "padre de la poesía barroca", al "mejor poeta del siglo XVII". Tres épocas, tres artistas, tres rehabilitaciones. Lo que para Calderón hizo el romanticismo (aunque de un modo algo confuso), lo que el positivismo con relación a Lope de Vega, eso está realizando con respecto a Góngora el antirrealismo contemporáneo. Pasó el frenesí por Calderón, ha pasado el culto lopesco, pasará el entusiasmo inmoderado por Góngora. Pero Góngora —como Calderón, como Lope de Vega, como el romancero y el Arcipreste y la *Celestina*— quedará incorporado *íntegramente* al cuadro normal de la literatura de España.

UN DIARIO ADOLESCENTE DE BÉCQUER

El centenario de la boda de Bécquer, que celebramos —o, más bien, lamentamos— en este 1961, ha traído a mi recuerdo algunas fotografías que han estado en mi archivo muchos años. De ellas proceden los grabados que acompañan a estas líneas, y también el texto de Bécquer —a lo que creo, inédito— que reproduzco.

El álbum de que proceden ha sido mencionado varias veces por los investigadores de la vida y la obra del poeta. La cabeza —que yo sospecho representa a Valeriano Bécquer—, precioso dibujo de un garbo, se diría romántico, ha sido reproducida ya alguna vez; y también lo han sido varios de los dibujos firmados por G. B. y relacionados con Hamlet ("El aburrido", "La tumba", etc.). Este "álbum" es en realidad un libro comercial (con el característico rayado vertical) y estuvo en un principio destinado a anotar los cuadros encargados a don José, el padre de Valeriano y Gustavo, las cantidades recibidas por sus pinturas y el nombre de los compradores. Pero esto cesó pronto, cuando el padre murió, y el libro iba a llenarse de dibujos, poesías (de varia índole, desde odas neoclásicas hasta piezas de increíble obscenidad), firmas y rasgueos de pluma [1].

---

[1] Redacté este artículo en 1961, lejos de mis libros y apuntes, y

La firma de Gustavo, a secas, o Gustavo Adolfo, o Gustavo Bécquer, o Gustavo Adolfo Bécquer, aparece muchas veces
repetida en numerosas páginas. Desconozco el paradero actual
de este álbum, que fue de nuestros geniales dramaturgos los
hermanos Álvarez Quintero.

El diario que transcribo a continuación fue visto y mencionado por el gran becquerista Santiago Montoto en las páginas de "Blanco y Negro" en diciembre de 1929. Ignoro por
qué no lo dio a luz; y no tengo noticia de que haya sido
publicado por nadie hasta ahora.

Son unas páginas deliciosamente torpes. El diario es
muy breve; dura sólo cuatro días: empieza el lunes 23 de
febrero de 1852 y no pasa del jueves 26. Bécquer acaba de
cumplir (el 17 de febrero) los dieciséis años. La ingenuidad
expresiva de este Bécquer casi niño es encantadora; el lector percibe pronto un aroma que le es ya familiar por las
"Leyendas".

He aquí el diario adolescente de Bécquer: lo reproduzco
al pie de la letra, con sus faltas de ortografía (¡ese ceceo de
"reflexiones"!), con sus abreviaturas ("S^r" para significar "señores"), etc. No he querido que nada perturbe su intacta autenticidad y su juvenil inexperiencia, tan irradiadoras de una
atmósfera poética tenue, pero muy sutil. Sólo para evitar mo-
lestias al lector he puesto de vez en cuando, entre paréntesis
cuadrados, una "hache" y alguna otra letra que faltan en el original, y lo he puntuado todo.

---

en ese año se imprimió. Apenas publicado, me di cuenta de que
había trabucado al padre y al tío del poeta; el libro de cuentas no
era del tío (como yo imprimí entonces), sino del padre. Tres amigos
becqueristas me advirtieron también, cariñosamente, mi confusión:
Rafael Montesinos, por teléfono, y Santiago Montoto, y la hispanista
inglesa Rica Brown, por carta. Gracias a los tres. En el texto del
presente libro van hechas las oportunas correcciones.

Días: 23 lunes.

Diario que empieza. -23- -Febrero- 1852 =

Hoy en las funciones reales y cuando se estrenaba el Puente L. F. he visto a la joven de la calle de Sta. Clara. Yo al pronto no la conocí, y aun creo que ella a mí tampoco; por lo tanto, a tiempo de pasar junto a ella, cerré los ojos por motivo del polvo y el aire que aquel día combatía con mucha fuerza y cuando los abrí estaba perfectamente delante de su padre, al cual reconocí, como a su madre, que también iba, y su hermana pequeña; entonces volví la cara para verla, y ya no le vi la cara, porque iba de espaldas, lejos, y confundida entre la multitud. Al cerciorarme de que estaba ya en Sevilla tan inesperadamente, muchedumbre de refleciones se agolparon a mi imaginación, no acordándoseme entre ellas la que más debiera, que era el seguirla, de modo que cuando lo pensé ya había desaparecido, siendo inútiles todas mis pesquisas.

Todo el día me he estado acordando de ella. Ha vuelto a despertarse en mí el antiguo amor, semejante al fuego que, después de apagada la llama, basta un lijero soplo para inflamarlo con más fuerza: a mi ya casi olvidado amor bastó su vista, una nueva mirada, para hacerlo resucitar con más fuerza.

Martes 24.

Anoche, después de acostarme, toda la noche estuve pensando en el encuentro de aquella mañana. No hay duda: [h]a vuelto su amor a despertarse en mí; cuando estudio, la imajinación, distraída, abandona el libro para ocuparse de ella; cuando pienso en sus gracias, creo que la escucho hablar, que ríe y que yo también río y la hablo. Es preciso y he determinado el volver por su calle, el procurar verla por 2.ª vez, el hablarla.

Hoy, al oscurecer, he pasado por su casa: todo estaba cerrado, todo como antiguamente, las puertas, los balcones, las ventanas; a no ver las cortinas que estaban detrás de los cristales, hubiera creído que la casa no estaba habitada. Muchos pensamientos se han agolpado a mi imaginación: si no vivirá ella aquí, si tal vez no fuera ella la que yo vi; ¿si era, y vive aquí todavía, por qué están cerradas las puertas? ¿Por qué no se ve un criado? ¿Adónde [h]an ido? Qué sé yo. Volveremos mañana.=

Miércoles 25.

Todavía no he desechado su imajen y recuerdo de mi memoria; muy al contrario, estas ideas, estos pensamientos se amontonan y toman cada día más fuerza; todo el día he deseado que lleg[u]e el anochecer. Cuando se espera, los días son siglos; las horas, años.

He pasado por su casa, y aunque la puerta de la calle seguía cerrada, sin embargo en los balcones y ventanas las puertas de madera estaban abiertas, aunque echadas las cortinas.

Al fin da la casa muestras de estar habitada, ya se oye por dentro algún ruido, he visto atravesar un criado y se nota algún movimiento; no hay duda: ella deve estar hai[2], la casa parece animada de una nueva vida, aunque las cortinas que estuvieran echadas no se levantan ni dan señal de que nadie se sienta detrás de ellas.

Es cosa particular: ¿esta joven no le agrada conocer a las otras, el bullicio, el amor, los balcones, y todas aquellas cosas propias de la juventud? ¿o qué casa es esta en donde nadie parece, en donde sólo de vez en cuando se ve algún criado, sin que nunca aparezcan los S^r? Volveremos mañana=

Jueves 26.

El asunto no se [h]a presentado hoy muy mal y cada día se adelanta alguna cosa. Bien poco a poco es, pero al fin hay con qué dar pávulo a la esperanza.

Hoy he pasado. La puerta estaba abierta, y en la ventana de la derecha se notaba la cortina levantada como si alguna persona estuviera mirando; ya era bastante entrada la noche, por lo cual no pude[3] distinguir quién era, por lo cual me paré en la esquina mirando hacia arriba; pero a poco la cortina cayó como si se retiraran de la ventana. No por eso me retiré, sino que seguí mirando y vi que poco a poco se levantaba la cortina del balcón para mirar hacia mí y a poco rato volvió a caer, oyéndose un ruido de puertas y cerrojos, como si cerraran las ventanas y balcones.

---

[2] "deve estar hai", es decir, "debe estar ahí".

[3] En el original: "no he pude"; se ve que Gustavo iba a escribir "no he podido"; luego se decidió por "no pude", pero olvidó tachar "he".

Yo entonces me retiré afectado de diferentes pensamientos y diciendo: si la que se asomó era ella, ya ha reparado en mí y habrá conocido que soy el mismo del verano pasado. ¿Pero si era ella, y lo conocío, a qué cerrar con tanta prontitud las puertas? Tal vez sería su padre, que también se acordara del verano, y por eso cerró con tanta presteza. En fin, volveremos mañana, levantaremos otro pliegue a la misteriosa cortina que encubre este asunto=

Viernes 27.

El diario queda así interrumpido, con esa fecha, "Viernes 27", al lado, de la que ya el adolescente no escribió nada. Quedan en un misterio becqueriano la mano que movió la cortina, los ojos que miraban y lo demás de la sentimental aventura.

Santiago Montoto, en su referido artículo de "Blanco y Negro", vio muy bien cómo hay pormenores de esas líneas de Gustavo Adolfo, casi niño, que tienen parentesco estrecho con otras bien conocidas suyas: la cortina que se mueve misteriosamente, recuerda en seguida un pasaje de *Tres fechas*. También aquí el poeta relata en primera persona (pero la ciudad es Toledo):

Se veía... una pequeña ventana con un marco y sus hierros verdes... y unas vidrieras con sus cristales emplomados y su cortinilla de una tela blanca ligera y transparente.

...lo que más contribuyó a que me fijase en ella fue el notar que cuando volví la cabeza para mirarla, las cortinillas se habían levantado un momento para volver a caer...

Pasé otra tarde..., miré a la ventana, y la cortinilla se volvió a levantar.

...Y pasé otros días, y siempre que pasaba, la cortinilla se levantaba de nuevo...

Por su parte, nuestro gran becquerista Dionisio Gamallo Fierros, en sus *Páginas abandonadas,* de Gustavo Adolfo, reproduce la que probablemente es la última de las producciones del poeta que vieron la luz antes de su muerte (sólo diecinueve días antes). Se comenzó a publicar en un periódico teatral: salió sólo la primera entrega de la narración; terminaba con un "Se continuará", cuyo cumplimiento impidió, sin duda, la muerte. No habla en primera persona, pero su héroe es aquí un poeta de veinte años, lleno de ilusiones, y no nombra la ciudad ("una ciudad de provincia", dice). Pues en este escrito de los últimos días, el poeta de veinte años vuelve a ver una ventana, una cortina que se levanta, de donde una niña mira, y luego la deja caer.

Es emocionante pensar que el tema de la cortina que se levanta temblorosamente en el diario de adolescencia (quizá huella de un enamoramiento reciente), que reaparece después, insistente, obsesionante, en *Tres fechas,* volviera luego a surgir en ese escrito último que la muerte sorprendió sin acabar.

El misterio de esa cortina, ¿no nos trae a la memoria el ambiente indeciso y mágico de la literatura de Bécquer? ¿No comprendemos que ese recuerdo, que le acompaña desde Sevilla, a través de *Tres fechas,* hasta las páginas últimas, que la muerte interrumpió, parece simbolizar el constante anhelo de la mujer, su idealización llena de misteriosa vaguedad? Tras esa cortina, que acompañó literariamente todo su vivir, diríamos que nos mira —anhelo ideal, vaguedad, misterio— toda la poesía de Bécquer.

denas de variantes hasta el original perdido, hasta la obra literaria tal como salió de la mano de su autor; y en el terreno lingüístico, por una serie de inducciones, se había ido dibujando una arborización casi perfecta del tronco indoeuropeo, y en especial, de la gran rama románica. La lingüística histórica, asombrosa creación del siglo XIX, estaba en pie; y (para atenernos a lo próximo) en 1890, Meyer-Lübke había ya podido imprimir el primer tomo de su *Gramática de las lenguas románicas,* en lo fundamental aún hoy vigente.

Es notable: Menéndez Pelayo apenas había sentido la menor curiosidad por esta sistematización de la ciencia europea, aun siendo los nuevos métodos técnicos, como habían sido, tan fértiles, tan asombrosamente creativos, y aunque se habían producido, como si dijéramos, delante de sus ojos. Era a Menéndez Pidal a quien le estaba reservado el derribar la barrera que nos aislaba de los métodos científicos conquistados en el último tercio del siglo XIX. Así, sólo un positivo y exacto método histórico y filológico es lo que hace posible su primera gran obra, *La leyenda de los Infantes de Lara,* publicada en 1896; y su impregnación de la nueva técnica lingüística está ya de manifiesto en el *Manual Elemental de Gramática Histórica Española,* de 1904.

AMOR A ESPAÑA

Y ahora sí que nos es útil el concepto de "generación". Muchas veces se ha señalado cómo la "del 98" representa una apertura de la conciencia española (bastante confinada en esos finales del siglo XIX) a los vientos universales del espíritu contemporáneo. Pero el confinamiento en el campo de la creación literaria era sólo relativo (obsérvese, por ejemplo, cómo el naturalismo había podido penetrar, hacia 1880 —es decir, con muy pequeño retraso—, en España). En Filología, y, naturalmente, lo mismo en la rama especial de la Lingüística, sí que el aislamiento había sido casi absoluto. La misión primera de Menéndez Pidal coincide, en este sentido, con la de la generación del 98. Y también coincide con ella en una curiosa consecuencia: esas "europeizaciones" van a traernos como resultado una más profunda comprensión de los modos y sentires de España. La indagación en las raíces más profundas de la historia trae consigo un amor desenfrenado a lo tradicional. En amar a España, en comprenderla, en su continuidad, en sentirla, aun físicamente, no creo que nadie ceda a Menéndez Pidal. Y en ese amor participamos apasionadamente todos sus discípulos. Las consecuencias llegan aún más allá. La actual generación intelectual española —me refiero a la joven— tiene (dentro de lo exclusivamente literario) dos principales raíces de su pasión por España: una es Unamuno y otra Menéndez Pidal.

Bien pronto Pidal pudo devolver con creces al mundo científico europeo lo que de él había recibido. Y lo devuelve convertido en sustancia, en materia española; surge con él para la ciencia europea una antes desconocida imagen de la España medieval, que ahora poco a poco se cuaja. Así iba reconstruyendo Pidal la épica...

LA HISTORIA MEDIEVAL

Pero para reconstruir la épica española era necesario un trabajo previo. En enormes códices manuscritos dormían en las bibliotecas nuestras antiguas crónicas en lengua castellana. Si hubo valientes, no cabe duda de que se arredraron. Nuestra historiografía de los siglos XIII, XIV y XV era un bosque por el que casi nadie había osado penetrar. Se tenía por sentado (aun el mismo Milá lo creía) que la crónica publicada por Ocampo al ir a mediar el siglo XVI, era la ordenada por Alfonso el Sabio. Gracias a Menéndez Pidal, lo que había sido un verdadero caos nos ofrece hoy una visión diáfana: él nos dio el texto de la *Primera Crónica General;* él señaló la existencia de otra *Crónica de 1344,* y la de otras redacciones posteriores; él estudió en muchos casos las relaciones entre algunas crónicas particulares y las generales. Por no ser de un interés literario tan apasionante (porque es un tema que al lector corriente no interesa y que sólo puede atraer al especialista) no se suele ponderar tanto este ingente trabajo de Pidal. Se puede decir, sin exageración alguna, que después de él, en materia de historiografía medieval en lengua castellana, estamos en otra era y casi en otro mundo que el siglo XIX no pudo ni sospechar.

LA ANTIGUA ÉPICA

Y, sin embargo, esa labor no había sido sino un necesario incidente: lo que Menéndez Pidal perseguía, antes que nada, eran los vestigios de nuestra antigua épica. Hoy nos damos muy bien cuenta de lo que significó en su momento nuestra épica medieval y de su importancia para la tradición posterior española. Hoy sabemos que nuestra épica es como una antigua ciudad, por desgracia, casi totalmente sumergida: apenas si por encima de las aguas se levanta un antiguo edificio casi intacto (el *Poema del Cid),* y aun otro también, pero mucho más tardío y desmoronado o desordenado (las *Mocedades de Rodrigo).* De otro antiguo poema (el *Cantar de Roncesvalles)* exhumó Pidal unos cuantos versos (como sillares de un palacio antiguo que los buzos hallan por casualidad en el fondo del mar); de otro (el de *Los Infantes*

de Lara) a través de la prosificación de las Crónicas (como
a través de las aguas) se podían adivinar, y ya Milá lo entre-
vió, largos pasajes de la versificación primitiva; pero Pidal
induce un cantar nuevo del siglo XIV, que Milá no pudo imaginar. También a través de las Crónicas, con mayor o menor
precisión, salen la contextura y, a veces, algunos pasajes ver-
sificados, de las narraciones poemáticas en torno a la muerte
de don Fernando I y del cerco de Zamora, y a las mismas
Crónicas hay que acudir para entrever lo que fueron el
Cantar de Bernardo del Carpio y el *Romance del Infante
García,* y otros poemas que no cito, ya por más problemá-
ticos, ya por menos apasionantes desde el punto de vista español. Hoy estamos seguros de la existencia de estos cantares
perdidos: las crónicas los mencionan como fuente histórica una
y otra vez, y no nos cabe duda de que los utilizaron como se
aprovechan y han aprovechado siempre las piedras de nuestros
antiguos castillos para construcciones posteriores. Eso es lo
que quiere decir "prosificación": la narración en verso aso-
nantado del poema ha sido más o menos modificada para con-
vertirla en prosa e incorporarla a la crónica; pero a veces, en
algunos pasajes, por su particular belleza o emoción, el prosi-
ficador apenas se atrevió a alterar el texto del poema, y entonces el verso, aunque escrito en seguidos renglones de prosa,
salta al sentido del lector moderno: es lo que ocurre con largas
tiradas de los *Infantes de Lara.*

Todo esto, después de los trabajos de Pidal, nos parece
ahora claro, evidente y sencillo, aun antes de aparecer la
Historia de la Epopeya, cúspide, en este aspecto, de su labor,
y obra en la que ahora el maestro trabaja. Y todo ha pasado
ya a los libros de texto, y los niños del Bachillerato lo aprenden; así como también es idea de todos que Pidal es un gran
investigador de nuestra épica. Lo que yo no sé si todo el
mundo sabe o tiene presente es que si hoy —en lugar de una

niebla— poseemos esa imagen cohesiva, ello se debe a Menéndez Pidal. A él llegó, sí, una cadena de atisbos, que arranca,
en 1874, de Milá y pasa por Menéndez Pelayo. Pero lo aporta-
do por Menéndez Pidal excede infinitamente la labor de los
predecesores. Los tiempos eran otros; sólo él pudo aplicar
una técnica más rigurosa y con ella llegar a resultados de
gran diafanidad, mientras al mismo tiempo, en grandes sec-
tores, se iban llenando los vacíos que antes impedían ver la
continuidad del panorama. Técnica, pues, sí; pero no se olvide lo principal: el genio. Hoy día todo lo que se escriba sobre
la épica española —aunque sea para atacar a Pidal— tiene que
estar basado en sus trabajos luminosos, en el manejo de sus
noticias o conceptos.

EL ROMANCERO

El estudio de la épica se completa con el del Romancero:
Pidal muestra y demuestra lo que ya Milá había vislumbrado;
que el Romancero es (por lo menos en parte) la consecuencia evolutiva de nuestra antigua epopeya. ¡Con qué cariño
estudia este maravilloso tesoro poético español, cómo reúne
infatigablemente los textos, cómo aplica a su investigación
exactos métodos geográficos trasplantados del campo de la
lingüística! Pero él quiere que el tesoro llegue a todo el mundo; y en una deliciosa antología *(Flor Nueva de Romances
Viejos)* los antiguos romances corren de mano en mano. Hoy
día, Pidal ha acabado su gran libro sobre el *Romancero,* que
sólo espera la impresión [1]; y también está acabado el primer
tomo de los textos.

---

[1] El *Romancero Hispánico,* en dos vols., ha visto la luz en 1953.

LA LÍRICA PRIMITIVA

La atención de Pidal se vuelve también, pronto, hacia los orígenes de nuestra lírica. Había por fuerza que estribar sobre textos de la tradición posterior y sólo sobre muy escasos verdaderamente antiguos. Moviéndose por lo hipotético pudo rastrear Pidal la antigua lírica castellana. El descubrimiento y publicación, hace pocos años, por Stern de un grupo de jarchas mozárabes del siglo XI y XII, da nuevo y apasionante interés al problema. Yo mismo intenté mostrar en 1949 la enorme importancia europea del hallazgo y cómo ha venido a probar la solidez de las hipótesis de Pidal. Y me es muy grato que el maestro, en un trabajo que acaba de imprimir, corrobore con su autoridad y acepte la mayor parte de mis modestas conclusiones.

LA LINGÜÍSTICA

¡Cuántos escritores, cuántos investigadores de la literatura sienten o fingen desprecio por los estudios lingüísticos! No se dan cuenta de que el lenguaje, aparte de ser el instrumento más útil de nuestra vida, es también el material mismo de la obra literaria. No piedra, como en la obra del escultor, o tierra molida y grasas, como en la del pintor, sino lo más noble, lo más alto, el límite constante entre lo físico y lo espiritual —la palabra del hombre— es el material de la obra literaria. Pidal comprendió desde el primer momento la unión indestructible de lo literario y lo lingüístico y a los dos campos dedicó un solo ardor. Estudió no sólo el español castellano, sino, desde 1899, la variedad dialectal de la península, y así es cabeza también de todos los estudios dialectológicos de hoy. Su *Manual de Gramática histórica* fue primero una empresa heroica, que la crítica internacional saludó con entusiasmo, y, corregido en sucesivas ediciones, ha sido el libro donde hemos aprendido cuantos estudiamos lengua española. Pero hay, entre las obras lingüísticas de Menéndez Pidal, una de extraña novedad y trascendencia: los *Orígenes del español*. A través de los documentos latinos de los siglos IX, X y XI rastrea ahí Pidal la tímida y vacilante aparición de los romances. La masa de materiales es imponente, y no hay lengua románica que haya sido investigada en sus orígenes con tal laboriosidad y técnica tan rigurosa. El trabajo lingüístico de Pidal debe coronarse ahora con la *Historia de la lengua española*. Para consuelo de los que vamos por el mundo dando bandazos, también estos grandes investigadores, que nos imaginamos inflexiblemente metódicos, tienen sus veleidades. Menéndez Pidal, como si fuera un mozo de veinticinco años, se aficionó a la peligrosa rebusca de las más antiguas condiciones lingüísticas peninsulares, muy anteriores a la venida de los romanos: son éstas indagaciones (ahora muy fomentadas por diversos lingüistas en el mundo) que tratan de horadar hasta lo prehistórico (a base de los pocos datos de que se puede disponer: nombres de ciudades, ríos, etcétera). Muy azarosas, por tanto, pues en ellas hay que contar con un alto tanto por ciento de error. Menéndez Pidal, con un joven espíritu deportivo, se lanzó a la generosa y difícil empresa, tanto, que le ha dedicado varios de estos últimos años. Ese trabajo, aunque ha dado riquísimos frutos, ha retrasado esa obra que todos deseamos y que parece debe ser natural coronación de todos sus estudios lingüísticos: la *Historia de la lengua española*, por fortuna ya muy avanzada.

Ni en lo literario ni en lo lingüístico se propuso nunca Pidal demostrar teorías de esas de primera intención (manía habitual de tantos españoles, ya meros tertulianos de café, ya egregios). Sobre abundantes materiales analizados y clasificados, induce lo más general en una ascensión limitada. No hay avance científico sin hipótesis, pero las de Pidal no se extienden sino lo necesario para la cobertura y coordinación de los datos reales que maneja y de los que siempre parte. Ocurre, sin embargo, que cuando un trabajador emplea estos métodos a lo largo de los años, forzosamente el terreno se le va cuajando de tal modo, que ha de llegar a la formulación de teorías generales que expliquen como sistema el vasto panorama descubierto. Pidal ve, ante todo, en lo español la fuerza de lo tradicional; en literatura, esto se refleja en la continuidad, la proximidad de la narración épica a la historia, la colaboración popular en la obra, las refundiciones y la tendencia al anonimato. La producción literaria medieval española no puede ser comprendida a la luz de las relaciones que existen hoy entre obra y autor: la obra medieval vivía desligada del autor, como algo que, al llegar al público, sirve para un fin, y que, por tanto, ha de modificarse cuando los gustos del público cambian. Por eso la materia épica sufrió una serie de refundiciones (los poemas eran renovados y adaptados a nuevas épocas y nuevos oyentes), y por eso, y porque innumerables datos lo exigen, estamos autorizados a pensar en la existencia de poemas perdidos. Frente a esta teoría de Pidal —que para mí no es teoría, sino una realidad española— se alzan las tesis que todo lo atribuyen a un solo autor y a un elemento catalizador cultural (documento escrito u obra literaria). La teoría de Pidal estaba ya en realidad completa en su *Epopeya castellana* (publicada primero en francés en 1910), en donde muestra cómo la continuidad, es decir, la proyección de la épica medieval llega en España hasta el siglo xix (y aun hasta nuestros mismos días). Y todo tiene su complemento en esas *Reliquias de la poesía épica española,* que acaban ahora de aparecer, y en cuyo prólogo se contiene la más briosa y compacta defensa de la continuidad tradicional, defensa escrita por un hombre de ochenta años, pero con una pluma juvenil y animosa, quizá más animosa que en obra alguna de juventud.

UN TRABAJADOR

Trabajo literario continuo a lo largo de cincuenta y seis años: mes tras mes, semana tras semana, preparación y acopio de materiales; análisis minucioso; poderosa inducción de lo general sobre lo particular; clara, ponderada, exacta redacción; corrección de pruebas y más pruebas: ríos continuos de original, desde la casa a las imprentas, y de pruebas desde las imprentas hasta la casa. A los cincuenta y tantos años de su edad, una grave enfermedad en la vista, de lo que ha de quedar una tara. Alarma de los discípulos. ¿Dejará de trabajar el maestro? No importa: el río continuo, de la casa a las imprentas, de las imprentas a la casa, sigue fluyendo siempre, siempre.

Otros cursos espirituales salen de aquel gabinete de trabajo y se extienden por el mundo. Desde 1899, Pidal era catedrático de Filología románica en esta Universidad de Madrid. Pero Pidal no era exactamente un maestro universitario, sino superuniversitario; es decir, maestro de maestros: sus discípulos habían de ser profesores. Su magistratura se ha ejercido siempre casi exclusivamente a través de sus libros. La enseñanza oral no era lo suyo. Pero con los libros y el ejemplo ha movido mundos. En el Centro de Estudios Históricos y en la "Revista de Filología Española" se congregaron los núcleos que primero siguieron sus enseñanzas. Después, los discípulos han llenado la tierra. Todos los españoles e hispanoamericanos que en cualquier país, en cualquier región, nos dedicamos a la investigación o a la enseñanza de la lengua y la literatura de España, somos discípulos suyos: no existiríamos sin él. Y muchos son los focos de hispanistas nacidos en tierras de habla no hispánica que siguen también sus enseñanzas y sus métodos.

UN HOMBRE

Aparte el accidente de la vista —que la voluntad superó—, Dios le ha dado una salud de hierro. Dios se la dio, y el mismo don Ramón se la ha cuidado meticulosamente: porque sabe que él es sólo un instrumento para un fin, y que debe cumplirlo. Así, a los ochenta y tantos años, puede cansar y dejar rezagados a sus propios hijos en las ascensiones montañeras de los veranos, cerca de San Rafael. Su vida ha sido limpia y clara. Ha mantenido a raya no sólo pasiones, sino aun afectos, pues no los suele abrir o ensanchar mucho, como sus discípulos sabemos, aun a costa nuestra. Pero esta que se diría sequedad general (nunca descortés) se le convierte en jugo y ternura en el círculo de su familia y quizá, sobre todo, en el de su familia espiritual, esos seres evocados por él del fondo de la Edad Media: el Cid, los siete infantes de Salas, Fernán González... Este hombre ha concentrado su inmensa fuerza de amor en la Edad Media; y, como España es toda una continuidad tradicional, quiere decir que lo ha concentrado en España.

Y a él le debemos amor los españoles, y gratitud, y veneración. La ciencia universal le es deudora del descubrimiento de inmensos territorios de la antigüedad románica, de novedosos métodos, de una irreprochable técnica. La juventud tiene en él el modelo de las maravillas que puede obrar una voluntad española aferrada al esfuerzo constante; el ejemplo de lo que podría ser España si tuviéramos sólo unos cuantos Menéndez Pidales en los diversos campos de la cultura y del trabajo. Sí, él nos señala luminosamente el único auténtico camino de la esperanza: seremos grandes, no por taumaturgias proféticas, sino por el denodado, modesto, diario esfuerzo de los españoles.

Y es una alegría verle, mozo, en su briosa ancianidad. ¡Dios nos le conserve muchos años!

LA POESÍA DE PEDRO SALINAS, DESDE "PRESAGIOS"
HASTA "LA VOZ A TI DEBIDA"

"FÁBULA Y SIGNO"

De todos los grandes poetas que España tiene en la actualidad, tantos como hace mucho tiempo no los había, y tan distintos como en época alguna lo fueron, ninguno debe menos que Pedro Salinas a la retórica, a la retórica tradicional (romántico-renacentista) y a la nueva retórica (de subescuelas contemporáneas). Poeta de voz (y de manera) inconfundible, ha visto pasar, en poco más de diez años, al ultraísmo (creacionismo, dadaísmo, etcétera), a la imitación gongorina (imitación absurda, que no hay que confundir con el movimiento de rehabilitación de Góngora), al popularismo (desde las canciones paralelísticas hasta el andalucismo pintoresco), al suprarrealismo..., ha visto pasar todas estas escuelas o tendencias, con sus cismas y sus herejías, con su vano guirigay externo, y ha podido permanecer invariable. No por oposición incomprensiva a lo mucho bueno que en casi todas estas corrientes ha habido (nadie más abierto y ecuánime para gustar novedades), sino por seguridad y confianza íntima (¡sabe Dios con cuánta desconfianza exterior!) en el propio camino. En este sentido sólo conozco otro poeta actual que se le pueda comparar: su amigo y paralelo, el gran Jorge Guillén.

Claro está que la obra de Salinas no se encuentra aislada dentro de las corrientes poéticas contemporáneas. Tiene sus correspondientes afinidades con casi todos los modos de poesía que antes enumerábamos (no por imitación ni aun casi por reinfluencia, sino por haber recogido todos, cada uno por su lado, pero en el mismo momento, el aroma que "estaba en el aire"), y se puede referir, visto el panorama a vuelo de pájaro, a aquella escisión del modernismo, espiritualista e iluminada, de doble cabeza (A. Machado, Juan Ramón Jiménez) que tan fructífera ha sido; mejor dicho, que después de más de medio siglo de intolerable ñoñería ha creado esta maravilla que es la actual actividad poética española. Pero entiéndase bien que esto es a vista de avión, no por otra cosa, sino por afinidad de tendencias. En el pormenor, nada hay en la poesía de Salinas que pueda revelar un influjo directo de Machado; muy poco de Juan R. Jiménez.

Naturalmente, la manera poética de Salinas ha sufrido una evolución, no ya desde que aparecieron sus primeras composiciones en "España" y "La Pluma", sino también desde el primer libro *Presagios,* a través de *Seguro Azar* (Revista de Occidente, 1929), hasta su última colección de poemas *Fábula y Signo,* que es lo que da pretexto a estos renglones. Hay poetas que proceden por salto. Rafael Alberti ha podido pasar sin violencia de una sencillez marinera a un remachado gongorismo y de aquí a un abrasador y profético cuasisuperrealismo, y, lo que es más raro, ser gran poeta en tan diferentes modos; y lo mismo, aunque el ámbito de la variación, no el de la excelencia, sea más reducido, se puede decir de García Lorca, de Aleixandre, de Cernuda. Otros, como Gerardo Diego, son un tejer y destejer en frío, una encrucijada de vientos en apasionado, tradición, creacionismo, tradición otra vez, creacionismo de nuevo. Jorge Guillén ha permanecido casi invariable desde que halló el módulo perfecto, intocable, de su poesía. Juan R. Jiménez nos ofrece el espléndido desarrollo de una vida y una poesía paralelas, lento en pormenor, enorme en resultado, una depuración, un constante crecimiento en espíritu.

La evolución de Pedro Salinas ha sido, en cambio, lentísima y muy limitada. En la forma, muy poco: el abandono definitivo de la rima consonante, que aún asoma en *Presagios,* una mayor amplitud de las variaciones o buscadas irregularidades de la base octosílaba, que es la normal en el poeta. Y en el espíritu, una mayor concentración o intensidad poética; un gusto para buscar temas en las formas jóvenes del mundo, que abunda en el segundo y en el tercer libro y que no aparece por ningún lado en *Presagios;* pero, sobre todo, la aparición en *Seguro Azar* y sedimentación definitiva en *Fábula y Signo* de ese humor saliniano, que hasta tal punto impregna la época más reciente del poeta que se puede ya considerar como sustantivo de su poesía.

Presagios tenía un tono de hondura y seriedad castellana. Si a veces asomaba en este libro el humor, era, como correspondía al tono general, un humor por doloroso contraste, que dejaba amargor en la boca ("Este hijo mío siempre ha sido díscolo..."; "Un viejo chulo la dijo..."), o si no, gracioso humor completo que llega a producir algo entre sonrisa y risa (como el saladísimo "Manuela Pla").

En ese libro de prosa, *Víspera del gozo,* que es todo él un gozo actual sin víspera y sin mañana, es donde por primera vez en la literatura de Pedro Salinas aparecen los temas de la "vida joven", aliados a cierto internacionalismo latente, sugeridor de lugares, de cosas, de nombres, pero, sobre todo, aliado a la nueva ironía, al nuevo humor, si se quiere, luego casi constante en *Seguro Azar* y *Fábula y Signo,* que considerado desde un punto de vista humano, es sólo un tipo de humor social, es decir, empleable en sociedad, y desde un punto de vista literario, lo que en la literatura nueva sustituye al sentimentalismo, mejor dicho, se asocia con el sentimentalismo, de tal modo, que la frase que comenzaba sentimental, termina suavemente graciosa:

> *Se murió a las cuatro y media*
> *del gran reloj de la sala,*
> *a las cuatro y veinticinco*
> *de su reloj de pulsera.*

Cuando este humor no está patente en la limitación de una frase, cuando no se puede extraer, porque lo impregna todo, entonces es cuando es mejor y más delicado. Magnífico aliado de la temática normal en el poeta, da en contacto con esta última, esa tonalidad clara, de colores frescos, juveniles, recién pintados, que tiene la poesía de Salinas, esa limpieza de vida civilizada, que se desenvuelve en ciudades perfectas (museos, *tennis-courts,* salones de té), y en campos y sierras, de los que ha desaparecido la incomodidad y el cansancio, donde la muerte y su espanto no existen, o si existen es sólo en un símbolo (¡peligro!), apenas entrevisto, y vencido pronto por el paso arrollador y seguro —automóvil— de la vida. Este fue ya el tono predominante en *Seguro Azar,* y lo es ahora en *Fábula y Signo.*

Pero (no podía ser de otro modo) el iberismo de Pedro Salinas, la castellanidad de sus *Presagios,* aún deja huellas frecuentes en *Fábula y Signo.* Castellano nuevo, de Madrid, reeducado en París, con injertos de Andalucía y de las costas mediterráneas (Sevilla, Alicante, Argel), sedativos de Inglaterra (Cambridge) y rápidas contemplaciones a vista de pájaro de Europa (Alemania, Austria, Italia, Holanda, Hungría, etcétera), es el poeta un ejemplo clarísimo de lo que pueden dar de sí emoción congénita y temática adquirida, tanto esta vida suya late y se transparenta bajo las páginas de sus libros. En lo más externo, cortesía social, humor, vida nueva, _girls..._ Allá dentro, para el que sepa leer, hay siempre una emoción humana, intensa en su castellanidad, pero más cordial y más jugosa, por temperamento, que los frutos de Castilla, rebosante de comprensión, a la par poética y humana, de los hombres y las cosas.

(No faltan, aun en los últimos libros, ocasiones en las que la emoción se hace tan intensa que resulta incontenible, y surgen entonces esas magníficas composiciones, como "Mar distante", "La resignada", "Pregunta más allá" (de _Fábula y Signo),_ en las que nada se interpone entre el brote íntimo y su exacta expresión. Alguna vez, en fin, una seca dureza hispánica sale a la superficie:

> _Áspero el camino_
> _entre cerros pardos._
> _Rastreros los vientos_
> _arrancaban altos_
> _quejidos de polvo_
> _a la tierra triste.)_

Esta poesía tan íntimamente española, tan superficialmente social y cosmopolita, a gusto en una forma voluntariamente laxa, tiene, aparte las excepciones que acabo de citar, una temática moderna, llena de los zumos últimos de la vida. Muchachas, lo mismo que en _Víspera del gozo,_ una para cada aventura poética, salen al encuentro del lector: la que se murió porque ella quiso, sin que nadie lo pudiera notar, sin una huella en su traje, ni en su voz, ni en su cuerpo; la inhallable en la búsqueda, encontrada siempre en la distracción y el olvido; aquella que se fue deshaciendo en la desmemoria, su forma, su voz, su nombre, hasta ir perdida, disuelta en las letras del mundo, incorporada así de nuevo a la materia cósmica "en una gloria abstracta de alfabeto"; la otra, muerta en el recuerdo, y a la que hubo que olvidar para poder crearla viva de nuevo; la tan tenue, que no dejaba huellas ni en el espacio ni en el tiempo, tiempo y espacio de sí misma; las confundidas con nubes o con montañas en una noche de Font Romeu; las muchachas mecánicas, las *Underwood Girls,* blancas teclas de la máquina de escribir lanzadas por el poeta a una fantástica aventura, todas de *Fábula y Signo,* y tantas otras de *Seguro Azar* y de *Víspera del Gozo,* tenue, delicioso coro, nuevo y adorable. Y luego otras muchachas y otros amores, aún más inmateriales y más modernos: el del poeta con la luz eléctrica, "su iluminadora musa dócil", en la soledad nocturna; el idilio sin testigos, en lo agreste del puerto, con el femenino, suave, sumiso automóvil; aquella aún más callada afinidad erótica entre la silenciosa calefacción central y los cristalinos termómetros:

> *Nueva*
> *criatura, deliciosa*
> *hija del agua, sirena*
> *callada de los inviernos,*
> *que va por los radiadores*
> *sin ruido, tan recatada*
> *que sólo la están sintiendo*
> *con amores verticales,*
> *los donceles cristalinos,*
> *Mercurios en los termómetros.*

Así las formas nuevas del mundo, con una sonrisa, en colores claros, están asociándose para amar en la poesía de Salinas.

Si de la consideración de los temas pasamos a la de la verdadera forma (espiritual) de su poética, encontramos aquí inmediatamente una nota común a toda la poesía contemporánea (y, en mayor o menor grado, a la de todos los tiempos, salvo breves y lamentables eclipses de prosaísmo, como el de la segunda mitad del siglo XIX en España), su extrarrealidad, mejor dicho, su capacidad de extraer de las cosas del mundo otra posible realidad íntima, invisible (o irreal) para el sentido común, pero clara y muy verdadera para el sentido poético. Algunos de los ejemplos que citaba antes (amores del poeta y la luz eléctrica, del calor y los termómetros) explican bien el sentido especial que aquí toma esta intuición de una más profunda realidad, en mi opinión esencial a la poesía. "Reloj pintado", "Abril", "Rapto a primavera", y esa deliciosa composición (tan Pedro Salinas) que lleva por título "Los Adioses", todas de *Fábula y Signo,* pueden servir para completar la idea de cómo se produce en el poeta el maravilloso salto desde la materia caduca de nuestra vida a la permanente del arte.

Todo poeta tiene su "manera", repetición de ciertas formas o procedimientos, que no es un defecto, sino, aquí como en las otras artes, la huella de la personalidad, la más auténtica firma. Su suave y amable humor, sus temas favoritos (los ya apuntados y otros más íntimos, por ejemplo, las construcciones en la memoria, entre el recuerdo y el olvido), su especial modo de proyectar irrealmente la realidad circundante, definen tan claramente la manera de Salinas, que una poesía cualquiera suya resulta siempre inconfundible.

Quiero citar ahora una nota externa del procedimiento constructivo empleado por el autor. Hay poetas que transmiten desordenadamente (mejor: casi por orden de recepción) una serie de sensaciones recibidas. A éstos se les puede llamar "impresionistas" (tomada la palabra en un sentido sumamente amplio). Así era Mallarmé, y así son algunos simultaneísmos de *Cal y Canto,* de Alberti (pero el ejemplo más claro lo constituye ese flujo poético incontenible que es el suprarrealismo). En otros poetas, la creación va, ante todo, condicionada por un hallazgo concreto y una delimitación, es decir, por el planteamiento de un tema. Esto es lo que ocurre con Pedro Salinas. Su poesía, tan floja, tan libre de maneras en lo más externo, adquiere forma y exactitud y unidad para cada composición por lo feliz y neto de los temas. (Es curiosa la predilección que siente por aquellos que se pueden plantear por contraste, o por lo menos en dos series de ideas. Así, los contrastes entre el calor luminoso y el oscuro; entre la ciudad dormida, con su audiencia y su obispo, y la victoriosa ciudad ideal, pregonada en la estación, y oída en un duermevela desde el tren, "voz y sonido puros contra piedras"; entre lo deshilachado y amorfo de la niebla y la rigurosa exactitud y limitación de una moneda; entre la luz de al otro lado del mundo cuando aquí es de noche, y la luz contemplada en el sueño, etcétera; estos contrastes le dan una doble y segura base para perfilar sobre ellos la contextura temática de muchas de sus composiciones.) La felicidad y precisión del tema es quizá el único halago de forma que Pedro Salinas ofrece a sus lectores.

★ ★ ★

Esta última afirmación es importante. En los poetas de inclinación popular (primera época de Lorca y Alberti) hay que descontar lo que en el regusto del lector ha de ponerse en la cuenta del cosquilleo folklórico: temas populares aludidos o introducidos. En la perfecta poesía de Guillén, hay que atribuir bastante a aquel gozo casi matemático del espíritu, que se reposa en lo impecablemente exacto; en otros hay la curiosidad (o la socaliña) de la moda que se han vestido.

En Pedro Salinas nada llama desde fuera al lector, ningún placer fácil le ofrece esa poesía desnuda. Pero el que
entra, encuentra agua viva de humana emoción, luces de un
cielo nuevo, latidos de sangre cálida, bien isócronos con los
de este misterioso mundo del que nosotros somos también una
misteriosa partícula.

"LA VOZ A TI DEBIDA"

Entrar en un libro (en un libro de poesía, claro está, porque no hay más que dos cosas: la poesía y la nada), entrar en un libro, es uno de los actos más misteriosos de esta
nuestra vida tan llena de misterios, tan puro misterio ella
misma. Al entrarnos por las aguas de un libro (de un espejo,
de una locura, de un sueño...) dejamos del lado de acá las
sustancias, con sus formas y sus colores reales (¿reales?):
todo un mundo catalogado y sometido a norma. Todo esto
se ha quedado lejos, allá en la vida —y muchos afanes, muchas miserias y dolores—, y henos aquí ligeros, recién creados ciudadanos de un país de luz extraña, blanca, parpadean-
te. ¿Somos nosotros mismos o sombra de nosotros? No: ahora somos sólo un sueño, hemos entrado dentro de la órbita
del sueño de un poeta como dentro de un cosmos de fantástica iluminación, de una ampolla mágica y resplandeciente. Desde el momento de la Creación (de la única creación: es decir,
de la creación poética), el poeta había contado con nosotros,
había sentido nuestra inesquivable necesidad, y su obra, a través del éter abismal, habría sido sólo magnífica luz sin eficacia
si no hubiera llegado a reflejarse en nosotros.

Cuanto más intenso es el valor poético de un libro, tanto
más gustoso nos es este entrar en su ámbito y tanto más radical es nuestra transvasación a la realidad de su irrealidad
(desde la irrealidad de nuestra realidad cuotidiana).

Trasponemos ahora el pórtico de *La voz a ti debida,* el nuevo libro de Pedro Salinas. Pocos libros podrán producir de un modo más completo esa sensación de destierro, de "extrañamiento" del lector, su pérdida y su hallazgo en el mundo de la estricta poesía. Quien haya leído los libros anteriores del poeta —*Presagios, Víspera del Gozo, Seguro Azar, Fábula y Signo*— resistirá bien esta luz. Pero, ¡cuidado los primerizos! No faltan peligros en este reino. Ejemplos: peligro de ser atropellado por el tiempo ("el futuro se llama ayer"), por el tiempo, vencido sólo por los felices amantes para quienes es un esclavo obediente, y camina, ya de prisa, ya despacio, ya dejándolos solos, solos y sin tiempo y a su sabor:

> *Para vivir despacio,*
> *de prisa, le decíamos:*
> *"Para" o "Echa a correr".*
> *Para vivir, vivir*
> *sin más, tú le decías:*
> *"Vete".*
> *Y entonces nos dejaba*
> *ingrávidos, flotantes*
> *en el puro vivir*
> *sin sucesión,*
> *salvados de motivos,*
> *de orígenes, de albas.*

Peligro de chocar con nubes, piedras, alas, flores, "porque era antes de las distancias", o simplemente de chocar con algún verbo atónito, carente de sentido aún:

> *los verbos, indecisos*
> *te miraban los ojos*
> *como los perros fieles,*
> *trémulos. Tu mandato*
> *iba a marcarles ya*
> *sus rumbos, sus acciones.*

> *¿Subir? Se estremecía*
> *su energía ignorante.*
> *¿Sería ir hacia arriba*
> *"subir"? ¿E ir hacia dónde*
> *sería "descender"?*

Porque es rasgo distintivo de esta naturaleza poética una gloriosa abolición de las categorías de tiempo y espacio (poema, sí; pero poema sin historia), y una liberación —qué delicia— de todas las leyes físicas y psíquicas del mundo. Acomodados ya a esta luz extrarreal, comenzamos a ver con una nitidez y una perspicuidad portentosas. Comenzamos a comprender que no era ésta una tierra alejada y extraña, sino la verdadera y depurada imagen de nuestro mundo (su imagen poética). ¡Ah!, ¿pero era así? ¿El mundo "era" así? ¿"Es" así?

El mundo es así siempre que se produce el estado de gracia. Pero el estado de gracia es el amor.

Este libro —*La voz a ti debida*— es un poema de amor.

Es un poema. En realidad (en realidad poética), no existe tampoco más que un libro posible: el poema. Un libro no es sino la representación que del mundo tiene el poeta. Si esa representación verdaderamente existe, no importa que aquí se refleje en un prado, o una muchacha, o un molino, allí en una rosa, o un niño o un ensueño, allá en una estrella, o el mar o un amor, porque las distintas visiones parciales pertenecerán a la misma representación poética, serán partículas de la interpretación del cosmos que el poeta refleja al mundo externo. Las preceptivas lo quisieron, claro está, de otro modo y exigieron, para que fuera posible el nombre de poema, retahílas de requisitos. Pero no nos vamos a preocupar ahora de lo que quisieran las preceptivas.

En los libros anteriores de Pedro Salinas se daba, en ejemplo perfecto, esa visión poemática (unitaria) del mundo, reflejada en mil caras diferentes. Eran esos libros, por tanto, poemas, mejor dicho, partes del poema único que es la obra de Salinas, y de todo gran poeta. (¿Qué es, por ejemplo, *Cántico*, de Jorge Guillén, sino eso, el cántico, el poema jubiloso, extático, del absorto poeta que ha reflejado en "un solo" libro, pero sin externa unidad temática, el mundo, visto en su esencia, en su más bella, en su desnuda elementalidad?) Pero ya lo he dicho antes: allá donde exista un verdadero poeta se encontrará esa unidad fundamental de su obra.

Aún hay otro aspecto en los libros anteriores de Salinas, por donde éstos se aproximan a la estructura poemática, entendida ahora la palabra "poema" de una manera más cercana a lo que es corriente en el lenguaje usual: los temas de muchas poesías en esos libros, sobre todo en *Fábula y Signo* y *Seguro Azar,* muchos correspondían a veces a puntos no alejados el uno del otro, sino muy próximos, que casi se tocaban sobre el horizonte poético del autor, y, por consiguiente, siempre que este fenómeno se producía, distintas poesías de cada libro (y aun entre dos libros diferentes) venían a unirse, a relacionarse las unas con las otras; siendo virtualmente distintas, había algo de la materia de aquéllas que pasaba a éstas, todas centradas y ligadas por una representación fundamental, y con los extremos diversos, pero muy cercanos. Así, entre los vientos del horizonte Norte, Sur, Este, Oeste, van intercalándose vientos intermedios, y cuando la subdivisión se continúa, llega a producirse la rosa, en la que todos ellos son diferentes, pero sin haber casi diferencia entre los inmediatos. Recordemos aquellas muchachas, aquellas "aventuras" (poéticas) de los otros libros de Salinas: entre ellos descubríamos rasgos comunes, y a veces igualdad, parecido o identidad, que no constituía defecto, sino que era sólo un ejemplo de esa característica manera de apurar el tema, que tiene este poeta, su arte de desdoblarlo, tratarlo por variantes, escudriñando todas sus posibilidades estéticas. Aquellas variantes dentro de un tipo, llevaban hacia una consecuencia que es la que triunfa ahora en *La voz a ti debida*: una sola personalidad llena de variaciones y matices. En esta amada del último poema de Salinas se concentran y resumen todas aquellas anteriores de sus libros poéticos (en verso o en prosa), única en sustancia, pero con la variación de todas ellas. Así lo reconoce, temeroso, el amante:

> *Múltiples tú y tu vida.*
> *...tú eres*
> *tu propio más allá,*
> *como la luz y el mundo;*
> *días, noches, estíos,*
> *inviernos sucediéndose.*
> *Fatalmente te mudas,*
> *sin dejar de ser tú,*
> *en tu propia mudanza,*
> *con la fidelidad*
> *constante del cambiar.*

Y todas las alegrías, todas las locuras de aquellas adorables muchachas terminaron condensándose en ésta. En esta que ha de descubrir, como veremos más adelante, caída la jovial careta, "un rostro serio y grave", un rostro de desconocida "alta, pálida y triste", en esta que sabe amar "por detrás de la risa", en esta amada conocida en la tormenta,

> *en ese desgarramiento brutal*
> *de tiniebla y luz*
> *donde se revela el fondo*
> *que escapa al día y la noche.*

★ ★ ★

Hubo, pues, primero, en el arte de Salinas esa unidad de representación poética del mundo, exigible siempre al poeta; después, sobre esta unidad fundamental vino a asentarse el entrecruzamiento de los temas, el empalme de los unos en los otros. Era el camino seguro para el poema, en sentido estricto, pero no preceptivo, afortunadamente, que ha surgido por fin en *La voz a ti debida*.

Sin embargo, el lector que abra el nuevo volumen por dos o tres páginas al azar, no notará, por lo que toca a la estructura general del libro, gran diferencia con los anteriores. Podrá leer, lo mismo que antes, aquí una poesía, allí otra, y cada una de ellas será una obra estética perfecta, tendrá un valor poemático definido, sin necesitar explicación ni complemento en las páginas anteriores ni en las siguientes. Es esto una consecuencia de esa progresión fisiológica "hacia el poema", cuyos avances señalábamos antes. Así, lo que más se parece al último libro de Salinas, por lo que se refiere a su contextura orgánica, es una flor de esas a las que los botánicos llaman compuestas. Y este poema cae de lleno dentro de la normal línea de desarrollo de la obra del poeta, y por ella misma se explica...

★ ★ ★

Aquel aficionado a lo anecdótico tal vez busque en este poema el desarrollo de una historia de pasión. Camino equivocado, como no apunte muy a lo íntimo. Porque nada se narra aquí. Casi nada externo sucede. Y el libro es un largo, proteico, matizadísimo monólogo de amor ante la presencia o la ausencia (física o metafísica) de la amada.

Al frente de la obra va, y no sin sentido, un verso de Shelley:

Thou wonder, thou beauty and thou terror.

Y esta trimembración corresponde casi perfectamente al contenido del libro: maravilla y gozo del amante; belleza y gloria de la unión; terror ante la imposibilidad de la unión perfecta y desolación del apartamiento amoroso; misterios gozosos, gloriosos y dolorosos del amor. Ni deja de recordar este poema de Salinas la "escala" de los libros de mística. No sólo ascensional como allí, sino con dos vertientes: la que viene de la nada, en donde estaba en potencia el amante antes del amor (la nada o el amor; la poesía o la nada), y lleva a la gloria de la unión, y la, en este caso mucho más larga, que cae desde esa altura a la desolación frente a las sombras. Este "crescendo" y este "diminuendo" son, pues, a mi entender, elementos esenciales de la estructura poemática del libro de Salinas, son su línea musical, superpuesta, claro está, al tema e inseparablemente unida a éste.

★ ★ ★

1. Las primeras poesías de la obra son una introducción a esa acción interna que va a seguir después; preparativos para la recepción de la amada, búsqueda insaciable, deseo de la genuina llamada amorosa. Esta parte introductiva correspondería aproximadamente a las páginas 9-24.

Por fin ha llegado el encuentro, el dulce hecho feliz, en palabras pronunciadas

> *tan de verdad*
> *que parecían mentira.*

Todavía un momento de miedo ("Miedo de ti. Quererte / es el más alto riesgo"). Y, de pronto, el júbilo, el frenesí del júbilo, la entrega a la alegría primaria del amor. Es una decena de poesías en que el tema del gozo está expresado

con ese hiperbólico, inocente arrebato, deliciosamente personal en el arte de Salinas; alegría que ha venido "tan vertical, /
tan gracia inesperada" que el amante ha de pensar que no
puede ser suya, que se le ha debido caer a alguien, a una
isla "vestida de muchacha" que pasó por su lado, a un día
"de este agosto que empieza…"; alegría sin límite de los amantes, que viven en los pronombres, una vida irreductible, libre, pura; "tú, yo"; alegría que sube, velocísima, disparada
contra el cielo

> *en una abolición*
> *triunfal, total, de todo*
> *lo que no es ella, pura*
> *alegría, alegría*
> *altísima, empinada*
> *encima de sí misma,*

alegría de los múltiples "síes" que repiten el azul del cielo
y del mar en el día del "sí" y de los "síes", en el día de la
gran delicia; alegría de los excesos del amor y del mundo,
todo con exceso,

> *que un gran tropel de ceros*
> *asalte nuestras dichas,*

porque al otro lado de cómputos y sinos un gran fondo aza-
roso dice todavía:

> *Eso no es nada aún.*
> *Buscaos bien. Hay más.*

Júbilo, júbilo de los amantes que van entre "universos en
equívocos", sin más acierto que el júbilo del acierto, que el
júbilo

> *embriagado en la pura*
> *gloria de su acertar* [1].

---

[1] Véanse como ejemplos del tema del júbilo las poesías de las páginas 25, 27, 45, 47, 50, 56, 59, 62.

Pero el libro de Salinas tiene una contextura sinfónica. Y creo que puede ser entendido mejor que con una pauta lógica, como una organización poemática musical, en un entrecruzamiento de temas en donde por debajo del predominante se inicia otro que va a tener más tarde su desarrollo. Aun en medio del tema del júbilo, se dejan ya oir notas más graves, motivos que han de ser desenvueltos en partes posteriores del libro. Así, casi siempre en las poesías que acabo de citar, debajo del arrebato del gozo hay un momento de meditativa preocupación. Y así, el tema que podríamos llamar de la "busca de la amante verdadera", ya esbozado en la introducción (en las primeras poesías del libro), se repite aquí con intensa y profunda expresión, interrumpiendo la velocidad frenética del júbilo, y produce una de las páginas más graves y más bellas del poema.

> *Ahí detrás de la risa,*
> *ya no se te conoce...*
> *"Qué alegre", dicen todos...*
> *Te sigo. Espero. Sé*
> *que cuando no te miren*
> *túneles ni luceros...*
> *tú te desatarás*
> *con los brazos en alto,*
> *por detrás de tu pelo,*
> *la careta, mirándome.*
> *Sin ruido de cristal*
> *se caerá por el suelo,*
> *ingrávida careta,*
> *inútil ya, la risa.*
> *Y al verte en el amor*
> *que yo te tiendo siempre*
> *como un espejo ardiente,*
> *tú reconocerás*
> *un rostro serio, grave,*

> *una desconocida*
> *alta, pálida y triste,*
> *que es mi amada. Y me quiere*
> *por detrás de la risa.*

★ ★ ★

2. El momento de confiada entrega, ya alborozado, ya es-
peranzadamente grave, pasa pronto, como presagiaban súbitos
temores que querían levantarse allá al fondo del gozo. Y el
tema de la "busca de la amada verdadera", que acabamos de
ver como interruptor momentáneo del regocijo y la delicia, se
va a convertir ahora en el motivo principal de la parte central
del poema.

El amante busca, busca insaciablemente, el alma intangi-
ble e incambiable de la amada; busca detrás de la risa, entre
las variaciones diarias, lo esencial, lo eterno:

> *Ansia*
> *de irse dejando atrás*
> *anécdotas, vestidos y caricias,*
> *de llegar*
> *atravesando todo*
> *lo que en ti cambia*
> *a lo desnudo y a lo permanente.*

Angustia y duda entre la dulzura de amor. Amante heau-
tontimorúmenos, insatisfecho con lo contingente y anecdótico, que cuando besa, no en los labios, dice: "te estoy besando más lejos", esperando encontrar a su genuina enamorada
"más allá de los fines y los términos", "sobre las diferencias /
invencibles, arenas, / rocas, años..." (Véanse páginas 68 y
98-102.)

El tema se subdivide, mejor dicho, forman esta parte central del libro una serie de temas enlazados, que todos se seña-

lan por el mismo desasosiego. Con el de la "busca" se relaciona directamente el de la "amada verdadera" hallada por el amante en el sueño; despertar es despedirse de ella, es dejarla; al despertar, dice:

> *te siento huir ligera*
> *hacia arriba, buscando*
> *el desorden celeste*
> *que es sólo donde cabes.*
> *Luego, cuando despierto,*
> *no te conozco casi*
> *cuando a mi lado tiendes*
> *los brazos hacia mí,*
> *diciendo: "¿Qué soñaste?"*

(Páginas 80-82.)

Y no es más que un aspecto del anterior el que pudiéramos llamar tema "del temor de la unión perfecta"; el amante, y es psicología de amor que tiene claros antecedentes, quisiera ser todos los objetos que usa o disfruta la amada ("arena, sol en estío: / que te tendieses, / descansada, a descansar"), ser

> *la materia que te gusta,*
> *que tocas todos los días*
> *y que ves ya sin mirar*
> *a tu alrededor, las cosas*
> *—collar, frasco, seda antigua—*
> *que cuando tú echas de menos*
> *preguntas: "¡ay, dónde está?"*

Quisiera ser la "alegría" con que ella se alegrara y el amor de que se enamorara. Pero —concluye tristemente—

> *no soy más que lo que soy*

(Véanse páginas 70-72.)

Y en otra ocasión quisiera ser él mismo —total entrega—
el regalo que le da:

> *Ay, si yo fuera la rosa*
> *que te di,*
> *que tú ascenderás*
> *a recuerdo de rosa inmarcesible.*

(Véase página 76.)

Imposible deseo totalizador éste, que otras veces se afirma en formas distintas, aunque en íntima conexión con las
anteriores; por ejemplo, cuando el poeta quisiera que todas
las sensaciones que el mundo ofrece vinieran sólo de ella.

> *¡Qué hermoso el mundo, qué entero*
> *si todo, besos y luces,*
> *y gozo,*
> *viniese sólo de ti!*

(Véase página 76.)

Y nunca mejor ni más sintéticamente expresado que en
aquel verso

> *amor total, quererse como masas,*

en donde se condensa la voluntad de amar, sin romper la
unidad del acto, sin deshacer "esa gran unidad en juegos va-
nos"; no; amar totalmente, sin nada que disienta, como masa,
como piedra que cae, fatalmente, legalmente, al suelo. (Véanse
páginas 106-107.)

La agonía, el desasosiego latente en todos estos motivos
no hace sino aumentar cuando el amante se da cuenta de que
su anhelo es imposible, imposible la totalización del amor,
y la unificación de todo en el amor, baldío el deseo de tras-
fusión en la amada, inútil la busca de su faz desnuda y ver-

dadera. Alguna vez la amada le ha hablado con una voz tan pura que era "una sombra de voz", pero el amante no la supo oir precisamente por estarse repitiendo para sí mismo lo que quería oir, lo que ella le decía... (Véase página 127); y el amante rodea el objeto de su amor de invisibles y angustiosas preguntas, a las que ella no puede responder:

> *Y seguirás viviendo*
> *alegre, sin saber*
> *que en media vida tuya*
> *estás siempre cercada*
> *de ansias, de afán, de anhelos,*
> *sin cesar preguntándote*
> *eso que tú no ves*
> *ni puedes contestar.*

(Véanse páginas 117-119.)

Y el amante, cada vez con más temor y más angustia, pide perdón por su incesante buscar:

> *Perdóname por ir así buscándote*
> *tan torpemente, dentro de ti.*
> *Perdóname el dolor, alguna vez.*
> *Es que quiero sacar*
> *de ti tu mejor tú;*
> *ese que no te viste y que yo veo...;*

(Véase página 113.)

y llega a enmudecer en sus preguntas, a no atreverse a preguntar, ante el terror de averiguar una verdad cruel:

> *Y estoy abrazado a ti*
> *sin preguntarte, de miedo*
> *a que no sea verdad*
> *que tú vives y me quieres.*
> *Y estoy abrazado a ti*
> *sin mirar y sin tocarte.*

> No vaya a ser que descubra
> con preguntas, con caricias,
> esa soledad inmensa
> de quererte sólo yo.

(Véase página 109.)

3.   Incapacidad de descubrir el verdadero rostro de la amada. El amante se siente fracasado. Sabe que no podrá llegar a
conocerla, preso en las redes de lo variable, de lo contingente,
simulacros de ella que se le parecen en todo:

> Tú no puedes quererme,
> estás alta, ¡qué arriba!
> Y para consolarme
> me envías sombras, copias,
> retratos, simulacros,
> todos tan parecidos
> como si fueses tú.
> Entre figuraciones
> vivo de ti, sin ti.

(Véase página 133.)

He aquí la gran verdad; esta "ella", de la realidad material, es la falsificación, el simulacro de la "otra"; de la "otra"
que es la verdadera ella, la tan buscada por el amante; su
amor:

> Y vendrá un día
> —porque vendrá, sí, vendrá—,
> en que al mirarme a los ojos
> tú veas
> que pienso en ella y la quiero;
> tú veas que no eres tú.

(Véase página 137.)

El error ha consistido en haber buscado por los caminos
de la duda, de la angustia, del dolor, por no saber que a la

amada se la encontraría "en las cimas del beso / sin duda y sin mañana", en una multiplicación de júbilos, de risas, de placeres. (Páginas 156-157.) Pero no hay ya posibilidad de desandar el camino, y lo que al amante le queda es desnudar de carne, de bulto, de forma, el bello simulacro que vive al lado suyo, y verter su amor hacia esa otra amada, pura idea, dejar a la carne irse por el camino y estrechar sin fin, sin pena,

> *tu solo cuerpo posible,*
> *tu dulce cuerpo pensado.*

(Páginas 150-151.)

Así, el mismo amante ha reducido su amor a un recuerdo "que fue carne / tierna, materia viva / y que ahora ya no es nada / más que peso infinito" (página 171), a una sombra; sombras, desolación, recuerdo, lágrimas, dolor, llenan la última parte del mundo. Dolor.

> *¡No quiero que te vayas,*
> *dolor, última forma*
> *de amar!*

(Página 168.)

dice el amante, que abraza ya sólo sombras, o sombras de sombra;

> *¡Qué cuerpos leves, sutiles*
> *hay sin color,*
> *tan vagos como las sombras,*
> *que no se pueden besar*
> *si no es poniendo los labios*
> *en el aire, contra algo*
> *que pasa y que se parece!*

(Página 181.)

Pero aun las sombras mueren. Aun las sombras van a morir, ausentes de realidades, "al borde / del morir de las sombras que es la nada". Para que sigan soñando, para que no se mueran, necesitan otra vez de la materia. Y el amante llama a la amada para que las sombras se nutran otra vez y vivan.

> *Acude, ven conmigo.*
> *Tiende tus manos, tiéndeles tu cuerpo,*
> *los dos les buscaremos*
> *un color, una fecha, un pecho, un sol.*

Así, al separarse los amantes, las sombras podrán volver a vivir, volver a soñar.

> *Y su afanoso sueño*
> *de sombras, otra vez, será el retorno*
> *a esta corporeidad mortal y rosa*
> *donde el amor inventa su infinito.*

(Páginas 155-186.)

Según el análisis anterior, las tres partes que (prescindiendo de la que he llamado introducción) considero en el libro, a saber: 1, Gozo; 2, Angustia en el gozo; 3, Dolor y sombras, corresponderían, sobre poco más o menos, a las páginas 25-67, 68-132 y 133-186. Téngase en cuenta lo que se ha dicho antes acerca del entrecruzamiento de temas, y se comprenderá que no pretendo, ni mucho menos, señalar límites exactos.

★ ★ ★

Más arriba he hablado algo de la técnica inicial de Pedro Salinas. Todo lo que constituía su personalidad poética está mantenido en este nuevo libro, y sólo incrementos se

pueden señalar. Perfecta madurez, la de *La voz a ti debi-*
da. Aquella destreza, aquella maestría en el manejo de la
feliz idea que origina una poesía, señalada en los libros anteriores, llega a su cúspide ahora; y lo mismo aquel dotar a
cada composición de un justo desarrollo interno (que suple
a la forma externa, en Salinas tan libre), un desarrollo estrictamente fiel a la ley de vida de cada obra, tan estricto, pues,
como el que puedan imponer en el aspecto formal las preceptivas clásicas a sonetos, décimas, etcétera, pero con la
ventaja de ser algo vivo, individual, cambiante para cada
poesía.

Léase, por ejemplo, la que comienza:

> *De prisa, la alegría*
> *atropellada, loca...*

(Página 47.)

En ella a un vértigo ascensional, a un "crescendo" magnífico de la velocidad del júbilo, acompaña, tácita, la idea de
un objeto físico en estupenda huida vertical, un surtidor que
se dispara a lo alto para luego morir, o más exactamente, un
cohete luminoso. Las dos partes de la poesía, separadas por
un blanco tipográfico, corresponden a los movimientos contrapuestos (ascensión y descenso). El retardo de los últimos momentos ascensionales

> *(...pura*
> *alegría, alegría*
> *altísima, empinada*
> *encima de sí misma)*

está tan magistralmente expresado como el aceleramiento del
descenso y la desaparición en el aire

> *(Tan alta de esforzarse*
> *que ya se está cayendo*

> *doblada como un héroe*
> *sobre su hazaña inútil.*
> *Que ya se está muriendo*
> *consumida, deshecha*
> *en el aire, perfecta*
> *combustión de su ser);*

y toda la composición es un magnífico estudio de ritmo interior conseguido casi totalmente por el más leve procedimiento; por simple sugestión en el cerebro del lector de una idea conocida de moción, paralela a la que se quiere expresar; esta idea paralela, tácita, obliga (fiel metrónomo) a la mente del lector, y a la fuerza, a seguir una línea determinada de velocidad.

La ilimitada variación de recursos que el poeta tiene para que cada una de las poesías individuales que forman su poema (libres todas de canon formal) se someta a la justa ley de su desarrollo biológico, quedaría patente si pudiéramos estudiar y comparar con detenimiento un número suficiente de composiciones. Así, en contraste con el doble movimiento que hace poco señalábamos en una, veríamos en otras como la que comienza

> *Amor, amor, catástrofe...*
>
> > (Página 53.)

una sola dirección, una formidable reculada, en constante y gradual retroceso desde la complejidad del mundo hasta la sencillez elemental e inmensa del caos. Estas perfecciones que acabamos de señalar las podríamos creer basadas en un ritmo "visual" (al que tal vez no sean ajenos los avances del cinematógrafo). A normas muy distintas respecto a éstas, y también entre sí, responden otras composiciones, como

> *"Ahí, detrás de la risa..."*
> *"Mañana, la palabra..."*

"*Regalo, don, entrega?...*"
"*Tú no la puedes ver...*"

etcétera, que son verdaderas maravillas, no ya sólo por su extraña fuerza espiritual, sino consideradas desde el secundario punto de vista del "oficio"; inañadibles, intocables, incambiables, perfectas como la más exactamente cincelada estrofa clásica.

★ ★ ★

Pero en libro de tantas maestrías y tan diversos valores, los más altos caen precisamente, y por fortuna, del lado de lo espiritual. El poema de Pedro Salinas es la obra de un profundo e íntimo poeta; profundo por el pensamiento que, denso siempre, tiene súbitos aletazos iluminadores, relámpagos que penetran un cosmos, encerrados muchas veces en la encarnadura de verso que más ceñida y limpiamente los podría expresar; íntimo, por el sentimiento, delicioso, variado, de sorprendente sensibilidad para la captación de los matices más recónditos.

La voz a ti debida podría juzgarse desde innumerables puntos de vista, y desde ninguno defraudaría nuestro interés. Aun como documento psicológico nos ofrecería extraña riqueza de pormenores de erótica, precisamente diferenciados. Y no dejaría de ser un viaje agradable y provechoso el seguir la filiación de un libro tan nutrido, a través del pensamiento filosófico y la tradición literaria de todos los tiempos; pues en él parecen venir a mezclarse alientos del pensamiento platónico, gentiles brisas de la poesía árabe, doctrina de renacentistas diálogos de amor, la íntima vibración de la voz de Garcilaso[2], sutilezas de análisis psicológicos no alejados de las de los libros de mística españoles, refinamientos del mecanismo sensitivo y lógico de la más complicada novelística moderna... Y es seguro que nada de esto ha pesado o intervenido en la determinación del poema, sino el espíritu de Pedro Salinas, abierto a todos los vientos, bien enraizado en la tradición universal, pero finísimo receptor de inquietudes de hoy, y por encima de todo, su gran aliento, su gran alma de poeta. Libros así perpetúan la grandeza de la vida espiritual de un pueblo.

---

[2] Véase: José María Quiroga, *El espejo ardiendo*, en "Cruz y Raya", núm. 11, pág. 116; otros interesantes estudios del libro de Salinas han publicado Luis Rosales y Luis F. Vivanco, en el mismo número de esa revista.

ESPAÑA EN LAS CARTAS DE PEDRO SALINAS

Los fragmentos que reproduzco a continuación pertenecen todos a cartas que Salinas nos escribió (a mi mujer y a mí) —ya a uno, ya a otro, ya a los dos— desde 1947 hasta poco antes de su muerte (4 de diciembre de 1951). Las cartas de un escritor (y en general, todas las cartas) pertenecen a quien las escribió; de ningún modo a quien las recibe. Es un principio que señalan las leyes o la jurisprudencia, y que además está exigido aún por la delicadeza menos delicada. (Es un principio, ay, que olvidan todos los días esos señores que, con fines de anuncio o para lo que sea, nos publican la carta en que les hablamos del libro que nos han enviado..., claro que suprimida aquella parte en la que les poníamos ciertos reparillos.) Debo decir, pues, que para la publicación de estos fragmentos he sido autorizado expresamente por la familia de mi amigo Pedro Salinas.

El último fragmento (de la penúltima carta que recibimos de nuestro amigo) está escrito ya en Cambridge, Massachusetts, adonde había ido para morir. Los demás, en su casa de Baltimore.

Cuando ha sido necesario para que el lector pueda comprender las alusiones, antecede al texto de Salinas una nota mía que va siempre entre paréntesis y en cuerpo pequeño.

En fin, "don Pedro", "don Dámaso" y "el Clavería", etcétera, eran modos cariñosos, chungones y habituales de nuestras cartas, casi jerga de nuestra amistad. En la última carta, del 19 de noviembre, que iba dirigida a Eulalia, dictada a su hija Solita, porque la mano ya no podía escribir, sólo hay dos palabras autógrafas: la firma. Y dicen: "Don Pedro". ¡Nuestro don Pedro!

¡ QUÉ GRANDE HA SIDO ESPAÑA !

...Bueno, más noticias. Acabo de regresar de un estupendo viaje a Sudamérica, en plan de conferencias, por Colombia, Ecuador y Perú. ¡Qué de cosas he visto, qué paisajes imponentes, qué ciudades, qué iglesias, esas de Quito, qué gentes! Y se saca la misma emoción de siempre: ¡Qué grande ha sido España, y con qué alegría y firmeza puede uno andar por estas tierras! Felices ustedes que están ahí, y ven todo lo que nosotros no vemos y nos lo tenemos que soñar, y esperarlo, esperarlo, día a día. (3 oct. 47.)

IBERISMO RADICAL. NOSTALGIA
DE ALCALÁ DE HENARES

(En 1948, mis últimas horas de España las pasé en Alcalá de Henares, con amigos queridos, buen vino de Valdepeñas y espléndido sol: fue un día inolvidable. Augusta y Walter Starkie me regalaron una botella de admirable *whisky*. Por la tarde tomé el avión y al día siguiente estaba en New Haven, Connecticut, con una temperatura glacial. Escribí en seguida a Salinas, y él me contestó):

...Mucho le conviene a usted una residencia breve y curativa en este país de la sobriedad alcohólica, después de las tristes manifestaciones que me hace sobre su salida de Es-

paña. Pase —y que no pase— lo del vino del pellejo alcala-
reño. ¡Pero mire usted que inspirarse en ese odioso "brebaje
escocés", como lo llamó el que tan bien lo conocía, Don Ru-
bén Darío! Una de las muestras de mi iberismo radical es
no haber probado arriba de tres veces semejante bebida en
los años que llevo de vivienda en estas tierras. ¡Sí, señor,
cómo estaría Alcalá! Ojalá pudiese uno darse una vueltecita
por la plaza y entrar en la confitería Salinas y embaular biz-
cochos borrachos, producto sin par, ni siquiera Don Miguel
lo iguala, de la tal ciudad...

Ah, eso de que se está mejor en España, vamos, se lo
cuenta usted a... Pero como a mí me gusta castigarme, ¡quién
estuviera allí! (17 **febr.** 48.)

GOCE DEL AGUA DE ESPAÑA

(Desde New Haven envié a Pedro Salinas la edición de cierto discurso mío en que yo hablaba de la "bacanal del agua", del goce del
agua en poetas sevillanos del siglo XVII y en poetas españoles modernos.)

...Y lo del agua es estupendo. Precisamente tengo yo una
conferencieja —las notas, vamos— que di aquí hace años so-
bre España y el agua; quería hacer resaltar el valor del agua
en la vida española. Su discurso me colma de regocijo: "baca-
nal del agua" distingue precisamente el agua de este país, y
su consumo, teñidos de puritanismo y "liga antialcohólica" y
el agua de España disfrutada sensualmente, gozada, es decir,
paradójicamente báquica. No, el agua no es lo mismo en
todas partes, diga lo que quiera la química. ¡Quién cogiera
un vasito de Lozoya! Aunque hay que reconocer que la baca-
nal del otro, la del vino, tampoco es de desdeñar, mi joven
maestro...

...Mientras, nosotros nos pudrimos en el condenado destierro. (26 febr. 48.)

"EN ESTAS SOLEDADES"

...Gracias, gracias, gracias (no sigo), por lo que me dice de mis libros. Mucho se necesitan palabras de esas en estas soledades. (29 marzo 48.)

VIDA AMERICANA, VIDA ESPAÑOLA

(A pesar de lo que en broma dice, nunca su inteligencia, nunca su pluma, estuvieron más activas que en estos quince años últimos pasados en los Estados Unidos.)

...Ni leo, ni escribo, ni hago más que preparar y dar mis clases, todo muy mal. Lejos de nosotros la funesta manía de pensar, que dijo un clérigo mayor. ¿Qué quieren ustedes que piense, sino en los contrastes de este mundo? Nosotros, aperreados; ustedes, descansados; nosotros, valiéndonos solitos para todo; ustedes, asistidos por doble, triple, quién sabe si cuádruple, servidumbre; nosotros, obligados a surtirnos en mercados lejanos y costosos; ustedes, sin más que alargar la mano y recoger de su huerto lo que la próvida tierra les ofrece abundante y gratis; don Dámaso, con el libro sobre la mesa y la péñola siempre activa o amenazante; yo, con mi biblioteca empolvada y la estilográfica seca... (15 diciembre 49.)

LO NUEVO QUE ES EL VIEJO MUNDO

...Pero, en fin, que me quiten lo bailado. Lo bailado es el viajecito del verano, que, salvo por la terrible omisión

*(España), nos salió redondo. Margarita se portó bravamente,
y vimos una cantidad de museos, monumentos y paisajes en
el país del arte, que no cabe más. La estancia en París y Arge-
lia con sus hermanas fue una alegría sin par. Yo la recogí
en Argel, y de allí nos fuimos a Nápoles, en avión, y luego
p'arriba. Para mí, la gran novedad fue Padua y Vicenza, que
no conocía. Pero no; en Italia todo está más nuevo cada
día, esa es la verdad. En París vi mucho teatro, desde la Comedia altiva a la que pesca en vanguardia... Y me volví más
convencido que nunca de lo nuevo que es el viejo mundo...*
(15 diciembre 49.)

FIGURITAS DE MAZAPÁN

(Suspiraba por figuritas españolas de dos clases: de mazapán y de
nacimiento. Quisimos que tuviera de las unas y de las otras para las
Navidades de 1949.)

*...Bueno, ahora es la hora de echar las campanas a vuelo.
Toque de gracia, de jubiloso reconocimiento, de corazón es-
tremecido, al leer lo del mazapán. Sólo a doña Eulalia se le
podía ocurrir semejante cosa. Ayer precisamente me tele-
foneó el Clavería, diciéndome que llegaban hoy a New York
Panero y Rosales, y que me traían "algunas cosas". Como yo
me he distinguido siempre por mi falta de imaginación, ni
se me ocurrió que pudieran ser portadores de esa pasta incomparable. Sí, abriré el paquete con todos los cuidados, y,
sobre todo, llevaré mucho en no hincar los colmillos... en
las figuras de barro; porque todas se me van a hacer de
mazapán conforme a la coloración del deseo. No es que crea
que su novela es cosa de poca importancia, pero esta obra
de caridad está a su altura, lo cual dice mucho del mazapán,
y no menos de la novela. Don Dámaso... la podrá ilustrar sobre eso de los valores y demás axiologías.* (15 diciembre 49.)

HAMBRE DE ESPAÑA

(Cuando volví a los Estados Unidos en febrero de 1951, quise llevarle unas figuras del mejor mazapán (me parecía que las otras no habían sido del todo buenas). Mi amigo Cabezalí, que es catedrático de Literatura del Instituto de Toledo, joven, generoso e inteligente, tuvo —al saber que era para Salinas— un cuidado exquisito para que la golosina fuera buena y pudiera llegar tierna. Compró mazapán del que se vende cerca de Santo Tomé. Yo lo llevé en el avión. Escribió Salinas a Eulalia):

...deliciosos mazapanes. Si Santo Tomé es ya famoso por un entierro, no sé si lo será por dos: quiero decir por la víctima de un atracón de estas piezas de pura gloria. Y si mi nombre, indigno, no se sumará al del Conde de Orgaz, enlazados con el tal Santo. Aunque a mí no haya Greco —ni siquiera un mal...— que me inmortalice. ¿Sabe usted?, lo que pasa es que tengo un apetito, mejor dicho, un hambre, enorme de España. Y ese hambre se me diversifica en hambrecillas menores, en apetitos segundos, y me entran soledades del mazapán, del vino de Montilla, del espliego de la Sierra, del olor a jazmín del Alcázar de Sevilla. Todos esos apetitos, por muy de los sentidos que parezcan, mi ilustre amiga, son algo más. No me desdeñe por semejantes ansias: ese autor a quienes ustedes tienen en casa casi como de la familia, ya lo dijo: "Otro instrumento es quien tira de los sentidos mejores"... (24 febrero 51.)

EL NIETO HABLA ESPAÑOL

(Los nietos poblaban algunas veces la casita de Baltimore. Luego volvían a su Cambridge, pues el marido de Soledad Salinas, Juan Marichal, es un joven profesor de la Universidad de Harvard.)

...Nosotros ahora solitos en casa. Tuvimos a la hija y a los dos hidalgos un par de meses con nosotros. Meses de felicidad y de cansancio, de acostarnos rendidos y soñar en despertarnos con ellos cerca. ¡Cómo se echan de menos esas santas instituciones de las niñeras, las amas secas, las tías, las primas, las amigas íntimas, blasón de España! Aquí, los dos abuelitos y su madre es todo lo que los críos tenían para atenderles. Pero lo hemos hecho bien. Carlos ya habla bastante, y entre mis grandes gozos de esta vida está el oir mi lengua, nacer en él, equivocarse en él como en los niños españoles. ¡Ese "está abrido" de mi alma! (24 febrero 51.)

MI GRAN ENFERMEDAD:

LA SEPARACIÓN

(Cuando escribí, en marzo de 1951, mi artículo *Con Pedro Salinas*, publicado luego en *Clavileño*, en el número 11 —meses de septiembre y octubre— del mismo año, le envié en seguida mis cuartillas por alegrarle. Él estaba ya triste porque me volvía y no nos íbamos a ver. Sí, no nos habíamos de ver nunca más.)

...Qué manera de dar coba a este pobre desterrado, calvo, pre-senecto y sentimental. Y el caso es que yo me lo creo (no sé si por lo calvo o lo sentimental) y algunos párrafos de su escrito me conmueven... Ni que decir tiene que esos párrafos (el que cae mediado el ensayo sobre mis distracciones y sobre todo el último) son los más eficaces... Sí, señor; es absurdo todo esto. Y yo tampoco me echo a gemir (no soy ningún Cid que pueda permitirse esos lujos), pero casi, casi, cuando me veo metido en este mundo ajeno, y, por ahora, sin salida. Mucho me alegrará siempre saber que usted, del otro lado de la puerta, sintió conmigo, una vez, todo lo absurdo de mi gran y aceptada enfermedad: la separación.

...Yo no soy más que un pobre desterrado, lejos de sus nietos y de su patria, que escribe por desesperación, y que le quiere mucho y le da un gran abrazo, y no se resigna a que se vaya usted por esos aires sin verle otra vez... (11 de abril 51.)

QUERÍA IMPRIMIR SU TEATRO EN ESPAÑA

(Durante mucho tiempo Salinas se negó a imprimir su teatro. Últimamente había cambiado de opinión: deseaba publicarlo en seguida, y en España. Yo continuaba en New Haven, pero mi barco para Europa salía en los últimos días de mayo.)

...Bueno, el objeto de esta misiva es preguntarle... si se puede usted encargar de llevarse tres o cuatro piezas de teatro, en un acto, que Canito va a imprimir en un tomo. Ya me he decidido. Prefiero confiárselas a usted, que no a esa entidad abstracta llamada el correo. Además, como soy un sentimental —¡en algo tenemos que diferenciarnos, a más de en los méritos!— me haliaga la idea de que fuera usted el portador de mi teatro a España. (19 mayo 51.)

LOS AMIGOS DE MADRID NO ME HUBIERAN DEJADO SUFRIR...

(Faltaban pocos días para mi partida y el teatro de Salinas no me llegaba. Puse un telegrama. La enfermedad, surgida durante mi estancia en los Estados Unidos, y aún mal diagnosticada, había hecho en sólo dos meses grandes progresos en el cuerpo de mi amigo.)

Gracias por su telegrama. Pero le dispenso a usted del correo. No tengo ánimos ni fuerza para repasar los originales de las comedias. Apenas si me puedo mover de la cama

*a la butaca, apoyado en alguien. Estoy desesperado... He te-
nido que desistir, claro, de irme a Cuba a ver el estreno de
"Judit". Paso muy malos ratos, por todos conceptos; hago trabajar doble a Margarita, que es lo peor, y no veo salida a
esto. Los médicos son muy científicos, pero de una lentitud
increíble. ¡Cuándo me hubieran dejado sufrir así los amigos
de Madrid!* (23 mayo 1951.)

VISITAS A LA ESPAÑOLA.

REVISTAS ESPAÑOLAS

(Veinte días antes de morir, aún, en su sufrimiento, pensaba en los
modos españoles, en alivios españoles. Esta carta, la penúltima recibida
y la última autógrafa, está fechada en Cambridge, Massachusetts.)

*Por aquí vienen a verme de cuando en cuando algunas al-
mas caritativas. Pero siempre con esa cortedad en el tiempo
que esta terrible vida impone a todos. ¡Cuánto me acuerdo de
esas visitas a la española, menudeadas y luengas!*

*...¿Por qué no hace usted que me manden (gratis, claro)
esas revistas* (Clavileño, Correo, Arbor, *etc.*) *que me distrae-
rían... a lo mejor?* (14 noviembre 51.)

(Hablé con Germán Bleiberg, el cual, en seguida, consiguió que una
colección completa de *Clavileño* saliera para América: pero ya no llegó
a tiempo.)

CARTA ÚLTIMA A DON PEDRO SALINAS

Mi don Pedro:

Ya no sé a quién escribo, a qué escribo, adónde escribo. Escribo a un recuerdo, a mi recuerdo. Es triste, muy triste, pensar que me escribo a mí mismo.

Perdóneme usted, como siempre me perdonó usted por todo. Perdóneme, don Pedro, por eso y porque esta mi última carta se la escribo a usted en el sitio más público, en un teatro, delante de tanta gente, para que la conozca tanta gente. Pero vea, don Pedro: no rompo el secreto de la amistad. Porque los que ahora me oyen escribir esta carta son amigos. Y ellos participan, sí, colaboran en la redacción. Cada uno necesitaría cambiar algo, algún pormenor de la carta. Sí; cada uno cambia, en su mente, algún pormenor. Unos le habrán conocido en su realidad física y espiritual, Pedro Salinas; otros, a través de los libros, sólo al poeta, al escritor. Pero todos amigos. ¿Sabía usted que tenía en España, en Madrid, tantos amigos? Ya se lo decía yo estos últimos años (¡cuántas veces!): "En España todo el mundo le quiere a usted, me habla bien de usted. Y si hay alguien que no le quiera, será porque es un equivocado. Algún equivocado que otro tiene que haber siempre. Y a usted, claro, no le importan."

Eso, eso es, precisamente, la amistad: un foco de luz tibia y cordial que nos aísla de la negrura exterior (¡cuánta sombra!, ¡cuánta vileza!). Porque usted me abrió con toda amplitud y generosidad ese palacio iluminado (fuera, la noche y el frío), es por lo que le escribo a usted esta carta. Para decirle: "Gracias."

Durante veintinueve años (desde aquel día en el Ateneo en que usted venía de Inglaterra, de Cambridge, y yo iba por primera vez a Cambridge, y usted me invitó a comer —costumbre que me chocó bastante, porque es que usted la traía de la vida de los *colleges* de Cambridge, pero aquí era, entre poetas jóvenes, casi desconocida— y usted sacó un cuadernito de bolsillo, muy espigado, alto, y sólo como del ancho de un dedo gordo, y apuntó usted allí, en aquella paginita tan estrecha, la hora y el día de la comida —el cuadernito y el apuntar también los traía usted de Cambridge y, vamos, ahora lo comprendo muy bien, los estaba usted luciendo conmigo entonces—; y llegó el día de la invitación y comimos en un restaurante *entre côte,* es decir, *entrecó,* y usted me dijo que la palabra correspondiente española era *entrecuesto,* y lo del cuadernito alto. ¡Me acuerdo de todo más bien!), sí, desde aquellos dos días de hace veintinueve años usted me abrió ese dominio de la amistad. Un dominio apretado y recóndito como la carne de una nuez, y al par ancho, generoso, ilimitado, sin fronteras y sin banderas, sin *do ut des;* un dominio en el que no se compra ni se vende nada, porque todo es común, y todo se recibe, y se ama, y se comprende. Ahora que nuestra amistad humana ha acabado (porque a mí aún me empujan esas terribles fuerzas oscuras —la vida— y usted es ya esa nítida serenidad imperturbable: un muerto), ahora, ahora mismo, en que aún no he medido bien qué hoz, qué abismo es esto ("separación absoluta") y creo, iluso, que la mano casi, casi llega, que la voz llega a la otra orilla, ahora tengo que decirle, que gritarle a usted, para que me oiga: "Gracias." Esa palabra *gracias* yo se la envío a usted (o a mi recuerdo) porque es, en cualquier lengua humana, la palabra más hermosa que existe. Y diciéndosela a usted le doy lo mejor que mi corazón puede dar.

¡Qué más le voy a escribir! Ya no tengo nada que decirle, porque la amistad, lo mismo que se siente con un acto irreprimible del corazón, sólo se comprende con un acto puro y momentáneo de la inteligencia afectiva (que es la única inteligencia verdadera, la única que cala hondo). Y una vez comprendida, sentida, ya no queda nada por analizar, y, claro está, tampoco hay ya nada que decir para explicar la amistad entre amigos. La verdadera amistad, a diferencia del amor, que siempre ha de estar en flujo o reflujo de marea, es un estado beatífico y constante, un lago inmóvil. Es una confianza, ciega y generosa, en el amigo y en los amigos del amigo. Materia de hombres, dulce y sagrado sentimiento entre hombres: una de las cosas buenas que Dios ha puesto en la vida.

Durante esos veintinueve años de nuestra amistad, la poesía de usted fue teniendo su exacto desarrollo, desde *Presagios,* que acababa de publicarse cuando yo le conocí, hasta la explosión apasionada de *La voz a ti debida,* de 1933, y luego su serenamiento en belleza en *El contemplado* (1946), para cargarse de angustiada preocupación universal en *Cero* (1947). Y junto a la poesía (centro de la vida de usted, razón de amor de su existir), la crítica, la novela, el teatro... También durante esos veintinueve años muchas cosas —la mayor parte horribles— ocurrieron por todo el mundo. Nuestra amistad (el dominio iluminado y compartido frente a toda negrura exterior) permaneció exenta, incambiable. Sobre esa inmutabilidad, como si lo menos grave expresara mejor la hondura, flotan más los descosidos recuerdos. Y le veo a usted, joven aún, apenas entrado en la madurez, durante los años de la Universidad de Santander, fundada por usted y por usted dirigida. ¡Mucho mar, mucho viento en el extremo de aquella península! Había usted querido crear una Universidad que pusiera en comunicación las distintas ramas del árbol universitario. Empresa nada fácil. A veces, los estudiantes no médicos le protestaban con la música de *Las agachaditas,* que Federico había popularizado:

> *¿Para qué nos trajiste,*
> *Pedro Salinas,*
> *Pedro Salinas,*
> *a aguantar esta lata*
> *de vitaminas,*
> *de vitaminas?*

¡Cómo surcaba los paseos, indomable, casi se diría juvenil, eternamente fiel, el *Fidelius!* ¡Claro que se acuerda usted de su *Fidelius!* ¡Bien se merecía ese nombre que en broma le dábamos! Para mí, va unido a usted como *Rocinante* a don Quijote. ¿Dónde había usted comprado, usted, la persona más torpe para la mecánica manual que yo he conocido, aquel automóvil de ocasión, lañado, entablillado, renqueante? ¿Se acuerda cuando bajó usted como un rayo (¿dónde estaban los frenos?) aquella endiablada cuesta, hasta el paseo de Pereda casi, entre gritos enfurecidos, mujeres que apartaban a toda prisa a sus niños y viejas sentadas en plena calle que, sin tiempo para santiguarse, recogían su silleta y su costura? ¿Se acuerda usted cuando una rueda se le salió rodando como un aro de niño sin niño, y el condenado *Fidelius,* con tres ruedas sólo, seguía también corriendo, tan campante, por su camino? ¡Años felices! ¡Fidelísimo *Fidelius!*

Ya ve usted, don Pedro: nuestra amistad, cosa honda, se me rompe toda en anécdotas superficiales. Es que en el fondo de la amistad, materia pura y homogénea, no ocurre nada.

Recuerdos recientes: hace ahora muy poco más de un año, en la noche del 16 de febrero de 1951, en Nueva York, en Broadway, a la altura de la calle 116, en el teatro McMillin, yo estuve sentado al lado de usted mientras el grupo dramático de Barnard College estrenaba *La fuente del Arcángel*. ¡Estaba usted tan bueno! ¡Y yo, tan contento! Hasta las tantas de la madrugada cantando y bailando —españoles todos— en casa de Ángel del Río, para celebrar el estreno. Luego, en su casa de Baltimore, presencié cómo se insinuaban en usted los primeros latidos de la terrible enfermedad. No lo sabíamos. "Si eso no es nada, don Pedro; ya verá usted cómo no es nada", le decía yo. Y cuando me vine a España, a fines de mayo, el cuerpo de usted ya era un solo dolor, un latigazo dolorido.

En esta noche todo está aquí, en este teatro de Madrid, lo mismo que hace un año, *up town*, en el Broadway neoyorquino: los personajes de su fantasía ahí aguardan al otro lado del telón, encarnados, como entonces, por jóvenes entusiastas. Pero yo no podré estar a su lado. Hoy, usted es una sombra, una cosa grande, que ya me es ajena. Pertenece usted a la literatura, a la historia. Ya no a la amistad. Solo estoy aquí, tendiéndole los brazos, tendiendo los brazos, sin respuesta. Falto de la correspondencia amistosa, falto de la amistad. Porque la amistad es un estar al lado del amigo, seguro en el amigo, tranquilo en él, reposado en él. Al írseme usted, el ámbito iluminado se me ha ennegrecido de repente. Por eso, ahora que le escribo esta mi última carta —solo, irremediablemente solo—, ahora que escribo esta carta, no sé a quién, quizá a mi recuerdo, quizá a mí mismo, siento frío y miedo. ¡Quién le tuviera al lado cuando ahora, en seguida, sus criaturas vivan en la escena! Pero ¿dónde está usted, amigo mío, amigo mío?

BARROQUISMO DE HOY EN LA POESÍA
DE ADRIANO DEL VALLE

¡Qué grande este Adriano del Valle, cerca de nosotros, protegiendo nuestro irresoluto vivir, a fuerza de irradiación optimista de su sagrada calva, con tantos abrazos vegetales, pimpante en sus uniformes! Le brota, cordial, un soneto del costado, un romance le fluye por el pecho, tiene la cabeza toda trascendida de canciones andaluzas y epigramas japoneses. Hay poetas en los que la poesía —una vez dada a luz— queda tan desligada de ellos, tan suelta y externa como, digamos, el huevo de la gallina. Pero hay otros en los que parece que nunca se rompe cierto cordón vincular entre creador y criatura. Todo en Adriano del Valle es eterna *Primavera Portátil, Gozos del Río, Arpa Fiel*. Todo en él rezuma su propia obra, y toda su obra condensa y eterniza un difuso Adriano, ya mítico. Miradle en el magnífico retrato que dibujó Vázquez Díaz: los ojos, atentos, por encima de marismas, salinas y pradizales de su Andalucía baja, contemplan un mundo de gracias, equívocos e imágenes, donde la algarabía cuajó en sistema; la nariz, aguda, podría parecer agresiva; no, sino que husmea tanta variedad floral, tantos dulces errores de brisa a flor, de flor a salseo de mar del Sur, como de su ambiente a su obra se transmundan. Experiencia y maestría hay en su calva de bien diferenciado varón. Mas, que la obra no está agotada, que sus reservas son sin límite, lo anuncia —tras la voluntad de la barbilla— el ancho depósito cuasirrumiante, el dulce álabe de la sotabarba.

Toda la vida poética de Adriano del Valle podría llevar el lema que ha cuajado en título de su libro último [1]: *Arpa Fiel.* Al encentar el volumen no esperábamos —no se pueden esperar de tan fiel poeta— sorpresas en el venero: son imposibles en él las renuncias a su tierra, a sus modos, a su inspiración. Esperábamos lo que nos da: he aquí a nuestro eterno, fidelísimo Adriano, en su mejor voz y en la más segura posesión de su técnica. Suele haber en la vida de todo poeta un momento de reflexión, de más clara intuición de su obra. De tal examen de conciencia es resultado *Arpa Fiel,* que ha salido múltiplemente polarizada hacia diferentes hitos de una misma y profunda fidelidad esencial: hacia su patria, hacia su fe, hacia la mujer de nuestra raza. Con fidelidad románica y meridional a Italia. Y, en fin, a los poetas predilectos y a los amigos. ¡Fidelísimo Adriano del Valle!

Si de la obra no se esperan sorpresas, es decir, abandonos de lo suyo, de lo que siempre fue en él vivo cauce fluvial, exacto avance astronómico, en cambio, ninguna poesía ofrece tantas cambiantes maravillas en el pormenor. Barroco poeta fiel, Adriano del Valle ha cumplido siempre el precepto del barroco Marino: "É d'il poeta il fin la meraviglia." Por los pormenores podremos, pues, llegar mejor al sentido de su obra.

BARROQUISMO

La poesía de Adriano del Valle es viva y actual continuadora de la brillante tradición barroca española del siglo XVII.

---

[1] Se publicó este artículo en el año 1941.

Con una diferencia: en nuestros barrocos de aquel siglo, por lo menos en los mejores, en un Góngora, más que la acumulación de elementos, con haber mucha, resalta la frenética, reconcentrada intensificación de cada elemento aislado. Sentimos claramente que Adriano del Valle ha pasado también por el maestrazgo del sutil cordobés; pero —en lo ostensible y más externo— apenas si de la lección aflora, acá y allá, algún verso aislado ("si galgo de cristal, liebre del heno"), que reúne la simetría y aun el movimiento de otros gongorinos ("en carro de cristal, campos de plata"; "pavón de Venus es, cisne de Juno"). Las más veces, el poeta de *Arpa Fiel* deja guiar sus maravillados sentidos por la abundancia colorista y floral de sus tierras del Sur, y expresa, más que con la intensidad de Góngora, con la extensión y acumulación que usaron otros barrocos; por ejemplo —en otro sentido—, algunos italianos. Tomad las décimas *A la Pura y Limpia Concepción de María.* ¡Qué concierto de colores, olores y sonidos! Todos los ángeles del cielo, los pueblos de la tierra, los instrumentos de la música, las luces y matices de flores y estrellas, colaboran en la gloriosa Asunción. Poesía toda sentidos —vista, oído, olfato—, alude de continuo a representaciones materiales, plásticas, y a ella va a reverter toda la tradición pictórica de nuestras Inmaculadas y Asunciones (Murillo, Valdés Leal y —con su San Hermenegildo— Herrera el Mozo). Cómo el poeta necesita acumular, amontonar gozosas criaturas, para llenar todos los espacios de su gran lienzo, lo prueba mejor que nada ese su gusto —a veces inventivo— por palabras terminadas en *ía,* que expresan un sentido colectivo o plural de seres o de voces:

> *...armoniosa angelería*
> *baña en música tu frente...*
> *...te nimba la algarabía*
> *pajarera del paisaje...*

> *...toda la pajarería*
> *canta en los bosques umbrosos...*

CONCEPTISMO FOLKLÓRICO

Los nódulos de intensidad en este estilo, más que de la línea de Góngora vienen de la conceptista: Bonilla, Ledesma, Quevedo, Vélez de Guevara. Mejor dicho, notas semejantes hay en Góngora, pero no tan a la mano como para que resalten en la primera impresión. El literato barroco del siglo XVII, incapaz, en general, de superar las altas metas espirituales alcanzadas por Garcilaso, Fray Luis de León y San Juan de la Cruz, vuelto de espaldas a la casi romántica transmutación de la vida en arte, con la que genialmente Lope se adelanta a su siglo, tiene que utilizar una técnica y una imaginería ya desgastadas, y entre afanes labora por encontrar nuevos anclajes y remozadas variaciones. Uno de estos asideros es el procedimiento (al que podríamos llamar "evocación", ampliando el concepto que la estilística moderna, con Bally, ha utilizado) que consiste en aludir a medios o estados distantes. En otra ocasión he estudiado cómo Góngora atrae a su arte, deformándolos, muchas veces aplicándolos a objetos concretos para los que no fueron creados, los adagios de la antigüedad grecolatina. Ahora Manuel Muñoz Cortés estudia sutilmente procedimientos parecidos en Quevedo y en Vélez de Guevara. En uno y otro caso se roza (en Góngora), o decididamente se traspasa (en Quevedo, etcétera), la región del chiste. Pero lo que, sobre todo, diferencia a los conceptistas es que la alusión, la atracción, no apunta ya a las zonas, marmóreas y muertas, de la ciencia popular antigua, sino a las vivas de la conversación contemporánea, a las frases hechas y a los refranes. Conceptismo con entronque popular, por tanto.

El arte de Adriano del Valle está también tendiendo siempre sutiles redes al lector, haciéndole picar en el regusto de la "frase hecha". Cuando ya ha caído en la trampa, un aletazo, un bandazo del timón le revela su inocencia al incauto: la fórmula del cuño popular no ha sido empleada en su general sentido, sino en uno concreto, alejadísimo de su raíz semántica y expresivo de determinado momento concreto. Estas picardías, claro, parecen ir mejor a lo deslindadamente humorístico. En esos poemas de Adriano, que, sin dejar de ser expresivos de finos estados estéticos, se arregostan al humor (y que tanto evocan al Góngora entreverado, el de *Píramo y Tisbe*), es donde más encontramos malicias de esa especie, y donde, de seguro, menos escandalizarán al lector de buena fe. Así en el *Romance del Espantapájaros.* Espantapájaros en viñas de Moguer; paisaje y anécdota; ágil intuición de tierra y luz; barroco humor:

> *Viñas de Moguer. Los perros*
> *al alba ya están ladrando,*
> y a la luna de Valencia
> buscan los tres pies al gato...
>
> *...Pinos y cepas. La brisa*
> ata moscas por el rabo
> *y las ata y las desata*
> *a lagartijas y a pámpanos...*
>
> *...La mariposa, amazona*
> *sobre céfiros enanos,*
> *va de sarmiento en sarmiento,*
> *siempre* a la chita callando.
>
> *Que la alondra es Dulcinea*
> y al silencio llaman Sancho...
> *Si* el miedo guarda la viña,
> *¿quién* puso jueces al campo?

Para comprender el agridulce humor del romance hay que leerlo entero. Mi subrayado basta para hacer resaltar algunas de las fórmulas populares en él entretejidas. Y en él dislocadas: analice el lector cómo el poeta saca de sus casillas a estas frases y refranes, extirpando en ellos su sentido normal para verterlos sobre luces, formas, remotos estados momentáneos, concretos e individuales.

Lo curioso es que el procedimiento, si no tan repetido, no está ausente en los que parecerían momentos más serios. Leemos en el soneto *A Roma:* "Todos los acueductos van a Roma." Y en el *Santo y Seña del alba:* "las cañas vuelve lanzas la corriente." Lector de Adriano del Valle: ¡Ojo, ojo! No hay que fiarse: las cañas se vuelven lanzas y por todas partes se va a Roma.

Es que la picardía de pilluelo, la arrebozada y sólo iniciada travesura y el mezcladillo humor impregnan —y aun empreñan— el arte de Adriano del Valle: le hacen grávido, intenso, guiñador y sutil. Y lo lastran o enraizan en nuestra hispánica, vernácula expresión.

MÉPRISES

Tampoco deja de cumplir Adriano del Valle con el precepto de Verlaine:

> "*Il faut aussi que tu n'ailles point*
> *Choisir tes mots sans quelque méprise.*"

Sólo que con otro sentido, porque el Pauvre Lélian buscaba la vaguedad expresiva, y las *méprises* de Adriano, aunque ensanchan los ámbitos de vaguedad que, como el buque la estela, lo poético deja tras sí, tienen una intención expresiva tan nítida como traveseada. El descuido, si aparece, es hipó-

crita. Voluntarios y apicarados errores y dobles sentidos surgen por todos lados. Podríamos demorarnos en el chiste. El
doble sentido prolifica quevedescamente y atrae continuacio-
nes fraseológicas que aluden al lado equívoco, es decir, irreal.
Si se habla de un traje destrozado y harapiento, el poeta nos
dirá que

> *multiplica diez ojales*
> *por un siete, cada paño.*

De los dos sentidos de *siete* (guarismo y roto en una tela), elige
para la consumación (en este caso anticipada) de la frase, el
alejado del plano real, y surge como verbo *multiplica*. No de
otro modo en los ejemplos de Vélez estudiados por Muñoz
Cortés. Otras veces, lo mismo que en la tradición conceptista,
se trata de verdaderos juegos de palabras basados en parono-
masias y semejanzas fonéticas:

> *...lo que fue paño de* Béjar
> *está por el sol* vejado...

La levita espantapajaril la ve

> desabrigada *en el* ábrego.

Observemos cómo hablando de las flores, que aroman un
bello cuerpo de mujer, complica —a fuerza de sabios juegos
verbales— una imagen militar:

> *De galán calza la espuela*
> *flor alférez de almo aroma...*
> *Si el pomo en su espada es poma,*
> *mosquetas —mosquetería—*
> *disparan su artillería*
> *para entrar a saco en Roma.*

(Creo que en toda esta décima hay un recuerdo de Ovando Santarém. Claro se trasluce el juguetón verso: "y las mosquetas la mosquetería".)

La despreocupación poética de Adriano del Valle le lleva a picardear sin escrúpulos, no ya con palabras, sino aun con conceptos. Yo estoy seguro de que el poeta sabe distinguir la virginidad de María de su Inmaculada Concepción. Mas para él lo visual es lo más importante, y la blanca idea de limpieza, que es lo que habla a sus sentidos, enlaza los dos conceptos:

Concepción Inmaculada
aun después de estar parida.

Lo visual y fonético es con frecuencia, para Adriano, lo más importante.

He hablado ya de la representación acumulativa en sus décimas a la Virgen. Junto a los colectivos en *ía*, producido por la misma intención, surge el verso *querubines y querubes*. *Querubín* es lo mismo que *querube*. La primera palabra se formó en español del plural hebreo, y la segunda del singular. Otras lenguas, el inglés, por ejemplo, usan la forma *cherubim* en su valor originario de plural. Pero tal distinción se perdió entre nosotros, y *querubín*, ya singular, formó un nuevo plural, *querubines* (que es, como si dijéramos, albarda sobre albarda). Y al lado de *querubín* se usó también (mas con valor poético) la primaria forma singular, *querub* (y también, *querube*). Para Adriano del Valle tal bimorfismo es afortunado, y no tiene inconveniente en escribir:

querubines y querubes
riegan nubes y jardines.

Con la repetición del mismo concepto en distinta forma expresa la acumulación en masa de las celestes criaturas.

Tampoco los neologismos le arredran. Atrevimiento es emplear *húsares* como adjetivo:

las húsares libélulas del viento.

Otros poetas han introducido a los pacíficos caballitos del diablo en imágenes militares: su velocidad los aproxima al corcel y sus contrastados colores (amarillo y negro) recuerdan las chaquetillas de los *húsares*. Así perfecciona Adriano del Valle una imagen que en versos anteriores había tomado ya un sesgo militar. Mas a veces los neologismos (como el tiempo) se muerden la cola. No sé de dónde tomaríamos la palabra que al francés llega, viajera, en el siglo XVII desde el húngaro; pero al húngaro había llegado desde el servio, al servio desde el griego, y en el griego había penetrado procedente del latín vulgar. En el latín vulgar era *cursarius* (es decir, la misma voz que por caminos distintos había de llegar a producir en español otras tres palabras: *corsario, cosario* y *corcel,* esta última galicismo). He aquí cómo —después de un doble viaje de Oeste a Este y de Este a Oeste— la voz *húsar* vuelve a tener para Adriano del Valle el sentido objetivo que primitivamente tuvo en latín vulgar. Si las cañas se tornan lanzas, las lanzas se vuelven a tornar cañas. ¡Ah!, y por todas partes se va a Roma.

TEMAS E IMÁGENES

Es que en el origen de la Poesía está la ilusión, el voluntario error. Y la equivocación, implícita en toda imagen, como en todo espejismo, si la hemos encontrado en el léxico, es el centro mismo de la obra de Adriano del Valle, que por esto, precisamente, es poética. Mas lo peculiar en él no es esa unión de un elemento real y otro irreal, que forma la imagen, sino la perfecta adecuación equívoca y sinalagmática de dos conjuntos reales que no sólo se yuxtaponen, sino que se funden o entremezclan. La sensación es a veces la de dos impresiones distintas sobre una misma placa.

Abundantes ejemplos de estas morosas y solicitadas equivocaciones ofrecen los bellos sonetos a Italia. En *A Zi'Teresa* serán sensaciones marineras y cocineriles, fundidas en la tumultuosa imagen del puerto napolitano:

> *Rehoga el mar con sal napolitana*
> *sus algas, a la luz de las farolas...*
> *...Blanco mantel, blanquísimas las yolas,*
> *y el pinche, doctorado en cacerolas,*
> *grumete de la noche a la mañana...*
> *...Marinos tripulando freidurías...*

En el dedicado *A la isla de Capri*, toda la naturaleza marina y toda la naturaleza terrestre de la encendida isla están yuxtapuestas y recíprocamente injertadas.

Tierra y cielo también, y repetidamente se trasmutan. Y ya no nos extraña que las nubes sean jardines:

> *...las nubes, jardines*
> *que pasan aprisa, al vuelo...*
> *...querubines y querubes*
> *riegan nubes y jardines...*

En la poesía de Adriano del Valle la Creación es una doble unidad: todo el mar se corresponde con toda la tierra; toda la tierra con todo el cielo. Gigantesca imagen total, iluminada de vivos colores agitados, trasfundida de aromas, llena de dulces músicas y multitudinarias vocinglerías.

TÉCNICA

Me he querido detener en algunos aspectos, sólo algunos, de los que hacen el rico estilo de este poeta, tan engarzado en la tradición española y al mismo tiempo tan peculiar. Hablar de la maestría casi no era preciso. Sólo diré que dentro de sus recursos, Adriano se mueve como señor. En este aspecto, casi no hay puntos muertos en el libro. En otros poetas, la vena de la inspiración será más caudalosa, más avasalladoramente soterraña; en tales otros, la delicada lisura, la tenue matización expresiva, señalará otros aciertos y otro tipo de técnica. Cada poeta tiene sus sobresalientes valores individuales, y lo peculiar en Adriano del Valle, lo que le da voz propia, es el juego, el ingenio, el abigarrado color incansable, y, sobre todo, esa portentosa alacridad del estilo, ese léxico de increíble actividad química, donde la polivalencia de las palabras produce los más fecundos e inesperados contactos, los esguinces y quiebros más desconcertantes. Gran arte este de atormentar, de violentar el idioma, en trance de parto a cada palabra. Puede ser que, desde don Francisco de Quevedo, nadie haya salido tan aventajado en él como Adriano del Valle.

AMADO ALONSO ANTE LA MUERTE

Nos confundían siempre. Ya en 1924 vino a verme una señorita filóloga muy fea (como se espera de las filólogas, y sin razón, ya que hay, por fortuna, muchas y esplendorosas excepciones): muy señorita mía, porque salgo, y resulta que a quien ella conocía era a Amado. La historia se ha repetido (con las naturales variantes) a lo largo de casi treinta años. Aun en este mismo de 1952 he recibido dos cartas, destinadas evidentemente a mí, que en el sobre estaban dirigidas a Amado Alonso. La igualdad de los apellidos, la proximidad fonética de los nombres, la escasa diferencia de edad y el gran parecido de nuestras actividades causaban despistes, por los que se precipitaban corresponsales y conocidos extranjeros. Entre Amado y Dámaso se armaban muchos líos: varias veces he abierto cartas dirigidas a "don Damado" (es lo que en lingüística llamamos un "cruce"): a veces resultaban ser para mí, y a veces para él.

Acabo de dar la explicación "fonética", es decir, racional, de esa repetida confusión de nuestros nombres. Pero ¿no habrá otra, además, profunda, irracional, instintiva, casi como de adivinación? No ya extranjeros despistados; amigos comunes muy cercanos, muy queridos, al hablarle, al hablarme trastrocaban sin querer los nombres, como si para ellos tam-

bién fuera difícil separarnos. Siempre recibíamos con alga-
zara el nuevo "equívoco", que venía a confirmar y remachar
los anteriores. A él y a mí, todos nos agradaban igualmente,
porque eran como un reconocimiento inconsciente y unáni-
me de nuestra fraternal unión.

A mí, además, me enorgullecían, como he explicado ya
alguna otra vez. Los dos procedíamos de la misma cantera
(escuela de Menéndez Pidal, Américo Castro y Navarro Tomás). Mientras yo, dilacerado entre demasiadas apetencias,
he ido siempre dando tumbos, Amado Alonso había sabido
crecer serenamente, perfeccionar su técnica filológica, adel-
gazar y castigar su estilo de tal modo, que lo mismo en los
estudios literarios que en los lingüísticos había llegado a esa
maestría que ya no descubre falla, se diría que meta imagi-
nable en la carrera de un arte humano. En efecto, los últimos
estudios lingüísticos publicados producen verdadero asombro en
el lector: ¡qué minucia y rigor en la recogida de datos! ¡Con
qué precisión mental se analizan y clasifican, para sobre ellos
inducir las normas generales!

¡Claro que me alegraban esas confusiones! En otras cosas
nos diferenciábamos a simple vista. Tenía Amado (y ha conservado hasta su muerte) una grave hermosura varonil: allá
por los años mozos, las chicas se pirraban por él. Entre las
asistentes a los cursos para extranjeros del Centro de Estudios Históricos (en los que enseñábamos los dos muy jóvenes
aún) hacía verdaderos estragos. Una noche de julio, en el
jardín de la Residencia (donde ahora está la de Investigadores), dos muchachas de lengua inglesa hablaban no lejos
de donde yo estaba sentado: no me veían. Una pregunta algo
acerca de "Alonso". La otra contesta: "Do you mean the
"Amado", or just the ordinary one?" Siempre lo he recorda-
do, siempre me ha hecho gracia esta idea de ser, entre los
dos, "just the ordinary one". Y ahora, en la segunda mitad

de la vida (pero, Dios mío, bien prematuramente) el "ordinary one" se siente muy solo. Viene la pérdida de Amado Alonso a los pocos meses de la de Pedro Salinas. Comprende uno cómo se va cuajando el vacío que un día será negrura final.

Tengo que pedir perdón por contar recuerdos personales y no traer aquí, como debía, una imagen compacta, neta y breve, de Amado Alonso. Los especialistas en estudios de lengua y literatura bien saben los méritos de la gran figura desaparecida. Razonar estos méritos sería difícil aquí. Sólo diré que la valía científica ha sido una cantidad constantemente creciente a lo largo de su vida. Ha publicado estudios que han de quedar como modelos que ya parecen insuperables, en la lingüística, la estilística y la crítica literaria. Pues bien, el libro inédito sobrepasa en técnica a todo lo anterior: era la madurez de un gran sabio. Por desgracia, ese libro no recibirá la última lima de autor.

Como no hay aquí espacio para hablar de una personalidad tan rica, voy a limitarme a tratar de la redacción de ese libro, mejor dicho, del último combate ("trabajo contra enfermedad") a que dio origen, por lo que pueda servir de ejemplo a otras generaciones españolas.

¡Dios mío, qué carrera, su libro y la muerte! Bien sano estaba en 1948 (la imagen más auténtica de la *mens sana in corpore sano*), la primera vez que le fui a ver a su Harvard, y ya entonces, por en medio de aquella su vitalidad desbordante, de aquel hallarse bien en la vida y comunicarnos su propio bienestar, noté que un par de veces pasaba, como una nubecilla, el miedo a no poder terminar la obra ("¡Por Dios, Amado!..."). Luego, en el verano de 1950, llegó a España la noticia: la más impiadosa de las enfermedades, el terror del hombre de estos mediados de siglo, le había herido en el vientre: un "golpe bajo" de la naturaleza; una mala broma: no se hace un ejemplar perfecto para derribarlo así. Y yo pensaba en los padres, ancianitos en el Lerín natal, tan sanos, con casi dos siglos de vida entre los dos. Siempre había imaginado para Amado una vejez como la de sus padres, pero con el trabajo y la fama gloriosa de los ochenta y tantos años de un Menéndez Pidal. Me era dulce pensar que yo me habría muerto muchos años antes.

No, no podía ser: le habían operado. Había que esperar. Y nos agarramos a la esperanza de que la naturaleza rectificaría su error.

Llevaba un año operado cuando, en 1951, volví a pasar unos días con él. Se le notaba el golpe desleal. A veces no sé qué presagios le aullaban dentro, y se le ennegrecía el mundo. Pero su fuerza de voluntad triunfaba. Sabía muy bien qué enfermedad había tenido: el médico le había hablado con franqueza, le había enseñado estadísticas; conocía las probabilidades que tenía de vivir. Y la nube pasaba y era otra vez el Amado de siempre. Aquellos días que viví en su casa en Arlington (ha pasado muy poco más de un año), hicimos exactamente lo mismo que habíamos hecho en 1948: a las ocho y media ya estaba poniendo en marcha su "Mercury"; bajábamos la cuesta de Kensington Road; nos deslizábamos suavemente junto al laguillo (¡qué luz matinal!); entrábamos (por una gran lazada) en la arteria que lleva a Cambridge; pasábamos el gran letrero previsor que avisa que, en caso de ataque aéreo, aquella carretera quedará cerrada al tráfico (¡qué tiempos!); aparcábamos junto a la plaza de Harvard, y entrábamos en la delicia, en la Biblioteca de la Universidad. ¡Qué gozos, qué vida paradisíaca dentro de una gran biblioteca norteamericana! En el despacho de Amado, dos piezas amplias dentro de la biblioteca misma, éramos auténticamente millonarios. ¡Cinco millones de volúmenes al alcance de nuestra mano, temerosa sólo por *l'embarras du choix!* Y mientras yo picaba aquí y allá —¡cuántas solicitaciones para el muy disperso!—, Amado se sumergía serenamente en su libro. A la una, un bocadillo y una taza de café, en alguna "cafetería" al otro lado de la calle, y en seguida, vuelta de nuevo al delicioso trabajo, hasta las cinco y media. ¡Horas inolvidables!

En el verano de ese mismo año la naturaleza nos demostraba que no quería rectificar su error: nueva operación, y tras pasajera mejoría, meses y meses de cama, ya en el hospital, ya en su casa de Arlington. Ahora piadosamente le han ocultado que la enfermedad que tiene es la misma, que vuelve, o, mejor dicho, que no le ha dejado (ha invadido ya el hígado y el pulmón). El 4 de marzo último, aún escribe: "...mis fuerzas me alcanzan para leer unas horas; pero con la pluma, sólo firmar. Con esta enfermedad tan larga y traicionera hay que estar dispuesto a todo; pero tengo mucha esperanza en Dios que me ha de sacar adelante. Y así, como si de seguro hubiera de poder volver a mis libros, hago mis planes..."

Poco a poco se ve que se le cierra la esperanza (disimula en sus cartas por no apesadumbrarnos). Es horrible pensar en una mente lúcida, que en el momento de su riqueza, de su cosecha, se ve condenada a la destrucción: Amado Alonso tiene durante estos meses últimos la angustia de su obra. Tanto trabajo disperso en artículos que habría que coleccionar en libro (y hace pocas semanas, aún nos envía para la "Biblioteca Románica Hispánica" sus *Estudios lingüísticos hispanoamericanos;* los ha puesto primorosamente al día, algunos de ellos han sido casi rehechos de nuevo: ¡y este trabajo lo hace desde la cama un hombre que está ya seguro de su inmediato desaparecer!). ¡Tantos libros comenzados, pensados (Joan, su buenísima esposa, nos escribía aún el 1 de mayo: "le están brotando libros como chorros de una fuente")! ¡Y, sobre todo, aquella obra monumental, su *His-*

toria de la pronunciación, trabajo de muchos lustros, que cuando él muera, porque se siente morir, va a quedar inconclusa!

Mucho le debió de consolar la providencial presencia, durante esta primavera, en los Estados Unidos, de Rafael Lapesa, un gran sabio, con un corazón en su sitio. Rafael Lapesa le visita varias veces, recibe de los labios del enfermo el plan de la obra, sus partes, su sentido... (Quedan redactados totalmente unos dos tercios, y lo demás confiado a Rafael Lapesa, que ha de llevarlo todo a buen puerto.) [1]

Mientras tanto, Amado, que se siente morir a chorros, sigue trabajando: morirá el 26 de mayo; sigue dictando hasta el 22: esos días últimos ha juntado como el coronamiento conceptual de su obra: "una noticia preliminar y una introducción: lo casi último que dictó, importantísimo, porque allí expone sus ideas sobre el cambio fonético y el fonemático..." (carta de Lapesa). Este afán de completar su obra no era una vanidad (hace varios meses que había renunciado a todas): era toda su fuerza vital, todo lo sano de una criatura aún llena de zumos, mientras la horrible herida avanzaba; como un árbol consciente que viera el hacha y quisiera apresurar su savia hacia la maduración de los frutos. El día 25, aún piensa en retoques a su libro y aún le da instrucciones a Lapesa. El 26 por la mañana sabe que es el final. Pide los auxilios de la religión católica, en la que, fiel practicante, había vivido toda su vida. A la una y media, cuando el día

---

[1] Nota de 1962: El primer tomo de esa obra ha aparecido ya: Amado Alonso, *De la pronunciación medieval a la moderna en español. Ultimado y dispuesto para la imprenta por Rafael Lapesa.* Tomo primero. Madrid, 1955. "Biblioteca Románica Hispánica", Editorial Gredos. Rafael Lapesa ha cuidado con verdadero amor el texto que dejó incompleto Amado: al poner su talento y su tiempo al servicio del admirable libro del amigo muerto, Lapesa ha dado un gran ejemplo de generosidad y espíritu verdaderamente científico.

estaba en todo su poder, de un 26 de mayo, cuando el año está en todo su esplendor, moría Amado Alonso, prodigiosa concentración de sana energía vital.

¡Qué ejemplo su muerte para este mundo tan apresurado!

LA POESÍA DE EDUARDO ALONSO

(En el libro *Sólo Ceniza*, 1951)

Sabía yo muy poco de Eduardo Alonso. Lo que me había dicho Dionisio Gamallo: que era un hombre ya entrado en años y dedicado la mayor parte de su vida a actividades muy alejadas de la poesía (y más lucrativas que ella), el cual, hacía poco tiempo, había comenzado a escribir y a publicar unos libritos de versos. Y se había producido un curioso fenómeno: los versos de Eduardo Alonso ciertamente que no habían obtenido repulsa ni de las tertulias literarias ni de la crítica, pero tampoco habían logrado un gran éxito "profesional" (no venían a destruir nada ni a crear proféticamente nada nuevo); en cambio, habían conseguido un curioso éxito entre el buen público aficionado a la poesía: los libritos se agotaban rápidamente.

Cuando entró en mi despacho —alto, calvo, con una sonrisa amable, ancha y triste— sentí en seguida pena. Me dio pena de él y de mí. Nos pusimos a echar cuentas los dos Alonsos y resultaba que los dos éramos del 98 —de la única auténtica generación del 98, con Federico García Lorca, Vicente Aleixandre, Xavier Zubiri, etcétera—. Más aún: habíamos nacido con diferencia de días: nueve o diez tenía uno de los dos (no recuerdo ahora cuál) cuando el otro saludó al mundo con el primer berrido. ¡Vaya un par de mozos! "La vida empieza en lágrimas y caca", ha dicho bien sintéticamente Quevedo.

Y ahora, cincuenta y tres años más tarde, la misma vida nos reunía en mi despacho (una pretumba, enladrillada de libros), en este crepúsculo otoñal, a los dos, ya dos tartanas viejas, dos pailebotes casi desarbolados, con un frío hondo y largo por delante de los ojos, con muchas tristezas a la espalda, y estigmatizados los dos por el tremendo destino de la poesía.

Yo no sé lo que dentro de cien años dirán las historias de la literatura acerca de la poesía de Eduardo Alonso. Ni sé si la han de mencionar siquiera. Pero de nuestras actuales valoraciones poéticas, ¿cuáles han de subsistir o decrecer, cuáles han de pegar estupendos batacazos?

Son, ciertamente, muy curiosas estas famas (mayores o menores) ganadas a contrapelo de la moda, abiertas en zonas del público, en general poco atentas a las más exquisitas y "up-to-date" manifestaciones literarias. Una enorme popularidad de esta clase nos ofrece la poesía española moderna: la de Gabriel y Galán, ignorado desdeñosamente por todos los "ismos" de la primera mitad del siglo XX, y muchas veces befado (¡con cuán poca justicia!) por la crítica literaria, demasiado orgullosa, demasiado segura de sus principios estéticos.

Yo no sé, claro está, pues no soy profeta, qué desenvolvimiento podrá tener la popularidad de Eduardo Alonso, ahora incipiente. También, del otro lado, del literario, me sería menester para una recepción eficaz de toda su poesía, una ingenuidad literaria que muchos años de profesión me han hecho perder. Me sería, por tanto, difícil prescindir de tiquismiquis y de enojosos distingos. Me basta afirmar esto: con

alguna frecuencia la voz volandera de Eduardo Alonso roza
mi corazón, y alguna que otra vez da plenamente en ese blanco. Amarga intensidad:

> *Árbol de monte o ribera*
> *muere de pie. No es extraño,*
> *ya que un cadáver cualquiera*
> *va por la calle, y no es árbol.*

Otras veces esta poesía logra fijar un momento nuestra imaginación, cansada de tanto juego en la literatura moderna. Es
una imagen, la de una niebla personalizada, llena de ternura,
borradora y reconstructora de ciudades:

> *La niebla me ha contado:*
> *ensayo a deshacer*
> *ciudades, y logrado*
> *por fin lo deseado,*
> *las dejo renacer.*

Muchos de estos poemas son sólo un apunte trivial, impresionante, trivialmente impresionante:

> *Aquel cadáver tenía*
> *en su muñeca un reló*
> *que marchaba todavía.*

Pero ese mismo poema brevísimo puede descubrir una se-
creta afinidad, un subterráneo espanto de nuestra carne pere-
cedera:

> *¡Ay, cómo aterra*
> *la sangre de uno buscando cauces*
> *bajo la tierra!*

Algunas veces se trata de una chusca salida, que, a pesar
de eso, tiene su intríngulis:

> *Pero ¿no te has enterado?*
> *Vas por la calle, y la calle*
> *se te va por otro lado.*

Esta brevedad sentenciosa o emocionada bien descubre el paso de los hermanos Machado y la frecuentación de distintas especies de coplas populares.

Mi querido amigo Eduardo Alonso: ¡Bravo por su poesía! ¡Adelante con su poesía, desatenta a modas y movimientos! Hay un gran público que está esperando al poeta, a su poeta. Mover el corazón humano, eso es lo esencial. Yo quisiera que usted intensificara aún su poesía, que la acendrara usted —no en el sentido de una mentirosa belleza formal, sino en el de la emoción—. Ha recorrido usted tanto camino en tan pocos años (porque usted, mi contemporáneo, es en literatura un aventajadísimo adolescente), que a fuerza de corazón, de humanidad y de entusiasmo conquistará aún lo que le queda por andar. Dos cosas, sólo dos cosas son esenciales en poesía: corazón y capacidad para transmitir ese corazón a un público. Las dos las posee usted: el corazón no lo va usted a perder (cuando a los cincuenta y tres años no lo ha perdido aún); en cuanto a la capacidad de expresión, ahí es donde le quiero ver, amigo. Apriete usted la que posee, hágala crujiente: no deje ni una palabra ligera, ni un verso baldío o ineficaz. ¡Bravo, bravo, mi querido Eduardo Alonso! [1].

---

[1] Eduardo Alonso ha muerto hace pocos meses (escribo esta nota en octubre de 1956). Se me ha ido el tocayo y coetáneo casi absoluto. El que iba para gran negociante de carbones, se encontró un día con los diamantes. Cambió, prefirió esos diamantes pequeños: sus poemillas, que —sentado a una mesa del café Varela— escribía incansablemente en cualquier trozo de papel o en el reverso de un billete del tranvía. Absorto ya para siempre, su vida "entró en barrena". Sus últimos años fueron duros, amargos, heroicos, alucinados. Su vida —y su muerte, con cosas de gran señor en la muerte— bien merecerían un libro. ¡Descanse en paz!

ANTONIO RODRÍGUEZ MOÑINO, BIBLIÓFILO EJEMPLAR

Hay dos maneras de amar los libros. Para unos hombres el libro es un instrumento, y sólo un instrumento. Amarlo es devorarlo, asimilarlo. Lo que les interesa es extraer su espíritu, su enseñanza. Lo doblan, lo zarandean, lo rayan con la uña, con la pluma, con el lápiz; lo anotan profusamente, lo cortan con tijeras. Para poderlo leer en el minuto ocioso del tranvía, lo comprimen en bolsillos atestados. Lo prestan sin recelo a amigos olvidadizos [1]. El libro, así considerado, llega a ser casi materia fungible, da su jugo o sus partes más suculentas y termina ajado, manchado, mutilado a veces, ya ruina sin valor.

Otros aman el libro mismo, la tierna criatura material. Lo miman, lo encierran tras cristales, celado por llaves siempre en cinta, envuelto en lujosas pieles. Lo guardan impoluto, o si manchado y corroído, lo lavan y empastan sutilmente las caries de la polilla. Muchas veces ni ellos mismos lo leen. Muchas veces, con brutal egoísmo, lo niegan aun al amigo más honesto, aun al sediento trabajador que lo necesitaba, a

---

[1] Si alguno de mis amigos desmemoriados sintiera remordimiento al leer estas líneas...

quien le era imprescindible aquel libro. ¡Dios mío, precisamente, exactamente aquel libro!

En teoría, siempre definimos por extremos; en la realidad, entre los extremos teóricos hay infinitos matices de transición. El perfecto amador del libro será aquel que lo aprecie por su contenido y por él lo defienda y acobije como a un ser necesitado.

Porque bien desvalido es un libro. Apenas ha visto la luz —y aun antes—, ya está el coro de la envidia afilando los dientes, nunca atento a las virtudes, sino a las faltas. ¡Y cuántos peligros no acechan a su cuerpo! Durante su gestación, mientras los tipos verbenean, brotando de las cajas —como abejitas afanosas que salen cada una de su celdilla llevadas por un secreto designio—, un dios infernal hace que en torno a la nonnata criatura bordoneen también, como estúpidos moscardones, furiosas legiones de espantosas erratas. Sale por fin al día, y es todo telillas delicadas, presagio de vida corta. En el mundo al que llega, todo le daña: la luz, el calor, la humedad. Otros monstruos de afilados dientes esperan en la sombra; especializados, unos roerán golosamente la encuadernación, otros devorarán las tiernas hojuelas, abriendo un laberinto de caminos. (¡Ese run-run incesante, agorero, de las bibliotecas, donde los siglos van proyectando la ruina de nuestra orgullosa cultura, nuestra ruina!) ¿Más aún? Sí; cansados libreros —algunas veces— recibirán el libro, encogiéndose de hombros, y lo sepultarán en profundas cuevas, y, en fin, honrados abaceros de alma blanca lo comprarán por dos cuartos "para envolver los dátiles y el queso".

Dios ha puesto siempre junto al tósigo el contraveneno. Por eso creó al bibliófilo. Es un monstruo —sí, porque a veces es un monstruo— a la postre benéfico y necesario. Por eso ama, admira a los bibliófilos el autor de estas líneas, aunque él no sea de esa casta.

Es de una distinguida subespecie de bibliófilo de quien ahora se va a hablar. No se trata ya del hombre que únicamente acaricia el libro por lo que de niño tiene o por lo que tiene de joya. No, sino del hombre que pone totalmente su inteligencia al servicio de esa criatura, que quiere salvar la memoria de sus ejemplares más olvidados, que se preocupa de sus lugares de nacimiento, que trata de registrar las oficinas —aun las más oscuras— que lo produjeron, que sigue su evolución a través de los siglos, que aclara la historia de aquellos que desde hace unos quinientos años han creado y propagado el libro por el mundo, y que así, a través de una balumba de naipecillos registradores de datos, a través de montañas de elzevirianos o infolios, de vidas humanas —a veces gloriosas, muchas veces sombrías— de impresores, editores y libreros, aclara y ordena uno de los capítulos más interesantes de la historia de nuestra cultura.

Antonio Rodríguez Moñino es uno de los españoles de hoy que más hayan probado su amor al libro impreso, y aun a su más oscuro hermano el triste manuscrito. Hay en él un amor de coleccionista, que no busca el número, sino la selección, pero a la par una poderosa inteligencia, un conocimiento y una actividad puestas, ante todo, al servicio de la bibliografía.

Pero nada en él del cerrado especialista. Es imprescindible detenernos un instante en las actividades no bibliográficas. Difícilmente se encontrarán hoy muchos españoles de aficiones y aptitudes tan diversas. Pensemos sólo en aquellas de sus monografías publicadas en estos últimos cinco años[2].

---

2   Una lista no completa de las publicaciones de Rodríguez Moñino puede verse en *Bibliografía Hispánica* (Madrid, 1944, núm. 10).

Allí encontramos los trabajos de Epigrafía, como *Observaciones de Epigrafía extremeña romana y visigótica* (Badajoz, 1941) o *Epigrafía y yacimientos romanos en el "Catálogo monumental de Badajoz"* (Badajoz, 1940), y aun en evidente relación con la Arqueología, su trabajo sobre *Los tesoros escondidos* (Badajoz, 1942). Ni faltan estudios de Historia del Arte: *Hans de Bruxelles y Jerónimo de Valencia (entalladores del siglo XVI)* (publicado por la Universidad de Valladolid, Curso de 1942-1943), *El retablo de Morales en Higuera la Real* (Madrid, 1945) y *El divino Morales en Portugal* (Lisboa, 1944). Ni tampoco los que versan sobre artes menores: *Artes suntuarias en Badajoz. Antología de materias preciosas (1562-1600)* (Valladolid, 1945), *Los bordadores, sederos y tapiceros en Badajoz (1553-1601)* (Badajoz, 1945). En el campo histórico, recuerdo con especial deleite su vívido y delicado estudio del coronel Villalba (*Hazañas del Coronel Villalba*, Madrid, 1945). Dentro ya de lo literario, la historia de su región extremeña le preocupa especialmente. Un accidente fortuito destruyó la edición del tomo primero de *Los poetas extremeños del siglo XVI* (obra redactada en forma de diccionario: este primer tomo, de 420 páginas, estaba dedicado ¡sólo a la letra A!). Yo he visto (pero no poseo) uno de los poquísimos ejemplares que se salvaron: buena pieza para bibliófilos. Desanimado de aquella empresa, va ahora Moñino consagrando estudios especiales a los poetas extremeños de aquella época: *Joaquín Romero de Cepeda* (Badajoz, 1941), *El capitán Francisco de Aldana, poeta del siglo XVI* (Valladolid, 1943). Impresa está una entrega del primer tomo de su *Historia de la Literatura extremeña* (Badajoz, 1942, 128 págs.). ¿Por qué no se continúa?

Precisamente ese estudio dedicado a Aldana, que acabamos de citar, es buen indicio de lo que Moñino podría hacer por el camino de la crítica literaria, si no le vencieran sus recónditas aficiones. Su sensibilidad literaria le podría haber hecho brillar en otras empresas, pero él prefiere los temas de minuciosa erudición, y en el dominio literario ya desde hace mucho tiempo viene dedicado a salvar del olvido a oscuros escritores, muchas veces de su región natal.

Mas volvamos al campo del libro. Porque es, particularmente, esta criatura el centro de las aficiones de Rodríguez Moñino. En todas sus obras está patente el amor al libro y al arte que lo crea. Se revela esto aun en las mismas impresiones en que Moñino interviene: un gusto depurado —ligeramente arcaizante— les da forma a todas: en cubiertas, tipo, papel, viñetas y grabados, ordenación de márgenes... Y el amor al libro hace que ya procure raro el propio, reduciéndole a pequeñísimas tiradas, que, distribuidas entre bibliófilos, se agotan inmediatamente.

Así, estos años últimos han visto nacer, y desaparecer en seguida del mercado, *La imprenta Xerezana (1564-1699)* (Madrid, 1942) —135 ejemplares— y los *Catálogos de libreros españoles (1661-1798)* (Madrid, 1942) —125 ejemplares—. La creciente demanda de obras de bibliografía ha podido hacer que ahora salgan a luz los *Catálogos de libreros españoles (1661-1840)* (Madrid, 1945), en los que, como su título indica, se ha proseguido la rebusca hasta mediados del siglo xix: el lindo folleto de hace tres años se ha convertido en todo un volumen en 4.º (208 págs.), muy pulcramente impreso. Pero entre la fértil producción de Moñino aún hay otro libro reciente que atrae más los ojos. Me refiero a *La Imprenta en Extremadura (1489-1800)*. Todo lo tipográfico está en esta obra minuciosamente cuidado. Los talleres de Aldus han hecho una labor casi perfecta.

El autor de una obra de bibliografía actúa como un verdadero salvador y ordenador de los materiales más representativos de nuestra cultura. Tal libro, a veces desconocido, o, con más frecuencia, sólo citado allá en algún intrincado requejo de la erudición, queda ya reseñado en una serie, ligado a un aspecto de nuestras letras, o enmarcado en el ambiente que le vio nacer. Y estos catálogos de impresiones regionales han de servir mucho para hacer la varia historia de la cultura local e integrar con anchura y con plural riqueza la de España. Del esfuerzo que en este sentido representan estas obras baste decir que el tema de los catálogos de libreros estaba casi virgen, y en el libro último son ya 161 los catálogos registrados; que Moñino es, en realidad, el primer reseñador de impresiones jerezanas y ahora ha podido doblar el número que de ellas dio en un primer ensayo en 1928; que los bibliógrafos citaban sólo once antiguas impresiones extremeñas, y en *La imprenta en Extremadura* se describen más de ciento.

En los prólogos de estos libros ha sabido Moñino humanizar el que parecía árido tema. Tomemos *La imprenta Xerezana:* ya no se trata de un recuento —que el autor nos anuncia provisional— de los impresos aparecidos en Jerez entre los siglos XVI y XVIII, sino que tras la seca lista ganamos interesantes vislumbres de vidas laboriosas y oscuras: andanzas de artífices que de pueblo en pueblo trasladan su modesta oficina, imprimiendo aquí unos pliegos sueltos, allá un librillo, dura lucha por el pan, trabajando a la par, desde un rincón, por la cultura... Los *Catálogos de libreros* son, por su parte, una defensa de la librería española. Nos muestran la cooperación de España, muchas veces ignorada, a esa rama comercial, pero tan interesante, de la bibliografía: catálogos de ventas de libros, de colecciones privadas del siglo XVII (como los de la biblioteca de Ramírez de Prado y de D. Diego de Arce), catálogos ya profesionales, como los del siglo XVIII de Francisco Manuel de Mena, de Pedro José Alonso y Padilla, de Sancha y la Real Compañía de Libreros, catálogos, publicaciones bibliográficas, gabinetes de lectura de los cuarenta primeros años del siglo XIX... Moñino señala la exactitud y el buen método bibliográfico de muchas de estas listas comerciales, desmintiendo la aseveración de Cristián Augusto Fischer (1801): "Los libreros de Madrid están mal provistos y no saben lo que guardan. Nada de catálogos. Cuando les preguntáis por algún libro, todo es andar de una parte a otra, informarse entre los demás colegas... ¡Cuánto tiempo perdido!" (Confesemos que en parte debía tener razón Fischer. Conozco muchos libreros enterados y activos. Pero ¿quién duda de que aún sobrevive la especie descrita por Fischer?)

Moñino ataca el tema del libro, cambiando incesantemente la línea de acometida. Busca las perspectivas más curiosas, menos exploradas o menos conocidas entre nosotros. Hace pocos meses nos ha ofrecido un aspecto singularmente interesante: se trata de la traducción y anotación de *El viaje a España del librero Baltasar Moreto,* del bibliógrafo belga Maurits Sabbe.

Pertenecía Baltasar Moreto a la esclarecida dinastía plantiniana. La casa, situada en Amberes, se había reducido ya en el siglo XVII a la impresión de libros litúrgicos y tenía privilegio exclusivo para la introducción de éstos en España. Intermediarios, exclusivos también, para la venta eran los Jerónimos de El Escorial. Los Jerónimos se habían atrasado grandemente en el pago. Y para gestionar el cobro de los atrasos la señora Ana Goos, directora entonces de la empresa plantiniana, envió a Madrid a su hijo Baltasar Moreto, año de 1680. Por las cartas que escribió a su madre y por un diario íntimo de viaje se pueden seguir muy bien las aventuras y emociones del viaje de Baltasar. Vemos sus desvelos, sus temores, sus esperanzas. En Madrid ha descubierto algo muy grave: una casa de Lyón ha falsificado el

Misal Romano plantiniano. La falsificación, ofrecida con descuento más beneficioso, se vende en España. Por otra parte, los Jerónimos, conscientes de su poder, amenazan con romper las relaciones con la casa editora de Amberes... En fin, después de muchas gestiones, se llega a un acuerdo.

Moñino ha hecho una traducción limpia, tersa. Ha añadido también largas notas llenas de curiosas noticias, láminas muy oportunamente escogidas y documentos comprobatorios. El libro se lee como una apacible novela. A través de las páginas se va dibujando el carácter del viajero: bondadoso, amante de su familia, sagaz y honesto en sus empresas. Es un atento observador: asiste a representaciones de comedias, de autos sacramentales, a una corrida de toros, a un auto de fe... Todo lo anota. En verdad, no nos descubre nada nuevo sobre la segunda mitad del siglo XVII. Pero su testimonio es vívido, veraz y concordante con lo que conocemos.

No quisiera terminar estas líneas sin citar aún una obrita muy pequeña, pero redactada con extraordinario garbo: *El cuaderno de diferentes obras y romances (Gallardo, Ensayo, 585)* (Madrid, librería Tormos, 1941). Moñino toma aquí un artículo, difícilmente redactado en el *Ensayo.* Es un problema bibliográfico: se trata de determinar qué libro impreso es ese tan mal descrito en el artículo 585. Va aplicando un método riguroso, mostrando los avances de la investigación, a veces la necesidad de desandar el camino, hasta que se hace la luz. Se trata de un libro facticio, formado por encuadernación conjunta de diferentes impresos. Son éstos 55; ni en uno solo fracasa el bibliógrafo ejemplar: todos quedaron identificados. Obrita de mano verdaderamente maestra.

He querido hablar sólo de algunos de los últimos trabajos de Rodríguez Moñino. Unos veinte años lleva de empresas semejantes, laborando siempre, apartado de toda vocingle-

ría. ¿No cree Moñino que ha llegado el momento de juntar
y sistematizar sus esfuerzos? ¡Nos haría tanta falta un suplemento al *Ensayo de una biblioteca de libros raros y curiosos,*
que podría ser tan extenso y tan útil como el *Ensayo* mismo!

Pocos tan capacitados para ello como Rodríguez Moñino,
hombre que ama los libros como se deben amar: por dentro
y por fuera.

NOTA ADICIONAL: 1956

Publiqué las líneas que anteceden en 1946. La actividad
literaria de Rodríguez Moñino, en estos diez años, ha sido
tan grande que no sería justo dejarle al lector una imagen
muy incompleta. Pero es imposible encerrar en poco espacio
labores tan fecundas y en tantos frentes de batalla. Quien
quiera noticias exactas, puede consultar la *Bibliografía de
A. Rodríguez Moñino (1925-1955):* de, aproximadamente, 170
publicaciones suyas allí reseñadas, unas 80 han visto la luz
desde 1946 hasta 1955. No podré, pues, sino escoger según
mis propias aficiones; y aun así, limitarme a la más seca enumeración.

En estos años, ¡cuántas pruebas ha dado Moñino de su
gusto por los libros bellamente impresos! En la editorial
Castalia ha creado y dirigido dos series que ningún aficionado al libro antiguo, al moderno y a la literatura española
podrá ignorar. Porque en ellas se reimprimen libros antiguos
de gran rareza, respetando las características del original, y
los volúmenes muestran ese gusto que sella todo impreso que
pasó por manos de Moñino, y porque no se trata sólo de
"libros raros": estamos ante la obra de un bibliófilo que es un
gran bibliógrafo, un crítico literario y un investigador de nuestra cultura (letras, historia, arte).

Una de esas series es toda de cancioneros: diez tomitos. Algunos fueron confiados a eruditos de tanto saber como gusto (Eugenio Asensio, Margit Frenk de Alatorre...): muchos han sido cuidados directamente por Rodríguez Moñino (*Cancionero llamado "Danza de galanes"; Cancionerillos góticos castellanos; Cancionero gótico de Velázquez de Ávila; Cancioneros llamados "Enredos de amor", "Guisadillo de amor" y "El truhanesco": Espejo de enamorados: guirnalda esmaltada de galanes y elocuentes decires*). Lindos nombres; bellísimos, esbeltos volúmenes, y en ellos, esa poesía abrileña —todo el agridulce medieval, vertido sobre el renacentista siglo XVI—, de la cual no se sacia uno nunca.

Otra serie, bella y garbosa como la anterior, pero de tomos de un poco más de cuerpo, lleva el nombre de "Floresta: joyas poéticas españolas". En ella publica y prologa Moñino la *Flor de romances,* de Zaragoza, 1578; el *Cancionero llamado "Flor de enamorados",* de Barcelona, 1562, y la *Silva de varios romances,* de Barcelona, 1561. En la misma editorial, pero fuera de serie, han aparecido, editadas por Moñino, las *Rimas* del muy interesante poeta cordobés Antonio de Paredes, nacido después que Góngora, y muerto joven.

Hay en la España del esparto —allá en Cieza— un bibliófilo que desde hace años está llevando a cabo un tesonero esfuerzo para conservar y propagar los libros antiguos españoles. Este hombre ejemplar se llama Antonio Pérez Gómez. Unas veces se puede hablar de verdadera salvación: como cuando reproduce en facsímil el único ejemplar de *La lozana andaluza* (1528). Siempre se trata de libros raros. Reproducidos en número pequeño, pero suficiente para las necesidades de los investigadores, ya serán accesibles a quienes interesen. Emociona ver la silenciosa labor, la heroicidad de hombres como Pérez Gómez. ¡Si hubiese quinientos Ciezas, quiero decir, quinientos Pérez Gómez, distribuidos por toda España!

También a esas publicaciones de Pérez Gómez ha prestado su generosa colaboración Rodríguez Moñino. Allí editó los *Discursos ejemplares* de José Ortiz de Valdivielso y Aguayo (Jerez, 1634), libro interesante, desde varios puntos de vista, ante todo el lingüístico, y las *Novelas y cuentos en verso del licenciado Tamariz,* con un largo y erudito estudio preliminar.

Correspondiente de la Real Academia Española desde hace varios años, también hay huellas de la actividad de Moñino en las publicaciones de esa antigua corporación. Así, en la "Biblioteca selecta de clásicos españoles" publicó las *Poesías inéditas* de Meléndez Valdés (con un prólogo de 142 páginas). Y en el "Boletín de la Academia", el *Cancionero* de Pedro del Pozo, de 1547, transcripción de uno de los preciosos cancioneros manuscritos que Moñino apasionadamente reúne.

Son demasiadas perspectivas distintas para que yo las pueda abarcar aquí todas. Ha publicado Moñino estos últimos años una serie de epistolarios (del padre Flórez, de Gallardo a Torriglia y a doña Frasquita Larrea de Böhl) y densos y rigurosos trabajos bibliográficos: catálogo de documentos de América en la Colección de jesuitas de la Real Academia de la Historia, 260 págs.; la colección de manuscritos del marqués de Montealegre (1677), 240 págs.; catálogo de memoriales presentados al R. Consejo de Indias (1626-1630), 294 páginas.

Mención aparte merece *Don Bartolomé José Gallardo... Estudio bibliográfico,* 1955, 362 págs. Moñino ha dedicado un especial culto a su paisano el gran bibliógrafo extremeño, y este fervor le ha llevado a coleccionar todo lo que a Gallardo se refiere. (Puedo anunciar ya que, a base de papeles de Gallardo, que no utilizaron Zarco del Valle y Sancho Rayón, saldrá pronto un tomo, continuación del famoso *Ensayo de una biblioteca española de libros raros y curiosos,* ordenado por Moñino y prologado por Pedro Sáinz Rodríguez: no hay ni que decir que, dada esa colaboración de dos investigadores tan ilustres, el libro ha de ser un verdadero acontecimiento.) [3]. Pero estábamos hablando de ese estudio bibliográfico sobre Gallardo que, espléndidamente impreso, ha aparecido hace un año. La bibliografía suele asustar al lector corriente. En este caso se trata de un libro que no sólo es magnífico como obra de minuciosa exactitud, sino que está lleno de curiosas y divertidas noticias literarias e históricas.

No hay más remedio que prescindir de trabajos históricos de Moñino, como *El viaje a España del rey Don Sebastián...,* o genealógicos, como el dedicado a los Carvajales, o de estudios consagrados a artistas (Goya, Ribelles, Morales, Salvador Carmona, etc.).

Pero no puedo dejar de anunciar algo que es de importancia excepcional para la historia de la literatura española. En la armazón de una encuadernación antigua, Moñino ha encontrado unas páginas manuscritas de un *Amadís* en castellano, de la primera mitad del siglo XV. Ese, o uno semejante, fue, sin duda, el texto en que se basó la refundición de Garci-Rodríguez de Montalvo, impresa en 1508, que tan inmensa descendencia había de tener en el mundo. Ese descubrimiento de Moñino, que penetra profundamente en la zona incógnita de uno de los problemas más discutidos de las letras españolas, está a punto de aparecer en el "Boletín de la Real Academia Española" [4].

---

[3] Nota de 1962: No se ha realizado, por ahora, ese proyecto.
[4] Nota de 1962: Véase ahora A. Rodríguez Moñino: *El primer manuscrito del "Amadís de Gaula"* (*Bol. de la R. A. Española,* XXXVI, 1956, págs. 199-216). En el mismo fascículo figuran otros dos trabajos,

He ahí sólo unas cuantas muestras de la espléndida cosecha recogida en estos últimos diez años por los esfuerzos de
un hombre que junta a su inteligencia una gran constancia y
un apasionado fervor [5].

---

uno de Millares, sobre la paleografía de esas páginas del *Amadís* pri-
mitivo, y otro de Lapesa, sobre su lengua.

[5] Nota de 1962: Desde 1956 hasta hoy, Moñino ha desarrollado
gran actividad y ha publicado algunas de sus obras hoy más conocidas; por ejemplo, para la Real Academia Española ha cuidado la
edición facsímil del *Cancionero General* de 1511, precedida de un
muy importante prólogo; y para la misma entidad, los doce tomos
de *Las fuentes del "Romancero General"* (Madrid, *1600*), en los que
reproduce en facsímil las nueve partes de la *Flor de varios romances*,
alguna en diferentes ediciones, más un suplemento de *Romances diversos*, con índices muy cuidados y precisas notas editoriales.

RAFAEL LAPESA EN LA ACADEMIA

Quizá el único título que yo posea para dar hoy la bienvenida a Rafael Lapesa en el momento de entrar en esta casa [1] sea el de nuestro largo compañerismo. Los dos somos consecuencia de la renovación de los estudios filológicos llevada a cabo, entre nosotros, por Menéndez Pidal y sus discípulos inmediatos. Y como yo —aunque con menos fruto— he andado los mismos caminos que Lapesa, unos pocos años antes que él, me ha sido posible seguir la serie creciente de sus triunfos, desde el mismísimo principio. Fue, desde el primer momento, una gran esperanza para nuestros estudios. Tenía la vocación heroica..., pero cuántas se pierden; el talento..., pero cuántos se despilfarran. No: Lapesa ha planeado y ponderado siempre su quehacer científico con esa prudente economía que hace que la vocación se vaya construyendo un cauce seguro, y que la inteligencia al atesorar datos, los distribuya y trabe en sistema armónico, donde cada nueva adquisición ya tiene su lugar y su función asignada. Quiere esto decir que el de Lapesa es un talento fértil, útil: sano

[1] Estas líneas sirvieron para dar la bienvenida a Rafael Lapesa en el solemne momento de su ingreso en la Real Academia Española, 21 de marzo de 1954. Por ausencia del autor, fueron leídas por el poeta Vicente Aleixandre.

y creciente como árbol vigoroso. Mientras tantos ingenios españoles quedan estériles entre cháchara y humo de café, el modo de ser, de vivir, de Lapesa, es dar ya frutos con astronómica normalidad de cosecha. Y así, a lo largo de toda una vida, que ojalá Dios prolongue, para bien de la cultura española.

Pero debemos relatar ordenadamente.

La primera vocación de Lapesa fue el estudio de la lengua, y en especial de la española. Yo sé que hay gentes que vuelven con desvío la cara ante lo que vaga e inexactamente llaman "Filología". Lo que más me extraña es que, muchas veces, piensan así personas que creen poseer una gran sensibilidad artística, y que, sin embargo, os lanzarán la voz "filólogo" a la cara como un insulto. ¡Pero si nuestro pensamiento se organiza —es decir, llega a ser tal pensamiento— precisamente por el lenguaje! ¡Si la lengua es el canal más exacto por donde vertemos nuestra alma sobre el mundo! ¡Si es el material de la más humana de las artes, la literatura, nobilísima precisamente por hecha de tal sustancia! Y la lengua es un maravilloso misterio, en su sentido unitario y en su infinita variedad: ¡qué placer meterse por esa selva, perderse en ella para encontrarnos a nosotros mismos, y para encontrar el rastro y las leyes de nuestra cultura! ¡Qué persecución apasionante la de la historia de las palabras, en busca de un origen que cuanto más avanzamos más se aleja! ¡Qué placer cuando, españoles, encontramos en el lenguaje las constantes de nuestro espíritu, las variantes de la personalidad de España en el tiempo! ¡Qué apasionante novela un idioma humano y el idioma humano! ¡Qué maravillosa aventura su estudio! Hacia ese mundo susurrante, siempre auroral y siempre misterioso, se despertó la generosa vocación de Rafael Lapesa, cuando, caballero novel, pensaba dónde ensayar sus armas.

Durante los primeros años, recién terminada la carrera de Filosofía y Letras, el nuevo caballero sólo escaramuzaba: reseñas de libros, aparecidas casi siempre en la "Revista de Filología Española". Lapesa, en ellas, hacía... lo contrario de lo que suelen hacer los reseñadores: no perseguía el lucimiento personal, ni el desagüe de la bilis oprimida, ni el "sacarse" espina alguna; no arremetía contra nadie porque sí, porque hay que arremeter contra algo; no, Lapesa, en sus críticas, estimaba honestamente el trabajo ajeno: para ello (al revés de lo habitual en reseñadores científicos) se había metido primero a fondo en el tema, y de la buceada salía siempre a luz algún dato nuevo, muchas veces importante. Reseñas de dos, de tres páginas, pulcras, precisas: los que seguíamos la producción filológica española sabíamos que una clara mente de investigador estaba creciendo ante nuestra mirada. El caballero tirón se estaba adiestrando rigurosamente en el uso de las armas. ¡Ojalá que muchos jóvenes siguieran ese ejemplo!

Pronto comenzó Lapesa una de las labores que en él habían de ser centrales: la de historiador de la lengua española. Primero, una serie de artículos etimológicos, que ya en 1931 (de esta fecha son sus *Notas para el léxico del siglo XIII*) revelan lo extenso de sus lecturas del español medieval y lo sólido de sus conocimientos lingüísticos. Por entonces el Archivo de Villa publica, en magnífica edición, el *Fuero de Madrid:* a cargo de Lapesa corre el estudio del lenguaje del fuero y el "Glosario".

El siguiente estirón científico de Rafael Lapesa salta ya a la absoluta madurez: en 1942 se publica su *Historia de la lengua española*. El libro, que va ahora por su segunda edición (en esta última ha tenido aún mejoras y aumentos), es hoy un clásico de nuestra enseñanza. Había algún excelente libro de este título, hecho principalmente para uso escolar.

Pero el libro de Lapesa tendría una intención distinta. Podía Lapesa tener también delante de los ojos algunos ilustres modelos sobre el desarrollo del francés; pero ¿qué importan o para qué sirven modelos cuando la materia misma y el estado en que se presenta al que quiere condensarla en un libro manual son tan diferentes? Porque el español, aunque en algunas de sus épocas (en la de orígenes, por ejemplo) esté estudiado de una manera quizá superior a las demás lenguas románicas, no ha sufrido el escudriño a lo largo de todo su desarrollo de la incansable lente investigadora, como lo ha tenido el francés; ni tampoco la lengua moderna ni sus variedades regionales han sido analizadas con tanto pormenor. ¿Qué hacer? Este era el problema que se le planteaba a Lapesa y que él ha resuelto con un tacto maravilloso: lo investigado ha sido recogido con claridad y exactitud. Pero muchas veces la cuestión es litigiosa: y entonces ha habido que sopesar razones, y Lapesa ha sabido elegir lo mejor. Otras veces no tenía delante más que un vacío, y el autor del manual ha necesitado detenerse en su tarea para ponerse a investigar por sí mismo. El resultado es que la lengua española —a pesar de tanta dificultad previa— posea hoy una de las historias manuales más trabadas, ponderadas, clarividentes y seguras.

Apenas había terminado una labor tan prolija y de tanta responsabilidad, empezó Lapesa investigaciones a fondo sobre aspectos o épocas de nuestro pasado lingüístico: el *Fuero de Avilés* le había de llevar a un tema apasionante: el del influjo lingüístico de los pobladores venidos de partes extrañas a la península durante la Edad Media. En su libro *Asturiano y provenzal en el Fuero de Avilés* demuestra Lapesa que dicho Fuero, estando como está escrito en asturiano del siglo XII, con muchos de los fenómenos propios de ese dialecto, es al mismo tiempo un texto lleno de rasgos provenzales. ¿Cómo se explica esto? Oviedo (y evidentemente lo mismo debía ocurrir en Avilés) tenía desde por lo menos los comienzos del siglo xii una población alienígena tan importante que hacía necesaria la existencia de dos jueces, uno español y otro "franco"; por franco se entendía extranjero europeo, en general, si bien la mayor parte de esos pobladores procedían de territorio francés. El estudio de los documentos revela también la presencia en Oviedo de numerosos habitantes de nombre francés o provenzal.

El hibridismo lingüístico del *Fuero de Avilés* queda explicado si se piensa que fue redactado por un extranjero (o quizá varios) que "pretendió" valerse del romance hablado en Asturias, sin eliminar por completo sus hábitos lingüísticos originarios. "El redactor (o redactores) escribió en lenguaje parecido al que le servía para entenderse con sus convecinos españoles: el dialecto de la región salpicado de provenzalismos. De aquí una extraña impresión de mezcolanza." Y concluye Lapesa: "Si el Fuero es el primer monumento del dialecto asturiano, constituye a la vez un texto provenzal de interés." Este interés reside en que se pueden rastrear en él rasgos de fonética local occitánica que los notarios del sur de Francia no solían registrar aún.

Por este camino de estudio de fenómenos de bilingüismo en el español medieval ha continuado aún Rafael Lapesa en su reciente publicación *La apócope de la vocal en castellano antiguo.* Se trata de la *-e* final de procedencia principalmente latina: el siglo x pronunciaba *altare, pane, corte, monte;* es decir, conservaba siempre la *-e* final. En el siglo xii, y principios del xiii, esa *-e* final, en la mayor parte de los casos, ha desaparecido. Si esta costumbre del siglo xii hubiera prosperado, el español sería una lengua de acentuación más aguda de lo que hoy es, porque hoy hemos conservado la costumbre del siglo xii en palabras del tipo *altar, pan,* etcétera;

pero hemos vuelto a la del siglo x en las del tipo *monte,
corte*. En resumen: en términos generales podemos decir
que el siglo x conservaba siempre la *-e* final; el siglo xii la
suprimía siempre; y el uso moderno se ha dividido, conser-
vándola en unos casos y en otros no. Hay, pues, como un
movimiento de ida y vuelta en el destino de la *-e* final en español: hecho ciertamente muy curioso. Lapesa le ha dado
una explicación de extraordinaria claridad: había una serie
de fuerzas que tendían a producir la apócope; pero este fenómeno espontáneo se vio impulsado por la inmigración de
provenzales y franceses desde el reinado de Alfonso VI. "Los
castellanos se dejan influir porque los extranjeros vienen ro-
deados de prestigio como representantes de la cristiandad
europea: las apócopes *adelant, cort, nuef, noch...*, en vez de
adelante, corte, nueve, noche..., corroboran la comunidad
espiritual con una Europa monacal y cortés, opuesta en cru-
zada contra los mahometanos." Quizá el uso extranjerizante
era mayor en la redacción de los notarios que en la lengua
hablada. Y pronto viene una reacción, patrocinada y decidida por Alfonso el Sabio y su prosa; de esta reacción procede el uso moderno.

　　¿Es posible tal influjo? ¿Es posible que una lengua llegue
a imponer sus preferencias fonéticas sobre otra? El hablante
español de hoy quizá no lo pueda comprender. Pero sí lo
admite quien lee la serie impresionante de obispos franceses
u occitánicos que rigen las sedes españolas durante los siglos xii y xiii, quien sabe qué extensas colonias extranjeras
formaban barrios populosos en ciudades del norte de la
Península (colonias que alguna vez asaltan la ciudad indíge-
na), y que, en relación con lo anterior, y en parte causa de
ello, hay un trasiego constante de peregrinos a lo largo del
camino de Santiago (en su cauce principal y en varios acce-
sorios). Todavía sobre pistas parecidas ha seguido última-

mente Lapesa los extranjerismos en el *Auto de los Reyes Magos...* Y en este punto se encuentra ahora el tajo científico de nuestro nuevo académico, por lo que toca a la historia de la lengua.

El lenguaje puede ser un mero útil del intercambio humano, y puede ser también —como decíamos antes— el delicado instrumento del arte más abarcador, más representativo del hombre: la literatura. Nadie se podrá llamar lingüista, en el sentido total del vocablo, si se reduce a uno de estos aspectos. La antigua filología sólo concedió su atención a los textos literarios; luego, el gran avance positivista apenas concedió importancia sino al lenguaje popular y cotidiano; con el incremento de la dialectología moderna, para ciertos investigadores la palabra de un gañán ha llegado a ser más interesante que la de un Lope o un Góngora. Ni esto ni aquello. Lenguaje es toda la expresión fonética del hombre, lo mismo la que, emitida para un interlocutor y un efecto inmediato, en seguida desaparece, que la fijada para alimento de muchos hombres en amplitud de espacio y tiempo. Todo es lenguaje, todo se intercomunica, como en un organismo: si la lenta evolución fonética y la instintiva fuerza analógica están, minuto tras minuto, erosionando y creando nuestra habla, la palabra del artista literario trae cada día voces y giros nuevos, sanciona las creaciones populares, pule y afina de tal modo, que el idioma, en sus manos, se moldea, se hace flexible, ligero, capaz de expresar las explosiones del súbito afecto y los delicados matices de la exquisita sentimentalidad, lo mismo que de seguir los canalillos intrincados y rigurosos del raciocinio. No puede haber un gran lingüista que no sea al mismo tiempo un gran crítico literario.

Lapesa es lo uno, y tenía por fuerza que ser lo otro. La unidad indisoluble de ambos campos se le reveló en seguida; y en consecuencia nunca ha desgarrado el lenguaje. Ahí está su ya citada *Historia de la lengua española;* si en ella el lenguaje corriente está registrado en sus variedades temporales y regionales, el autor ha prestado también una gran atención al lenguaje de la literatura: ambas perspectivas se suceden y se complementan. Con perspicacia y exactitud, Lapesa nos señala los avances de la lengua literaria, la entrada en ella de nuevos elementos expresivos, la creación del matiz, etcétera: el estilo de la juglaría, el de Berceo, el de Alfonso el Sabio, el de don Juan Manuel, el de Juan Ruiz, quedan magistralmente definidos y contrastados en unas pocas líneas (siempre ante los ojos, el ejemplo intuitivamente seleccionado); y a través del estilo se nos iluminan las características principales del arte del escritor. Estas caracterizaciones del arte literario medieval, Lapesa se las tiene que sacar casi de la nada, y algo semejante se podría decir del análisis del estilo en los distintos períodos del siglo xv (buena lección de esto último la que hemos oído aquí esta tarde). Al entrar por el Siglo de Oro, algo más pudo encontrar a mano, pero aún mucho que añadir. Estas páginas maravillosas encierran en sí una historia del estilo literario, primero y central quehacer de una verdadera historia de la literatura.

La entrada natural de Lapesa a los estudios literarios, desde los primeros suyos lingüísticos, había sido, precisamente, esta bisagra de la estilística. Ya en 1934 había dedicado un ponderado estudio al estilo de *"La Vida de San Ignacio" del P. Ribadeneyra,* y en 1946 nos había de dejar una certera caracterización careada de Tasso y Lope a través de sus dos "Jerusalenes". Entre ambas fechas había ya delineado vigorosamente los rasgos del arte de Cetina (tan desvaído o mal interpretado en muchas historias de la literatura). No ha dejado de cultivar Lapesa los modos tradicionales de la investigación literaria: y así, ha publicado poesías inéditas del mismo Cetina y una indagación biográfica sobre este poeta: después de ese estudio no se podrá hablar de contradicción: quien escribió el madrigal de los "Ojos claros, serenos", y aquel desventurado rondador de la Puebla de los Ángeles de Méjico, son una sola persona. Pero otras veces apuntan los trabajos de Lapesa a una biografía más interior: ejemplar en este sentido es su artículo *En torno a "La Española Inglesa" y al "Persiles"*, en el que nos hace ver cómo cambian las ideas de Cervantes sobre Inglaterra: de las Odas a la Invencible (1588) hasta el soneto sobre la entrada del Duque de Medinasidonia en Cádiz (1596); y es que de la posición heroica con que llega a España recién rescatado de Argel, pasa a un escepticismo burlón y se diría que desesperanzado. Pero en *La Española Inglesa* (y en otro sentido, en el *Persiles)* esa sima ha sido superada y el inmortal creador asciende ahora con un nuevo entusiasmo, ya no movido por impulsos de heroísmo, sino por un anhelo de perfeccionamiento espiritual.

La cima de madurez científica de Lapesa representada en lo lingüístico por la *Historia de la lengua española,* lo está en lo literario por *La trayectoria poética de Garcilaso,* libro publicado en 1948. En él se ve cómo las nuevas técnicas de análisis de estilo, de ningún modo excluyen los procedimientos tradicionales en historia de la literatura: todo se complementa, todo es necesario. En *La trayectoria poética de Garcilaso,* los datos exteriores de la biografía y los internos del estilo van a combinarse armónicamente: y el resultado es éste: un nuevo Garcilaso, muy distinto de la representación borrosa que teníamos antes de la lectura: el poeta italianizante está bien arraigado en los modos de los cancioneros españoles del siglo xv; y en su primera italianización la sombra que pesa sobre él es la de nuestro Ausias March. Es éste un Garcilaso seco, conceptual, con poco sentido de la belleza exterior y del encanto de la naturaleza; pero Petrarca y otros modelos antiguos e italianos poco a poco se sobreponen, y todo se completa en la estadía en Nápoles (1532-1536), coronación y casi final de la vida del poeta: en el medio renacentista italiano llega a comprender mejor Garcilaso la dulce tiranía de la belleza formal, la eterna seducción de la naturaleza y la platónica elevación, desde la belleza particular hasta la absoluta y eterna; y lo expresa en sus versos, ya en la ascensión ideal del canto de Nemoroso, de la *Égloga I,* ya en las pictóricas representaciones de la *Égloga III.* Lapesa no sólo nos ha puesto en orden un Garcilaso antes entremezclado y confuso, sino que nos ha dejado en el libro páginas no superadas de crítica iluminadora y creativa.

No os voy a hablar de su revelador estudio sobre la poesía del Marqués de Santillana, pues todos habéis oído aquí las primicias de ese trabajo. Ni es posible siquiera mencionar ahora algunas de otras múltiples y meritorias actividades del nuevo académico: ediciones anotadas y prologadas de clásicos, estudios estilísticos menos desarrollados, su colaboración en historias de la literatura, su colaboración con el maestro Menéndez Pidal en el segundo tomo de *Orígenes del español* (no publicado aún).

Habría que detenerse unos minutos en su labor docente: catedrático de Instituto por oposición desde 1930, pronto pasó a enseñar en uno madrileño, y la Facultad de Filosofía y Letras le encargó de las clases de Historia de la Lengua Española. En 1947 ganó por oposición la cátedra de Gramática Histórica de la Lengua Española de la Universidad de Madrid, que actualmente desempeña. En marzo de 1947 fue nombrado colaborador del Seminario de Lexicografía de esta

Real Academia, y Subdirector del mismo en 1950. Ha enseñado también en las Universidades de Barcelona y Salamanca, y durante los años de 1948-49 ha sido Profesor Visitante en las de Princeton, Harvard, Yale y California; en 1952, otra vez en las de Yale, Pennsylvania y Harvard; en 1953, por tercera vez en la de Harvard.

Aparte las conferencias dadas en París de 1933 a 1936, ha dado otras en el Instituto de España y en la Universidad de Londres (1948 y 1952); en las Universidades de Oxford y Cambridge (1952); en la Universidad de Illinois, Wellesley College, Vassar College y Columbia University (1949); en la Universidad de Cincinnati, Ohio State University y Middlebury College (1952).

Es miembro correspondiente del Instituto de Estudios Asturianos y de la Hispanic Society de Nueva York, y miembro honorario de la American Association of Teachers of Spanish and Portuguese.

Miles de estudiantes españoles y extranjeros aprenden hoy el desarrollo de nuestro idioma en las páginas de la *Historia de la lengua española;* la figura de Rafael Lapesa goza de una estima universal, y su nombre es conocido en el último rincón donde se estudie el castellano. Filólogos insignes extranjeros: Vossler, Entwistle, Malkiel, Schalk, etcétera, han expresado calurosamente su admiración por la labor realizada por este hombre que, joven aún, ha alcanzado esa madurez, esa ponderación de la inteligencia útil, que la vida suele sólo dar en estadios más avanzados.

Y queda ahora lo que para mí es más importante: el hombre. Cuando el hombre es un *profesor,* para conocer su hombría hay que acudir, antes que nada, a un testimonio: el de sus alumnos; porque en esto la juventud no se suele engañar. Pues bien: a Rafael Lapesa sus alumnos le adoran. Hasta mí llega, año tras año, ese testimonio —tan puro, tan

sincero— de la admiración que le profesan. Pero tomemos
uno escrito; Alonso Zamora Vicente, alumno suyo un día y
hoy ilustre catedrático de Salamanca, delicado escritor, investigador certero, es quien ahora habla y habla rememo-
rando sus días de estudiante, como si aún fuera estudiante:
"Rafael Lapesa es capaz de esfuerzos extraordinarios. Se
lee con verdadero espíritu de héroe los trabajos que queremos hacerle; escucha amablemente todos nuestros problemas, y, de añadidura, nos regala con su consejo: Lapesa, por
lo general, se lo sabe todo. Y todo lo comunica. Es el mejor
fichero para el trabajo. Exacto, vivo, honrado. Es capaz de
hacer lo que sea por los alumnos. Menos una sola cosa. Enfadarse." "No, Lapesa no se enoja nunca. Aunque se le digan
en clase los mayores disparates. Esto contribuye a verle, ya
desde el primer día, con una simpatía profunda, con una
irremediable propensión al acatamiento. Porque, además,
Lapesa encarna la modestia y la sencillez. Todo en él brota
con la misma naturalidad y precisión que tiene la hoja en
la rama. Es, eso sí, archieducado. Se pierde y vuelve a perder en mares de rodeos para decir una cosa sin herir en
un angustioso procedimiento de lima." "Lapesa siente ante
un documento antiguo, escrito en una de esas letras quimé-
ricas, o ante un grupo de consonantes malhadadas, o ante
un poema de Cetina, el mismo temblor, la misma unción
religiosa que debió sentir Miguel Ángel ante el bloque de
mármol que dio el Moisés." "Y él va con su modestia y su
labor adelante, bandera en alto, enseñando a trabajar, incapaz,
sí, totalmente incapaz, de enfadarse por la ignorancia ajena."
Hasta aquí, pues, el testimonio de Zamora Vicente.

Es que lo que hay en el fondo de la personalidad de Lapesa es una íntegra hombría de bien. Su gran inteligencia avanza sin sobresaltos ni desfallecimientos por el terreno que Dios
le ha señalado, y el hombre cumple exactamente ese programa

providencial. A mí, tan desordenado, me maravilla la sencillez igual con la que Lapesa cumple quehaceres que para otro serían agotadores.

Puedo ser también testigo confirmante de casi todo lo dicho por Zamora Vicente. Por ejemplo: he de confesar que muchas veces someto mis trabajos a la censura de mis amigos. A cada uno nos interesan mucho las propias investigaciones —¡qué centro del mundo!: pero así es la ilusión humana—, y menos las de los demás. Yo soy de los que tienen miedo a publicar y desean siempre consejo. Pero a ¿quién pedirlo? ¿Cómo preguntar a tal maestro, con muchos años y vida tan atareada? ¿Para qué preguntar a tal amigo, que pasará los ojos displicentemente por el escrito y dirá que está muy bien, o todo lo más, haría una observación volandera para mostrar que se ha interesado? En esas ocasiones yo suelo acudir a Lapesa: porque su ciencia es mucha y muy exacta; porque es también exacta su manera de cumplir un compromiso. Yo le he dado escritos míos con remordimiento, porque le sabía agobiado de trabajo; su comentario ha comprobado siempre la inteligente lectura, y por ella he quedado siempre enriquecido. Es que el tiempo fértil de Lapesa, sometido a rigurosa ordenación, tiene como cámaras secretas que no existen en el de los demás mortales. Pero ese sentido del deber lo lleva Lapesa a todos sus actos. Hace muy pocos años moría en plena fecundidad científica un gran filólogo español, que era también un gran amigo mío: Amado Alonso. Tenía Amado entre manos una obra de muchos años de trabajo. Se moría con la tristeza de no verla publicada. Parte estaba redactada, aunque sin última lima; parte a medio redactar; bastante en borrador o en notas sueltas. Este material confió Amado Alonso, días antes de morir, a Rafael Lapesa; es decir, a un hombre lleno de tareas. Rafael Lapesa aceptó el sagrado encargo, aunque el cumplirlo supusiera desgajar unos meses de sus propios quehaceres. Y gracias a ese esfuerzo abnegado, la historia de la antigua pronunciación española de Amado Alonso se está imprimiendo en estos momentos [2].

Esta casa espera muchísimo del carácter y de la ciencia de Rafael Lapesa, y le recibe alborozada. Y a mí me enorgullece ser yo quien me adelante al encuentro de quien es a la par uno de los amigos más leales y uno de los que yo más admiro [3].

---

[2]   Del libro de que aquí se habla ha aparecido ya el primer tomo: Amado Alonso, *De la pronunciación medieval a la moderna en español. Ultimado y dispuesto para la imprenta por Rafael Lapesa*, tomo I, Madrid, 1955, "Biblioteca Románica Hispánica", Editorial Gredos.

[3]   *Nota de 1962.* — Después de marzo de 1954, en que fueron escritas las líneas que anteceden, Rafael Lapesa ha publicado su estudio sobre *La obra literaria del Marqués de Santillana*, Madrid, 1957, libro en el que admirablemente se completan sus dotes de exacto científico y su aguda penetración de crítico. Son muy de admirar —cualidades que no se encuentran por el mundo— el culto a la amistad y la pródiga generosidad que llevaron a Lapesa a dedicar varios años de su vida a completar y dar la última corrección a la primera parte del libro de nuestro llorado Amado Alonso *De la pronunciación medieval a la moderna en español* (véase la nota 2 de este artículo); sin ello, esta importantísima obra habría quedado inédita; las adiciones del propio Lapesa son muchas y muy importantes. De heroica puede calificarse también su colaboración en el *Diccionario Histórico de la Lengua Española*, de la Real Academia Española; en esta gran obra lleva Lapesa la dirección inmediata y efectiva del equipo de colaboradores. El éxito de la *Historia de la lengua española*, ha hecho que este libro de Lapesa llegue a la 4.ª edición, y cada edición ha sido escrupulosamente revisada, puesta al día y ampliada en todo lo necesario. Ha publicado además en estos años una treintena de artículos y notas sobre temas literarios y lingüísticos. Muy grande ha sido su actividad como conferenciante (con viajes repetidos a Francia, a Alemania). Profesor visitante, en 1956, en la Universidad de Wisconsin, Estados Unidos, volvió a Wisconsin en 1959, adscrito (sin otra obligación que la de proseguir libremente sus investigaciones) al Institute for Research in the Humanities, de la misma Universidad.

CARTA A JOSÉ A. MUÑOZ ROJAS

(Sobre la mayoría, la minoría y las cosas del campo)

Mi querido José Antonio: Estoy bastante deprimido. Estos días he ido dos veces al teatro. Yo no voy nunca al teatro. No me interesa ir. Por esta razón: porque el teatro me apasiona enormemente.

Pues, ahora, he ido, hace poco, dos veces y (¡vaya chasco, vaya dos chascos!) he visto dos obras estupendas. Dos obras muy distintas y en el fondo coincidentes las dos: las dos tienen una rigurosa *estructura dramática;* las dos están impregnadas de la más *emanante poesía.* No hay sino sumar, y en seguida obtenemos la fórmula:

$$\textit{estructura dramática} + \textit{emanante poesía} = \textit{poesía dramática}$$

Y si quieres que sigamos por matemáticas, te propondré ahora, como postulado, esta igualdad:

$$\textit{poesía dramática} = \textit{teatro}$$

Quiere decir, ni más ni menos, que esto: "lo que no es poesía dramática no es teatro".

Sí, he ido la semana última dos veces al teatro, y he visto auténticamente "teatro". Añade que en las dos obras lo que

intuitivamente se abre ante el espectador (moviendo su voluntad) es el panorama de la trascendencia de nuestra vida.
Y Celia, mártir, que irradia con su bella ausencia (hermosura
a lo divino) el último acto de *Cocktail Party* es como un personaje de *El gran teatro del Mundo,* que no fuera estilizado,
sino vivo, realísimo, con su alma toda al desnudo ante nuestros ojos.

Dos obras estupendas, ¡tan distintas y tan parecidas!, estas dos que he visto: la de Eliot y la de Calderón. Y las dos,
por cierto, bien representadas (salvo pormenores que no interesan ahora): *Cocktail Party,* en un teatro estatal (esa es —y
debería ser siempre— la misión de los teatros oficiales: dar
buenas obras y representarlas bien, sin atender a la "caja");
pero el auto de Calderón se representaba en un teatro comercial, y esto sí que merece una alabanza especialísima. ¡Qué
bien, José Antonio, si hubiera muchas compañías entusiastas
como esa tan valiente que dirige con tanto acierto José Ta-
mayo, y en la que actúa ese gran actor que es Carlos Lemos!

Ahora tengo que explicarte —no te lo imaginarás— por
qué estoy tan deprimido: en los dos teatros estuve pocos
días después del estreno; los dos estaban casi vacíos. En *El
gran teatro del Mundo* había un público muy pequeño pero
muy fiel, que parecía interesarse por la obra y que aplaudía
con entusiasmo. Unos, quizá los más, tal vez por el decorado
lujoso, y por el sonsonete de los versos (que siempre mueve
al español); pero quiero imaginar que otros, algunos, pene-
traban con Calderón en el abismo estrellado. El caso de
Cocktail Party era mucho peor. Al terminar el último acto,
silencio absoluto (sólo allí, mano a mano, Vicente Aleixandre y yo, "partiéndonos el pecho" como dos claquistas). La
crítica —y crítica muy inteligente— ha dicho que la obra
no gustó por la solución que en ella se da a un doble adulte-
rio (el perdón mutuo). Dejemos aparte que eso, el perdón,

es lo cristiano. La obra ocurre en Londres: el público, ¿no tiene bastante curiosidad o capacidad de imaginación para comprender otras formas de vida —o, más exactamente, de reacción social— distintas de las suyas? No: el público no comprendía eso; no comprendía tampoco la intensa espiritualidad creciente, tan auténticamente cristiana, que se va apoderando de la escena, cargándola de realísima irrealidad. Lo triste, José Antonio, lo que más me deprime, es que el público no entendía nada. ¡No entendía nada, José Antonio, no entendía nada! Y eso que lo que ocurría en escena era terso, bellísimo, aun para un escéptico; diáfano, auténtico, para el creyente. En la escena culminante del segundo acto, una señora que estaba en la fila detrás de la nuestra, se reía con carcajadas histéricas: estaba bien nutrida, iba bien vestida, y probablemente, por ciertas rutinas, se tiene por persona espiritual.

Esto es lo que me deprime, José Antonio, la conclusión a que hay que llegar, aunque no se quiera: el público teatral es muy malo. Sí, ya lo sé (estas obras eran excepcionales): el teatro que se representa es, en general, muy malo también. Ello se muerde la cola: yo no sé si el teatro es malo porque el público que va al teatro es malo, o si el público es malo porque el teatro a que lo tienen acostumbrado es una basura. Ni sé cómo se podría romper ese anillo vicioso.

★ ★ ★

...Pero no era de nada de esto de lo que yo te quería hablar; yo te quería hablar de la minoría, de la función de la minoría en la vida estética contemporánea. Ya sabes cuán lejos estoy de toda fórmula minoritaria. No me interesa el arte ni para mi regodeo egoísta ni para el de unos pocos. El arte es esencial a la vida de los pueblos, y no hay pueblo que lo sea con sentido riguroso si, al lado de su sistema sanguíneo (voluntad de ser), no hay, profundamente arborizado, un sistema nervioso (capacidad estética, es decir, de contemplar y soñar). Claro está que esa penetración social del arte ha de ser por niveles muy distintos, con concentración estética distinta para cada estrato. Compara lo que ocurre en la enseñanza: escuela, instituto, universidad (e investigación) forman la gran cadena, ¡y que no falle ninguno de los eslabones! Ni Menéndez Pidal sirve para enseñar a los chicos de la escuela, ni Mallarmé es para las masas.

Pero la minoría es indispensable. La minoría, y aun su caricatura, el esnobismo. Dice San Agustín que el diablo es la *simia Dei* (mico de Dios), y así, el esnobismo es la *Simia poesiae* o *simia artis*. Pero lo mismo que el diablo tiene su función dentro de la teología católica, así el esnobismo la tiene también en la estructura social del arte. La minoría es el centro creativo, generoso, auténtico, irradiante: el esnobismo, tan mentiroso y tan estúpido, es, sin embargo, un instrumento ciego (con orientación de ciego), que sirve para difundir la oleada de algunos de los nuevos latidos de ese incansable corazón estético de la humanidad.

Perdona, José Antonio: ya sé que no te gustan las pedanterías ni los reóforos. Yo quería decirte sólo —arrimando el ascua a una sardina de la que no me pueden tocar sino algunas raspas— que mi generación, unos diez años anterior a la tuya, nació minoritaria, pero nació intensísima y en su momento justo, y al crecer (era su impredecible destino) a mayoritaria, ha cumplido un fantástico papel de transmisora de dos cosas: 1.º un sentido del centro poético (de no andarse por las ramas, por la decoración, como, p. ej., el modernismo); 2.º una rigurosa ejemplificación técnica. En lo primero continúa, y en cierto sentido intensifica, la línea de Unamuno y de la reacción de Juan Ramón Jiménez y los Machado frente al modernismo; en lo segundo, crea. La misión de esa generación poética ha sido portentosa. Ella, y sólo ella —aunque muchas veces no se diga—, ha hecho posible este fenómeno extraordinario que hoy se da en España: que haya más poetas buenos que nunca (ojo, que no hablo de "grandes poetas", sino de "poetas buenos"), que se publiquen, sueltos o en colección, más libros de poesía que nunca, más revistas que nunca (en cada capital de provincia, y casi en cada pueblo de los que ya hacen pinitos de ciudad, una o varias). Esto quiere decir una cosa, en verdad importante: que se ha creado un público poético, un público poético todo estratificado, pero entre los diversos estratos hay siempre una serie de vínculos. Sí, hoy hay un público poético. ¿No lo quieres creer? La estratificación hasta alcanza niveles populares. Hoy, en Madrid y en otras ciudades, hay cafés en los que se celebran veladas poéticas que atraen considerable público (a veces, me dicen, ante uno de ellos han sido necesarias cargas de la policía, por insuficiencia del local). En el extremo de esta línea veo a Pío Fernández Cueto, denodado difusor, tan noble en su arte, a pie con su hatillo al hombro hacia una aldea apartada: en la escuela o en la plaza del pueblo, creará durante dos horas un ámbito iluminado de poesía. ¡Y cómo lo agradecen aquellas almas! Pienso en cincuenta Píos Fernández Cueto, regando con la mejor poesía —clásica y de hoy— toda nuestra tierra española...

En resumen: el arte de minorías y el de mayorías son necesarios los dos, recíprocamente necesarios, unidos por mil grados distintos, por mil venillas, todas con su función. En España, en poesía, se ha llegado a un estado próximo al del equilibrio o interdependencia de los dos polos. (Estado, por otra parte, que tiene muchos peligros: pero ése es otro tema.) Existe hoy un público poético; y no se ha creado, en cambio, un público teatral. Eso que va a los teatros es masa sin polarizar o sólo polarizada hacia lo peor. Es masa, es decir: no es público. Ha faltado una minoría teatral. Sí, ya sé: siempre ha habido alguna entusiasta asociación. Y la, en conjunto, buena labor del Español y el María Guerrero. Haría falta una intensa vida teatral difundida por toda España, de teatros experimentales, salas comerciales pequeñas con un público selecto, teatros de repertorio... Ya sé cuán difícil es la creación de un público teatral (cuánto más que la de un público poético), porque el señor que ha redondeado aquel día un negocio más o menos pulcro, que ha cenado bien y ha pagado su butaca, quiere que le diviertan y no le inquieten. (Su mujer ríe histéricamente en el momento culminante de *Cocktail Party*). Ese es el problema: divertir a ese señor e inquietarle sin que se dé cuenta. Y sobre todo (porque este señor nunca será "público"): aislarlo, rodearle de "público" verdadero.

...Pero ¡de qué cosas te estoy hablando, José Antonio! Porque tampoco era de esto de lo que te quería escribir. Pues, mira, ha de resultar que no iba yo tan descaminado. Mi primer impulso al comenzar esta carta había sido reñirte. Pero lo dejaré para el final. Tú has publicado hace poco tu libro *Las cosas del campo*. Ese libro tuyo yo lo pondría en las manos de todos; haría una edición nacional para que fuera el texto en que aprendieran los españoles a leer en las escuelas; se lo daría a los tristes habitantes de las ciudades, ciegos para toda la hermosura de la naturaleza; lo repartiría por los campos, allí donde las gentes —engañadas de la apariencia mentirosa— anhelan los placeres ciudadanos. Tú, con la rotación de las estaciones, tan bella y tan sencilla, sobre tu campo antequerano, llevas el alma a la contemplación del ambiente verdadero del hombre, que estas cárceles de cemento, tan sucias, nos hacen o no conocer u olvidar. Veo, pues, en tu libro una utilidad: porque es que yo no creo que la humanidad (cada vez más chabacana: ¡tanto estruendo de altavoces!) se mejore y se afine, si no vuelve, o llega, a sentir la hermosura del marco natural en que Dios la colocó.

Aparte de eso, como profesional escritor (y siempre aprendiz de crítico) te diré que tu libro es en sí mismo una hermosura. Es un libro que, probablemente, nadie sino tú hubiera podido escribir hoy en España. Era necesario una confluencia de condiciones que sólo en ti se dan: herencia, cultura, conocimiento de lo distinto (viajes), y mucha vida diaria, y amor en ella y para ella. Por eso tus ojos, como milagrosamente, se han limpiado para mirar el campo, y lo ves elementalmente, es decir, en toda su hermosura elemental, esencial. Y uno se embriaga también, y el alma se esponja y se enamora de toda esa belleza que tú tan intuitivamente describes. Y ya se diría uno (¡tan cansado!) vieja encina florecida, que haría —como tus encinas en flor— locuras de enamorado primerizo y rústico: dar gritos, pegar saltos, iniciar cabriolas. No; no lo digo bien. Porque no es eso, sino un júbilo que se aquieta: Quedar sereno, con una serenidad de campo, como si el alma fuera campo tranquilo. ¡Qué bien nos hace un libro así! ¡Cuánto consuelo!

Y debo añadir que no es sólo hermosura interior la que hay en tu libro: exteriormente, también la prosa es una maravilla. Ya sé que esto es lo que menos te preocupa; pero yo te debo decir que hay en ella una diafanidad, una serenidad, una ponderada vitalidad que la hacen verdaderamente clásica. Por lo menos lo que yo creo que debe ser un clásico moderno: vitalidad serena; por vital, de hoy; por serena, de siempre. Has escrito, sencillamente, el libro de prosa más bello y más emocionado que yo he leído desde que soy hombre (es decir, desde que leí *Platero y yo*).

Sí, te tenía que reñir, y para que resultaran claros los motivos, me ha sido necesario avanzar por los meandros de una línea muy sinuosa. Hemos hablado de la interdependencia entre arte mayoritario y minoritario. Tengo que reñirte ahora por la edición. Y conste que la riña no incluye, de ningún modo, al "Arroyo de los Ángeles", la exquisita colección malagueña que inspira Bernabé Fernández Canivell, verdadero ángel para la poesía. El "Arroyo de los Ángeles" es uno de esos elementos minoritarios que son indispensables para la sanidad estética de un país. La riña es a ti sólo. Porque el arte, la literatura, la poesía (y este libro tuyo, en prosa, no es sino emocionada y armoniosa poesía) deben mantenerse en los límites minoritarios sólo cuando sean también esencialmente para minorías. Tú eres por impulso, por distintas herencias y por educación, un escritor minoritario, porque eres un escritor delicadísimo. Pero fíjate bien que lo delicadísimo es siempre sencillísimo. Y cuando tomas como tema el más elemental: aire, agua, tierra y calor, resueltos en una rueda de hermosura, lo que serenas en tus manos, pasado a hermosura de prosa, es tan humano, tan engaste y condición del hombre, que a todo hombre ha de mover, lo mismo a la minoría eterna que a la gran mayoría inmortal. ¿Cómo?, ¿este libro tuyo va a quedarse en esa edición limitadísima, selectísima, del "Arroyo de los Ángeles"? ¿Va a quedarse en 200 ejemplares para 200 exquisitos, privilegiadísimos lectores? Sería un egoísmo pecaminoso. No; este libro tiene que volar en muchos miles de ejemplares. ¡Que vuele por toda España, que los españoles no se ilusionen con trampantojos ni artificios, que aprendan la belleza de lo elemental y de lo primario! Sí; yo quisiera que *Las cosas del campo,* en edición copiosa, llevaran a muchos corazones la serenidad y el consuelo que han traído al mío.

Gracias, José Antonio. Un abrazo de

Dámaso

RECUERDOS FELICES: COLOMBIA

A Tito Zubiría

1948. Cuando caímos del cielo en el aeropuerto de Cali, llevábamos un aparatoso despliegue (recuerdo invernal: Buenos Aires, Santiago de Chile) de abrigos y paraguas: "seis abrigos" (para dos personas), según decía, con amistosa chunga, el *Relator* al día siguiente. Porque, en efecto, nada más inoportuno: en el centro del día reverberaba en el aeropuerto un sol de horno (es decir, como un sol que reconcentrara su fuego dentro de un horno).

Veníamos de Lima. Habíamos botado de lo lindo Eulalia y yo en un avión desierto (únicos pasajeros: nosotros) sobre los montes de El Ecuador, recubiertos de un verde espeso y lustroso; el avión —una lata de tomates vacía— daba imponentes saltos entre remolinos; iba como enlazando o enhebrando toda una serie de formaciones tormentosas, de tal modo que, apenas dejábamos una atrás, penetrábamos en la siguiente. Luego —por debajo de blanquísimos, avellonados y espaciados cúmulos— se abrió un ancho valle en el que pastaban ganados. Fue la primera vista de la maravilla: el valle del Cauca.

Y caímos con nuestro equipo invernal en el fuego del mediodía de Cali. "Espere usted sólo una hora y ya verá qué brisa deliciosa se levanta", me dijeron. Y, en efecto, minutos después, Cali era la imagen del paraíso terrenal.

Entré en Colombia por Cali, como por la puerta grande del Paraíso, pero todos mis recuerdos de Colombia son matices de lo paradisíaco.

¡Hala, en automóvil a Popayán! ¡Qué ciudad, Popayán! "En Colombia, no deje usted de ir a Popayán", me había dicho, con su español agudillo, mi amigo Bullock, de Cambridge. Bullock es un inglés exquisito, y yo me fío siempre de su consejo.

Por aquel valle del Cauca, anchísimo —con anchura de provincia, o, quizá mejor, de región española—, feraz, riente (¡el paraíso, el paraíso!), pasando por aquellos pueblecitos negros donde se cultiva el cacao (pero ¿estamos en el corazón de África?), hala, arriba, a Popayán. Y Bullock tenía razón. Sí, qué delicia. Popayán es una de esas ciudades para superturistas, porque su encanto no es charro, no es resaltón, se escaparía de las postales: es una combinación de luz celeste y de luz humana, reflejada, todo en tintes delicadísimos: el rosa más pálido, el tímido verde primaveral, el azul que apenas se insinúa. Y en los palacios coloniales, largos, de planta sola, o de planta y un piso, con sus rejas que por abajo se acilindran (¿dónde el galán?), la gravedad se dulcifica con los tiernos, virginales colores. Y es ya una gravedad amable: palacios finos, amables y serenos, que no se recargan con nada, que, por suprema elegancia, ostentan una tierna sencillez. Detrás, los cerrillos redondeados y verdes, y la alta estatua ecuestre. Un volcán que humea, allá muy lejos.

Y subimos a la sabana de Bogotá. Una naturaleza mucho más austera, a ratos grave, con tonos y lejanías velazqueñas. Nubes plomizas, que a veces se enredaban en la cima del

Montserrate bogotano. No, no hace frío; en la habitación del hotel, un puntito más, y ya haría frío. Pero no lo hace. Por otra parte, la más cálida acogida lo caldea todo. Y en cuanto nos derrumbamos en un auto, desde la sabana (unos kilómetros: por ejemplo, por Tequendama, un poquito más abajo) ya estamos en tierras calientes. Pero, en Bogotá mismo, ¡qué calor de amistad! ¿Cuándo os pagaré, amigos, poetas, escritores, vuestra acogida? Jorge Rojas, cuya casa invadíamos diariamente; Eduardo Carranza, en la Biblioteca, que entonces dirigía, en su hogar, en las páginas del periódico; Antonio Oviedo, que tanto empeño tuvo en que yo visitara su país; Rivas Sacconi, con la seriedad científica de su Instituto, que honra a Colombia —y sus tías, aquellas dulces señoras, en la casa refinada—; y Fernando Charry Lara, y el maestro León de Greif, y Carlos Martín, y Arturo Camacho, y Jorge Gaitán, y José Nieto, y Tello, y Jaime Posada, y Álvaro Mutis, y Lucio Pabón Núñez, y Guillermo Payán Archer, y tantos otros que estarán ya siempre en mi cariño. Y aquel público fervoroso, el más interesado, quizá, por la vida del espíritu, de toda Hispanoamérica.

No: miento. Porque fuimos a Manizales. Ocurre que si (no pensando ahora en cultura acumulada) atendemos sólo al elemental deseo de saber, quizá es Manizales la ciudad más interesada por la cultura de todas las del mundo.

Es Manizales una ciudad provincial, encaramada en lo alto de un monte de 2.000 metros, con calles inverosímiles que de repente se cortan a pico sobre el abismo. Habíamos subido en auto desde el aeropuerto de Pereira, a través de una inmensa zona de cafetales: paisajes de extraña belleza. Pensábamos hallar en Manizales una ciudad nueva (es apenas centenaria), atenta sólo a intereses materiales; y nos encontramos con un ardor, una pasión intelectual nunca saciada. Cuando entré en aquella sala inacabable del teatro donde

di una de mis conferencias, y vi diez o doce filas de butacas,
llenas de muchachas y muchachos, a todas luces estudiantes
de colegios, casi niños, me las prometí poco halagüeñas. Pues
no se movió ni uno; y eso que mi conferencia estaba pen-
sada para un público con preparación, digamos, universitaria. Y lo mismo me han dicho conferenciantes españoles que
han pasado por allí después.

Atento al lucro industrial y a las normas yanquis de vida,
y menos a la vida del desinteresado espíritu, Medellín levanta las chimeneas de sus poderosas fábricas en el centro de
un paraíso terrenal en medio de la vida moderna.

Más al Norte, sobre el Caribe, nos esperaba, cargada de
recuerdos españoles, Cartagena, nuestra antigua Cartagena
de Indias, con sus murallas frente al mar. Y allí otra vez
amigos cordialísimos, críticos, poetas, Bossa Herazo, Héctor
Rojas Herazo, Gustavo Ibarra..., nos hicieron hogareña la
estancia. La huella española está presente en la abigarrada
ciudad inolvidable. Nuestro corazón palpitó cuando, visitando
el castillo, el guía dramatizaba al relatar emocionado la hazaña de Blas de Lezo: "¡Y a pesar de la orgullosa medalla
acuñada, Cartagena no se rindió!"

De allí a Barranquilla, al aeropuerto.

Seis semanas que quedarán unidas a eso que llamamos
recuerdo y que es ya una parte de nuestra alma. Colombia:
paisajes bellísimos y variados, mujeres encantadoras, con el
atractivo del trópico y con la más refinada cultura; y en
todas partes, amistad, brazos abiertos que se nos tendían;
todo con una gran autenticidad. Uno de los países menos
esnobs y más auténticos que yo conozco.

...Pero cuando quiero concentrar en una sola imagen
aquella sensación de agrado, sí, aun de agrado físico, que Colombia me dio, vuelvo a recordar a Cali. Desde mi cuarto del
Alférez Real se veía el Cauca, y se le oía dulcemente gemir.

Traíamos en los ojos la visión luminosa del valle incomparable. La calle adyacente al hotel, llena de botillerías y de bares (una especie de calle de las Sierpes) hervía de vida. Y como concentrados nódulos de esa ebullición vital, bellas mujeres ondulantes rasgaban la multitud, dejando, abriendo, una larga estela de nostalgia en la memoria.

Atravesamos el puente y fuimos paseando hasta la casa de los señores de Zavadsky. Inmensos troncos brotaban en medio de la acera, como para recordarme con cuánta potencia puede concentrarse la vida. Y en casa de los Zavadsky vi las grandes puertas de hierro enrejado en una tracería delicada. Grandes puertas de reja, sin maderas, sin cristales: puertas de aire. En la parte de atrás del salón, otro arco abierto daba a un patio. Pensé en la estación (últimos días de septiembre), e incauto guadarrameño, pregunté cómo cerraban aquellas puertas en la época más fría..., porque habría una estación más fría. Y Clara Zavadsky me contestó amablemente, sin reírse de mi ignorancia, que aquellas puertas no se cerraban nunca, porque allí mayo, septiembre, diciembre, febrero, todo era lo mismo.

Cuando más cansado estoy de este estúpido ajetreo diario, cuando más desalentado estoy, cuando la calle es fango y nieve, cuando el amigo o el discípulo más querido me pega la puñaladita por la espalda, cuando infame mano velluda me amenaza con la calumnia desde las sombras, en una palabra: cuando la vida es hosca, yo recuerdo aquel dulce aire siempre aromado de flores maravillosas, atravesando la tracería de hierro de las puertas inexistentes.

HACIA UN CONOCIMIENTO CIENTÍFICO
DE LA OBRA POÉTICA

Gracias a las llamadas Historias de la Literatura —necró-
polis, a veces bellísimas— vamos sabiendo bastante de todos
los cuñados de las primas de los grandes escritores. De lo
único que no sabemos nada, nada, es de la obra literaria,
porque no es saber nada de ella conocer la fecha de su impresión, la historia de sus mutilaciones y "cuántos ejemplares
pasaron a América", etc. Ni es nada conocer la historia de
los modelos que han pesado sobre la obra literaria, ni la
huella de imitaciones que de ella proceden. Todo eso son
exterioridades, muy interesantes, sí, para la Historia de la
Cultura, pero que no tienen que ver con la razón interna de
una obra de arte, con el sistema de leyes por que se rige, y
con lo que le ha dado su insobornable cohesión de organismo,
y de organismo único. En una palabra: no sabemos nada de
esa misteriosa unicidad de la obra de arte: terrible y solita-
ria, terriblemente única, como yo, como tú, lector, como Dios.

La obra literaria está ahí, gran desconocida. Sí, ahí está
el Poema. Las historias de la literatura nos han contado,
quizá, el contenido —el famoso "argumento"—, que pudo
bien haberse vertido en prosa, o en forma dramática, o que
pudo haber dado origen a otros mil poemas diversos. No es

eso, no se trata de eso: lo que necesitamos es un conocimiento científico de este poema, de esta criatura en cuanto ser, en cuanto organismo único.

Hay por estos días, diseminados por el mundo, muchos hombres que están embarcados en esa gran aventura: la de llegar a un conocimiento científico de la obra literaria: unos se andan por las ramas, otros se polarizan certeramente hacia el centro misterioso; unos tienen conciencia del trabajo total de que son parte, otros, inconscientes, se allegan como esas hormigas que van distraídas por el sendero, y si ven que entre muchas otras arrastran un tesoro, con súbita actividad se ponen también a "ayudar", sea como fuere, ya de cabeza, ya de culo: hormigas insensatas que todo lo echan a perder.

No: el problema es serio. La humanidad tiene un conocimiento propio de la obra de arte: la intuición, la intuición del lector; la del crítico, también; la del crítico doblemente intuitivo: como receptor de la obra de arte y como expositor de sus impresiones (con esto queda dicho que el intento actual de un "conocimiento científico" es radicalmente distinto del conocimiento de la crítica). El problema es éste: la obra de arte, cognoscible de modo directo por la intuición, ¿podría ser también objeto de un conocimiento científico? Seguramente que el lector sabe cuánto se ha agitado modernamente esta cuestión. En otro sitio he tratado de señalar hasta qué punto podía ser la obra literaria objeto de conocimiento científico: hay un límite, creo, que sólo sobrepasa la intuición. Pero hay amplias zonas o modos de la obra artística abiertos a la investigación científica.

Esta investigación la lleva a cabo la Estilística, que, hoy por hoy —digan lo que digan ciertos venturosos optimistas—, no pasa de ser una ciencia en formación. Cuando llegue a estar constituida, se confundirá con la Ciencia de la Literatura, pues sólo la Estilística podrá llenar el objeto de la Ciencia de la Literatura. En efecto, en este campo no hay más objeto que las obras literarias, como en la Matemática no hay otro sino los números. En la Matemática no nos importa que éstos estén escritos con tiza o tinta, en numeración romana o arábiga, ni tampoco —esencialmente— que estén en nuestro sistema decimal o en otro cualquiera, ni menos nos importa que Pitágoras tuviera una querida o no, o que la notación algébrica fuera inventada o no por los árabes... Es el estudio interno de los números y sus relaciones lo único que importa. En la Ciencia de la Literatura (que hoy por hoy no existe, sino en deseo, a pesar de algunos volúmenes que en el mercado internacional —con mentira y con befa del lector— ostentan este título), no tiene nada que ver la historia externa de la obra literaria. Es la obra misma como cosmos cerrado en sí, con sus leyes internas, lo que importa. Por este camino, serían, en fin, los principios generales (¡si los hay!) que rijan a todas las obras literarias nuestro último objetivo. No sabemos hasta dónde se podrá llegar; sí, que ésta es nuestra meta; sí, que nadie ha hollado la profundidad de este camino.

En una palabra: que la obra literaria es una gran desconocida; que en la Humanidad despiertan ahora unas ansias nuevas de lograr ese conocimiento.

Esta es la tarea a la que se ha puesto Carlos Bousoño. Se ha puesto con magnífico y juvenil entusiasmo. Y lleva a ella —íntegramente— sus dotes de poeta —de creador— y de crítico. Porque no lo hemos dicho, pero es necesario no olvidarlo: este tercer conocimiento o conocimiento científico exige haber pasado por dos conocimientos intuitivos: el de "lector" o primer conocimiento, y el de crítico, en quien a las dotes impresivas del "lector" se añaden otras expresivas, que son también intuicionales. ¡Que nadie que no haya pasado por estos dos grados crea poder llegar al tercero! Es lo que, por desgracia, ignoran bastantes trabajadores de buena fe esparcidos por el mundo: técnica de inocentes cuentahilos, estilística de "mimbres y tiempo" por la que no se va a ninguna parte.

Llega Carlos Bousoño a la tarea, caballero novel, pero con una "experiencia" previa que pocos investigadores maduros tienen. Y resulta, además, que este intuitivo, este poeta, tiene una inteligencia organizada de un modo riguroso. Ha tomado como objeto de su trabajo la obra de un gran poeta contemporáneo, Vicente Aleixandre, generalmente considerado como poeta difícil. Asombra la segura capacidad de análisis de la inteligencia de Bousoño. Penetra en la profundidad boscosa de la poesía de Aleixandre, y a su paso ésta se nos va ordenando en claras categorías.

Sí, ya sé a cuántos molestan estos análisis que consideran empequeñecedores: molestan a todos los perezosos, molestan a todas las inteligencias fungáceas (¡tan abundantes!), molestan a todos los que no quieren enterarse de que no se trata de suplantar la intuición del lector ni la del crítico, sino de buscar un conocimiento de la obra literaria, ni superior ni inferior al de lectores y críticos, pero sí esencialmente distinto del de éstos. El que analiza, no por analizar ha de perder el sentido total de la obra: Carlos Bousoño, en su implacable penetración, jamás depone su intuición vehemente de la poesía de Aleixandre como un todo; jamás pierde sus capacidades expresivas de crítico.

Aquí reside mucho del encanto de la presente obra, lo que —para nuestro gusto— la sitúa muy por encima aún de estudios debidos a nombres de fama internacional. Bousoño expresa con segura exactitud lógica el resultado de analítica indagación, pero como es un científico doblado de poeta y de crítico, cuando el lenguaje de representaciones conceptuales podría fallar o ser insuficiente, surge, trabado con él, complementario, el salto ligador, el vínculo de la metáfora, que refuerza con atadura de imagen lo que la sobria expresión intelectual había ya estructurado.

En ciencia, por otra parte, análisis no es nunca más que una etapa del camino. Se analiza para sujetar a órdenes superiores los elementos aislados. Es la labor que tiene delante la Estilística si ha de constituirse verdaderamente en organismo científico. (No es éste el momento de establecer la oscura problemática que rodea a ese naciente arbolito.) Sí diré que en el libro de Bousoño el lector ve surgir leyes de la expresión, seguras en Vicente Aleixandre, que habrán de ser comprobadas en otros.

En fin, el objeto de la Estilística puede ser una obra de un autor, la obra total de un autor, la producción de un país en un período literario, la de un período literario en su amplitud mundial, la de una nación. Es decir, estilística del Quijote; de Cervantes; de la literatura española del siglo XVI; de la literatura europea en el siglo XVI; de (toda) la literatura española, etc. Así, con objetos cada vez de más extensión. Es evidente que sólo el trabajo intenso de zonas reducidas permitirá el paso a campos más extensos. Pero es posible también el ensayo, que puede apoyarse a veces, de un lado, en investigaciones estrictamente científicas, de otro en la intuición (porque, entendámonos, todo hibridismo entre métodos estilísticos e intuitivos es posible... y necesario). Así ha llegado a establecer Bousoño una de las distinciones más generales e importantes del libro, al separar el "símbolo", y lo que él llama "imagen visionaria" y "visión", y determinar que estos tres fenómenos, y sobre todo el último, son peculiares a la poesía contemporánea. La perspectiva que se nos descubre es tan amplia como importante. Bien sabemos que sobre el tema se abrirá discusión. Creemos la distinción de

Bousoño ya fértil en sí, y que en todo lo que tiene de fundamental habrá de prevalecer.

Por otra parte, el análisis de Bousoño sobre el dinamismo expresivo llega también a resultados de alcance general. Su idea sobre el dinamismo del verbo, del adjetivo, del sustantivo, etc., es compleja y me parece exacta. Bousoño llega a hallar algunas leyes de carácter genérico que seguramente podrán en adelante aplicarse también a otros poetas. Ellas le sirven para escribir a continuación uno de los capítulos más sugestivos del libro: el capítulo XIV, donde se estudia la sintaxis del poeta desde un ángulo nuevo: en lo que tiene de flúidamente expresiva. Pero no es necesario seguir entrando en pormenores sobre todo lo que el presente libro aporta de nuevo (ya en el enfoque, ya en los resultados) a esta clase de trabajos. ¡Qué enorme cantidad de novedosas observaciones sobre las normas del versículo de Aleixandre, sobre su complicada organización de la imagen poética, sobre las consecuencias del suprarrealismo en el desarrollo de su obra total! Y nada más lejano de la imprecisión o de la vaguedad anodina. La penetración es siempre honda y la exposición llena de claridad.

He seguido la carrera de Carlos Bousoño desde que, aún casi niño, me entregó, allá en Oviedo, sus primeros versos, totalmente inmaturos y pronto olvidados por él; luego, a su llegada a Madrid, le puse en relación con Vicente Aleixandre; pasó por las hileras de bancos de mi clase —tan árida y estrictamente positiva—; fui director de la tesis en la que —en primitiva versión— se presentó este libro al doctorado de Letras de la Facultad de Madrid —primera vez, si no me engaño, que un estudio sobre poesía contemporánea ha sido acogido por la Universidad española—. Carlos Bousoño no sólo ha puesto en este libro su hiriente intuición de poeta y crítico, la claridad lógica de una inteligencia poderosamente organizada, sino muchas horas, muchos meses de trabajo. Y esto quisiera hacer resaltar para los hombres jóvenes de España que se sientan llamados a esta tarea de la creación de una ciencia literaria. La tesis que Bousoño presentó ha sido reelaborada y casi refundida totalmente con un trabajo que no ha cesado sino inmediatamente antes de la impresión.

Ya está bien, Carlos. Vicente Aleixandre tiene la fortuna de ser uno de los poetas mejor estudiados de la literatura española, si no el mejor. Has compuesto un gran libro: nítido, exacto como obra de ciencia; vehemente y hondo, con pasión y entraña de poesía.

DEFENSA DE LA LENGUA CASTELLANA

(Misión de las Academias)

La "Académie Française" tuvo su origen en el siglo XVII. La Real Academia Española fue fundada en el XVIII, a imitación de la francesa. Mantener y fomentar un elevado nivel de dignidad literaria fue misión, desde el principio, de ambas Academias. Junto a ello, o como parte integrante, velar por la pureza de la lengua.

A lo largo de los años la función de la Real Academia Española ha ido disminuyendo en lo que toca a la mera literatura. No por disminución de la calidad de la Academia, sino por el crecimiento y difusión de la literatura, sobre todo de su enseñanza y de los órganos de la crítica, a través de todo el país. Consideradas en la perspectiva de la literatura, las Academias podrán incluso parecer, a unos, una antigualla, a otros, unos organismos meramente decorativos.

No ocurre así en la perspectiva lingüística. La importancia lingüística de las Academias puede ser enorme. Más aún: esta posibilidad de eficacísima función, esta coyuntura que se les ofrece es un signo de nuestro tiempo. Una prueba de ello está en la reunión de estos Congresos: el primero, de Méjico, y el segundo, este de Madrid (y los que seguirán), y más aún en que aquél se debiera a iniciativa estatal, y que uno y otro hayan sido amparados económicamente por los Gobiernos de Méjico y España. ¿Sabéis por qué? Porque la lengua está en peligro; porque nuestro idioma común está en un peligro pavorosamente próximo. Y para dirigir la lucha organizada contra ese peligro los únicos órganos adecuados son las Academias de la lengua. He aquí cómo a nuestras viejas instituciones de raigambre dieciochesca se les abre ahora un panorama modernísimo: una posibilidad de ser órganos vivos, alerta, actualísimos, eficaces.

Soy sincero, y lo voy a decir en pocas palabras. Si me interesan las Academias de la Lengua Española, y el pertenecer a una de ellas, es casi únicamente porque espero (iba a decir "porque aún no he perdido la esperanza") que sean instrumentos adecuados para luchar contra ese peligro inmediato y pavoroso. Creo que estos Congresos deben ser, ante todo, exámenes de conciencia. ¿Vamos a ser, vamos a constituir órganos verdaderamente adecuados a las necesidades de los días que vivimos? Quiero la tradición: la buena y útil. Pero la otra, lo que hace falta es arrumbarla. A las Academias les convendría —es opinión puramente personal— arrojar la casaca dieciochesca. Estaríamos mucho más ágiles.

Sí, aun nuestro mismo lema puede resultar equivocante: "limpia, fija y da esplendor". ¿Qué esplendor? Señores, no se trata de esplendor alguno, sino de evitar que dentro de pocas generaciones los hispanohablantes no se puedan entender los unos a los otros. El problema que tenemos delante no es el de dar "esplendor", sino el de impedir que nuestra lengua se nos haga pedazos.

Por eso yo desearía que a la medalla que llevamos sobre el pecho, algún ingenioso emblemista le grabara otro lema más actual, un lema que expresara nuestra voluntad decidida de hacer todo lo posible por impedir la fragmentación de la lengua castellana.

En mí, eso está grabado en otra medalla mucho más honda; como que lo llevo metido en el corazón.

La inteligencia humana se puede proponer como objeto el lenguaje, con dos fines principales: el de estudiarlo o el de dirigirlo. El estudio desinteresado de la lengua, considerándola como otro objeto más de la curiosidad científica, casi se puede decir que comienza en el siglo XIX; durante ese siglo hace grandes avances en lo que toca a la recolección y recuento de materiales y a su primera ordenación y comparación; y en el siglo presente continúa con generosos intentos de alcanzar verdades más profundas, de llegar al conocimiento de un lenguaje (y del lenguaje) como organismo, en su funcionamiento estructural. La otra perspectiva, la de estudiar el lenguaje para dirigirlo, tiene una enorme antigüedad. La principal preocupación fue primero la de dirigirlo en el individuo (gramáticas normativas). Mezclada con ésta, aparece pronto otra: la de mejorarlo en la sociedad, es decir, la de guiarlo o modificarlo, dirección ya patente entre nosotros en una obra como el *Diálogo de la Lengua*, de Valdés. Lo que es nuevo es que los Estados mismos se ocupen de la dirección lingüística. Este fenómeno empieza, precisamente, con la fundación de las Academias, pero adquiere gran importancia y desarrollo sólo en nuestro siglo. Pero entre los distintos Estados hay enormes diferencias.

De un lado, la máxima intervención lingüística; de otro, una total libertad. Representan el primer polo los Estados totalitarios. La última exageración de esta tendencia sería Rusia; en Rusia, y también en varios países satélites, los famosos artículos lingüísticos de Stalin, publicados pocos años antes de su muerte, produjeron un cambio súbito no sólo de toda la política lingüística, sino de toda la investigación científica del lenguaje. En Italia, en la época fascista, el interés estatal se concentró, sobre todo, en la lucha contra el extranjerismo; era consecuencia, por tanto, de la exacerbación nacionalista (sumamente peligrosa en materias de lenguaje). Desapareció por entonces de las gramáticas el uso de *lei* como pronombre de cortesía, sustituido por *voi;* se eliminaron de los periódicos muchas voces de origen extranjero y se sustituyeron por otras castizas, inventadas o resucitadas; los diccionarios, por ejemplo, el de Palazzi, traían como apéndice largas listas de extranjerismos que debían proscribirse. Desaparecido aquel régimen, algunas de estas sustituciones, que eran útiles, persisten; otras, como la del empleo de *voi* en vez de *lei,* desaparecen.

La máxima libertad y despreocupación es la inglesa. Inglaterra, el Estado inglés, ha mantenido la más olímpica indiferencia ante los destinos de su idioma, a pesar de los pesares, a pesar de la enorme diseminación y utilización por gentes de climas y razas muy distintas, a pesar de las grandes diferencias de pronunciación patentes ya hoy entre los Estados Unidos y la antigua metrópoli. Una posición más vitalista que intelectual, una antigua enemiga a las limitaciones de la libertad, han hecho posible lo que parece absurdo. Ni siquiera sintió Inglaterra la necesidad de una Academia de la Lengua. Y ese espíritu de libertad idiomática y cultural ha tenido hasta su clásico: el famoso ensayo *The Literary Influence of Academies,* que Matthew Arnold publicó en 1865.

Entre la coacción política totalitaria y la extrema libertad e indiferencia del inglés, en Francia, como siempre, lo que triunfa es la inteligencia. Allí dominan aún los criterios de pureza y de claridad; el público se sigue interesando siempre por las cuestiones del lenguaje (la sección lingüística de *Le Fígaro* es desde hace mucho un éxito). La Academia, institución oficial, no tiene una autoridad de tipo legal coactivo, pero es, en general, respetada como supremo juez.

Haríamos muy mal si de este panorama quisiéramos sacar inmediatamente consecuencias para nuestro mundo hispánico. Las condiciones son muy distintas.

Nos puede ser simpática la total indiferencia estatal inglesa hacia los problemas de su idioma. Pero esta majestuosa indiferencia —diríamos, victoriana—, ¿va a poder durar mucho tiempo? Hay que decir que ha sido posible por dos causas: en lo interior, por la condenación social —más rigurosa que en sitio alguno— de la pronunciación plebeya, y, en general, del vulgarismo idiomático; y en lo exterior, por el prestigio de una poderosísima metrópoli en su relación con las colonias. Pero ¿qué ocurrirá el día en que éstas rompan todo vínculo? Para la salvación de la *koiné* de la lengua inglesa, frente al poder declinante de Inglaterra, se alza hoy el inmenso poderío aún creciente de los Estados Unidos.

Por su parte, ni Italia ni Francia nos sirven tampoco para la comparación. Sus problemas son esencialmente interiores. Francia tiene un imperio colonial, pero estas colonias no están desarrolladas aún de modo que se pueda prever la formación inmediata de Estados francohablantes independientes. Esos problemas interiores, ante todo el de la pureza idiomática, que el pasado totalitarismo italiano quiso resolver por la fuerza, y tantos otros que la dureza y rapidez de la vida moderna traen consigo, preocupan hoy profundamente en Francia. La conciencia de que se atraviesa allí una peligrosa crisis idiomática ha dado origen a reflexiones como las que se contienen en el reciente libro *Cinq propos sur la langue française* [1], en que distintos especialistas estudian aspec-

---

[1] De Mario Roques, André Siegfried, Marcel Arland, Roger Heim, Léon Bérard, publicación de la Fondation Singer-Polignac.

tos diferentes del problema, y varios de ellos en términos alarmistas.

Sin embargo, esos problemas que preocupan o han preocupado recientemente a Italia y Francia, apenas si nos pueden preocupar a nosotros. No tenemos ni tiempo para considerarlos. Son problemas de decoración y pulimento, propios de una casa segura. El problema nuestro es otro: que no se nos hunda la casa. Por eso decía yo antes que el lema de nuestras medallas está completamente anticuado: por lo que tenemos que luchar es por la unidad fundamental de nuestra lengua.

Por ninguna parte en el mundo moderno existe el ejemplo magnífico que a los españoles nos llena de orgullo, porque por sí solo expresa cuál fue el espíritu de nuestra colonización, y que debe ser motivo de gloria para todo hispanohablante, de un idioma en que hablan veinte Estados plenamente soberanos e independientes, y que es lengua cooficial de otro (Filipinas); que es, además, la lengua de una isla que está asociada a los Estados Unidos (y prescindo en esta enumeración del número enorme de hispanohablantes en todo el Sur de los mismos Estados Unidos y de los que viven en una ciudad como Nueva York, y del español que se habla por tantos miles de hombres en el norte de África, y del de los sefardíes y de las —pocas— colonias españolas). En lo que sigue me atendré sólo a los veinte Estados soberanos y a Puerto Rico.

Esto solo basta para indicarnos el gran peligro de fragmentación de una lengua que ha llenado tantos recipientes políticos totalmente independientes entre sí.

¿Por dónde se puede producir la fragmentación? Este *dónde* pregunta por la parte o materia del organismo idiomático, y al mismo tiempo también por los lugares geográficos en que pueden aparecer las quiebras. Respecto a lo primero, hay que decir que las roturas se producen en la fonética, en la sintaxis, en la morfología y también en el léxico; en cuanto a lo segundo, que allí donde hay o donde de nuevo se produce un límite político, hay un principio de rotura idiomática. Pero hay además grietas diferenciadoras, que a veces no coinciden con las fronteras de un país. La cultura moderna, la radio, el intercambio de prensa y libros, los viajes y, sobre todo, la enseñanza, contribuyen a borrar la labor fragmentadora; pero el principio de quiebra está ahí, y bastan condiciones históricas favorables para que se ahonde y abra.

Es un craso error pensar en una sola quiebra que separara el español europeo a un lado y el español de América al otro. Así, ligeramente, lo piensan los que consideran algunos fenómenos unitivos de toda América; por ejemplo, el seseo universal desde el sur de los Estados Unidos hasta la Tierra del Fuego, o, en el léxico, voces como *manejar,* americano, frente a *conducir* (un automóvil) peninsular [2], etc.

Se trata sólo de una ilusión. En primer lugar, el seseo no separaría, porque una buena parte de España sesea (Andalucía, aparte del seseo de otras zonas, gallega, vasca, etc.). Pero, además, cada zona hispánica tiene sus fenómenos destructivos. Piénsese en las articulaciones próximas a $\check{z}$ del Río de la Plata (*cabažo* 'caballo') que podrían evolutivamente llevar hasta una *j;* como no cabe dudar que ha ocurrido en castellano: lat. *palea* > lat. vulg. *pália* > forma románica primitiva *pálạa* > cast. ant. *pážа* > cast. mod. *paja*. Sáltese ahora a Méjico, y obsérvese el extraordinario relajamiento de las vocales no acentuadas; téngase presente que el triunfo de una tendencia parecida a ésa es lo que determinó la gran diferenciación del francés frente al español y el italiano. Pásese

---

[2] Salvo en algunos puntos de Asturias, donde se dice también *manejar,* por influjo sin duda de emigrantes repatriados.

inmediatamente a Chile y obsérvese la inclinación a la palatalización de las consonantes velares y guturales ante *e, i: la
mux^iér, la g^iérra.* He aquí un fenómeno muy destructivo que,
de desarrollarse libremente, puede contribuir en gran manera a alterar la fisonomía de un idioma; es el que produjo
que la inicial del latín *kentum* esté representada en románico
por sonidos tan distintos como esp. θjénto, fr. *sã,* ital. *šento,*
etcétera. Curiosamente, a veces las innovaciones fonéticas se
han refrenado más en Hispanoamérica que en España: en
Madrid está admitida, sin que se tenga por plebeya, la pronunciación *-áo < -ado* (se rechaza, en cambio, como vulgar *-ạo).*
Pero en Buenos Aires no se tolera *-áo,* considerado como feo
vulgarismo, y eso mismo ocurre en otras zonas de América.
Esta diferenciación en el sentimiento social puede favorecer
la evolución de *-áo* en España: sería *áo > ạo > ạu > óu > ó;*
es decir, lo mismo que ha ocurrido con *-atu* en el cantón de
los Grisones, en el alto engadino. Menéndez Pidal profetizó
esta evolución de *-atu* entre nosotros. Parece lejana, pero una
gran perturbación histórica la podría acelerar.

He aquí, pues, que en cualquier región de la gran *koiné*
hispánica existen ya latentes, ya más o menos desarrolladas,
las fuerzas fonéticas de tipo destructivo: basta que se produzcan circunstancias favorables para que se desarrollen rápidamente hasta su última consecuencia. Y las últimas consecuencias no se pueden prever, porque la destrucción o completa
evolución de toda una serie de sonidos en una lengua trae consigo (hoy lo sabemos mejor por los estudios fonológicos) una
serie de reajustes de otros sonidos, reajustes que pueden llegar
hasta los más alejados.

Como esos ejemplos podríamos haber puesto muchos más.
La fonética del mundo hispánico está, pues, bien cuarteada,
con quiebras en todas las direcciones, quiebras que no se desarrollan, que no se abren más porque la intercomunicación y

la educación las refrenan. Un siglo de profundas agitaciones puede traer un relajamiento de esas normas unitivas, y las quiebras se abrirían hasta ser abismos insalvables. Pero esos abismos podrían separar para siempre lo mismo Méjico de Buenos Aires, que Madrid de Buenos Aires o de Méjico.

Frente al gran relajamiento de vocales no acentuadas que hemos señalado en Méjico, el hablante argentino, que prolonga la vocal tónica, no sólo suele intensificar los acentos secundarios, sino que muchas veces resalta afectivamente vocales que no llevarían acento alguno. A esta luz, nada más opuesto entre sí que las tendencias que Buenos Aires y Méjico manifiestan en el tratamiento de las vocales; y en este punto Madrid queda como intermedio entre ambos extremos. La exageración de esas dos tendencias podría llevar a la lengua de Méjico y la Argentina por los derroteros más divergentes [3].

Se podría ver en seguida que determinados fenómenos sintácticos pueden producir enormes quiebras dentro de la comunidad de hispanohablantes de América. Sólo con mirar el mapa del "voseo" que prepararon Tiscornia y Henríquez Ureña, y considerar la cantidad de anomalías respecto al uso tradicional que el "voseo" trae consigo para el sintagma y reajustes que por él se producen, nos damos cuenta de que estamos ante un poderoso elemento de disgregación. De una parte, porque en las dos principales zonas de "voseo" (la ma-

---

[3] La relajación y aun pérdida de vocales no acentuadas en Méjico, ha sido observada varias veces: Henríquez Ureña, *BDH*, IV, 336, y Matluck, *NRFH*, VI, 1952, 112-113; véase también Boyd-Bowman, en *NRFH*, VI, 138-139 (es cierto que, como dice este último, la pérdida de la vocal no acentuada se produce, ante todo, en contacto con *s*, pero aun sin este contacto tiene el mejicano de la altiplanicie una tendencia constante hacia el gran relajamiento de las vocales no acentuadas y aun en ocasiones su pérdida). Esta tendencia es lo que principalmente hace a veces algo difícil para un castellano la comprensión de la conversación rápida entre mejicanos de las clases populares.

yor, las repúblicas del Plata; la menor, en Centroamérica) los
fenómenos secundarios a que da lugar no son iguales; en segundo término, porque en las zonas de lucha entre tuteo y
voseo se producen nuevos cruces; en tercero, porque extensas e importantes zonas (ante todo, la casi totalidad de Méjico) coinciden con el uso peninsular. Naturalmente que estas
diferencias no son perturbadoras mientras el organismo idiomático de la *koiné* conserva solidez y sanidad generales. Pero los
elementos disgregadores están también formando un a manera
de organismo diferenciado. ¿Quién vencerá a quién?

Esto tiene especial interés para lo que vamos a decir del
léxico. Todo el mundo está de acuerdo en la gran importancia que tienen los fenómenos de sintaxis o los de fonética en
un proceso de fragmentación idiomática. En cambio, se suele
creer que la diferenciación en cuanto a léxico carece de valor.
Así lo han afirmado a veces muy ilustres filólogos.

Creo que es necesario distinguir: en una comunidad lingüística pluriestatal no hay peligro alguno en que cada Estado tenga las diferencias de léxico exigidas por sus peculiaridades de flora, fauna, costumbres, etc., o aun en que haya bastantes nombres diferenciados para flora, fauna, etc., de carácter
más general. La comunidad idiomática pluriestatal soporta muy
bien estas diferencias, lo mismo que ninguna comunidad unies-
tatal se ve en peligro por la existencia de parecidas diferenciaciones regionales.

Pero nuestra cultura, y lo mismo la lengua que la refleja,
son una constante creación, una ininterrumpida agregación.
Este aspecto creativo lingüístico-cultural tiene hoy una importancia enorme, porque el ritmo de esa agregación de elementos nuevos es cada vez más veloz. No se piense en que
la eliminación de elementos envejecidos restablece el equilibrio. No: la vida moderna exige cada vez más una mayor
y más precisa diferenciación de nociones. Ello es evidente en

lo que toca a la cultura material. Las sesiones de la Real
Academia Española se dedican, quizá en su mayor parte, al
empeño de canalizar y dar forma aceptable en castellano a
ese alud de nombres técnicos que caen hoy sobre cualquier
lengua. Si en una comunidad idiomática pluriestatal, en cada
Estado se aclimatan voces distintas, el resultado es una creciente diferenciación de las voces que verdaderamente contienen la carga de nociones y juicios de un idioma (sustantivos,
verbos). Teóricamente se puede llegar a la fragmentación total, aunque se mantuvieran sin la menor quiebra el sistema
sintáctico y el fonológico. Pero no hace falta pensar en límites
extravagantes como el que acabo de enunciar. Todos hemos
sido testigos, ya en América, ya en España, de escenas como
la que yo presencié, siendo aún niño: un pariente mío uru-
guayo quiso comprarse *medias* (en España, y en otros sitios
de América, *calcetines*) en un comercio de Madrid. Resultado:
varios minutos de mutua incomprensión. Imaginemos ahora lo
que puede suceder si en una frase dos sustantivos y un verbo
resultaran los tres equivocantes, etc.

Miremos ahora a lo que sucede con palabras de la cultura
moderna.

Consideremos el *volante* del automóvil. Así se le llama
en España y también en Argentina, Bolivia, Ecuador, Méjico,
Paraguay, Uruguay, Venezuela. Mientras que en varios países, entre ellos Colombia, Cuba, Guatemala, Nicaragua y
Perú, se llama *timón*. Chile emplea la voz *manubrio*. En Puerto Rico se oye *guía*. Los dos grupos más nutridos, *timón* y
volante, ¿qué representan? Pensaríamos que *timón* fue natural elección de los países costeros. No nos hagamos ilusiones. Son, sencillamente, las dos direcciones culturales innova-
doras que ha habido en el mundo hispánico: la del inglés
americano (*steering-wheel*) y la francesa (*volant*). El Río de
la Plata y España solían sufrir la segunda. Los países del

Norte, de Sudamérica, los de Centroamérica, Méjico y el mar de las Antillas, la primera. (Pero en este ejemplo, Méjico y Venezuela, por causas que habría que investigar, no van en el grupo que les correspondía.)

En el ejemplo que sigue, el efecto se ha producido sobre el artículo. *La radio* decimos en España, y lo mismo en Argentina, Bolivia, Chile, Paraguay y Uruguay; pero desde Perú, Ecuador, Colombia y Venezuela hacia el Norte, sólo he oído *el radio.* Por un momento se piensa que en *la radio* se ha partido de *la radiodifusión, la radiotelefonía;* y en *el radio,* de *el radio-receptor.* Y será verdad, pero creo que lo que ha determinado el femenino de España y de los países de Sudamérica ha sido la forma francesa (reforzada, además, para el Plata, por la coincidencia italiana), mientras que en el Norte no hubo ese influjo y sí el del inglés americano *the radio.* Del artículo inglés *the* no sale determinación de feminidad (o "femineidad"), y como la voz terminaba en -*o*, la adaptación al masculino era lo más natural. Así, en los países del Norte, se ha producido conflicto entre *el radio* 'radio-receptor' y *el radio* 'elemento químico'; no existe tal conflicto ni en los países del Sur ni en España, merced a la oposición *el radio: la radio.*

Si pasáramos otra vez al ambiente automovilístico, veríamos que el concepto 'dejar parado, y generalmente desocupado, un automóvil en la calle, o en sitio destinado para ello' se expresa preferentemente por una de dos palabras: *parquear* o *estacionar.* La primera, anglicismo. ¿Y la segunda? Pues la segunda, galicismo. Y si enumeráramos por naciones, veríamos que el Sur (por Occidente, desde Perú; por el Este, desde Paraguay), se inclina por *estacionar* y el Norte por *aparcar.* Otra vez, la distribución del léxico es: Norte, influjo norteamericano; Sur, francés. Aquí no es tan claro, porque en algunos sitios se usan las dos voces. A dar algo de originalidad al conjunto vienen *atracar*, usado en el Plata, y *cuadrar*, en Colombia y Perú[4]. En España se oye también *aparcar, estacionar,* y, menos, *parquear.*

En el léxico de la sastrería, los cierres que en España tienen el nombre de *cremallera* (por comparación poco exacta con la *cremallera* conocida de antiguo en mecánica), se llaman en el Norte hispanoamericano (Centroamérica, Méjico y mar de las Antillas) *zipper*, nombre del inglés de América[5]; en algún sitio, como en Colombia, se oye *cremallera;* lo demás de Sudamérica está dividido entre la palabra francesa *éclair* (Chile, Bolivia) y la traducción de esa palabra al castellano, es decir *relámpago* o *cierre relámpago* (Perú, Argentina, Uruguay, Ecuador, Paraguay). Otra vez Hispanoamérica se divide netamente en dos zonas: el Norte, influjo del inglés americano; el Sur, influjo francés. El uso español *(cremallera)*, en América, sólo aparece tímidamente aquí y allá.

Resulta, pues, que si se siguiera manteniendo el equilibrado reparto entre los influjos del inglés americano y del francés, en el Norte del conjunto hispanohablante, el léxico, fuertemente teñido de inglés, resaltaría con relación al galicista del Sur como contrastan dos franjas horizontales de una misma bandera (y España, frecuentemente, va con la zona galicista). Cuando eso se produce gota a gota, palabra tras palabra, durante más de un siglo, el resultado puede ser de importancia extraordinaria. Porque la comunidad de comprensión puede sufrir mucho, sobre todo si, como suele suceder, al mismo tiempo se han producido hendiduras de carácter fonético, morfológico y sintáctico. Y porque detrás de

---

[4] Creo que originariamente estos verbos tienen un matiz ligeramente distinto: no el estacionar el vehículo, sino el hacer la operación necesaria para ello; claro está que este matiz diferencial se pierde pronto.

[5] En Cuba se oye también *riqui*, ¿onomatopeya?

esa división exterior hay otra, la que queda grabada en la mente misma de los hablantes por la profunda modificación de los campos semánticos y, en consecuencia, de las agrupaciones nocionales.

Véase un ejemplo. Se nos ofrece el verbo *chequear*, y casi siempre también el deverbativo *chequeo*, desde Ecuador, Colombia y Venezuela hacia el Norte (en Méjico, también *checar*) con el sentido de comprobar o contrastar (una lista, etcétera) o de explorar el estado general de la salud en un momento dado (*chequearse, hacerse chequear*). Desde esa línea hacia el Sur, ese verbo no se usa o sólo con el sentido de escribir o llenar cheques de banco, o pagar con ellos. Tampoco se emplea en España [6].

To check, en el inglés de los Estados Unidos (usado muchas veces con partículas, *to check up, to check in, to check out*) ha formado un extensísimo y complejo semantismo. Parte de él se ha revertido hacia el Sur. Con la voz va una distinta concepción de la vida y, claro está, una distinta ordenación nocional. Se exporta una voz, una serie de signos fonéticos, pero con ellos también un nuevo campo semántico. Y otra vez Hispanoamérica resulta atravesada como por una barra horizontal: al Norte, influjo del inglés americano; al Sur, en este caso, cero, ausencia de ese campo nocional.

Para mostrar la importancia fragmentadora de la diferenciación léxica he escogido algunos ejemplos que ponen en claro contraste el Norte y el Sur de la comunidad hispanohablante de América. Es sólo un aspecto, aunque importante, de cómo las diferenciaciones de léxico, repetidas en un mis-

---

mo sentido (aquí influjo del inglés de América frente al influjo francés), pueden producir graves perturbaciones fragmentadoras. Antes de abandonar este terreno, tendría que decir, para ser del todo justo, que ese equilibrio de influjos probablemente no va a seguir: podemos prever para la segunda mitad de este siglo un gran aumento del influjo norteamericano y una rápida disminución del francés.

Habría ahora que decir cuántos otros tipos de fragmentación léxica se producen dentro de cada país, o de cada zona; cuántas variaciones, diferentes divisiones o acumulaciones de campos semánticos; cuántos distintos empobrecimientos (la gran amplitud significativa de *ubicar* en el Río de la Plata, por ejemplo), y por el contrario, cuántos nacimientos de nuevas voces con nuevas especializaciones de significado. Cada país es una *koiné* cultural, de acción disgregadora con respecto a la *koiné* general. Quisiera sólo, antes de terminar este tema, llamar la atención hacia una triste causa de incomodidad y empobrecimiento en las relaciones idiomáticas dentro de la comunidad. Me refiero a las palabras obscenas. No hay que volver la cabeza con asco o equivocada pudibundez. Lo cierto es que hay, hoy día, una gran cantidad de voces que en unos países hispanohablantes son inocentísimas, y que en otros son impronunciables en conversación socialmente correcta. Más rara es, pero no dejan de darse algunos ejemplos, la existencia de palabras que en su origen eran netamente sexuales y que en parte de la comunidad conservan ese carácter, mientras que lo han perdido por completo en otros sitios. Son temas éstos que habría que tratar ampliamente en el próximo Congreso de Academias. La creación humorística o metafórica en ese terreno es muy abundante: el viajero que rápidamente recorre todo el territorio de la comunidad hispánica (incluida la misma España), tiene que aprender en seguida, al llegar a cada sitio, cuáles son las nobles palabras que allí han tenido el triste destino de convertirse en fango.

En resumen: por todas partes, dentro del organismo idiomático hispánico, se están produciendo resquebrajaduras: éstas afectan tanto a lo fonético como a lo sintáctico, a lo morfológico o al léxico. Todos estos distintos tipos llevan en sí el germen de males muy graves. La dirección de esas resquebrajaduras es asimismo variadísima: unas veces divide el terreno hispanoamericano en dos zonas, y España va o no con una de las dos; otras veces, algo peculiar aísla a una determinada nación con relación a las demás. El edificio de nuestra comunidad idiomática está cuarteado.

Conocida es la profecía pesimista de Cuervo. Sabido es cómo luego otras voces alentadoras y optimistas se han levantado en contra (la de mi venerado maestro Menéndez Pidal, por ejemplo). Es cierto que tenemos hoy mucha más experiencia sobre la posibilidad de dirigir o encauzar una lengua: es notable, me decía hace poco un arabista, cómo en la Academia árabe han logrado arabizar muchas de las voces europeas que designan máquinas o inventos modernos, y cómo esas formas son aceptadas por tantos pueblos distintos; en pro de la unificación, hemos visto cómo Portugal firmaba verdaderos tratados ortográficos con Brasil; y aun en nuestra península, hemos visto con cuánto sentido de unidad los catalanes, en el lenguaje literario, han reducido a formas únicas, con una ortografía única, la anárquica variedad idiomática que reinaba entre ellos en el siglo último. Etc.

Se puede hacer mucho. Naturalmente que, a la larga, la profecía de Cuervo es valedera; no hay lengua en el mundo que no haya de fragmentarse o extinguirse un día. También nuestro mismo planeta terminará por ser una bola sobre la que la alegría de la voz humana ya no suene, y de la que al fin ha de desaparecer hasta la misma vida vegetal.

No nos importa esto, sino nuestro porvenir inmediato, de una inmediatez que podemos llamar el futuro histórico adivinable. Sobre ese futuro histórico humano podemos obrar. La rotura última de la comunidad idiomática castellana puede ser retrasada bastantes siglos si actuamos con decisión y con sensata energía. ¿Qué es lo que podemos hacer?

Antes de contestar, voy a resumir aún, matizándolo, lo dicho:

ESTADO DEL PROBLEMA

1.ª La comunidad de hispanohablantes tiene hoy un maravilloso instrumento de perfecta comunicación: la lengua castellana.

2.ª En el uso de la lengua castellana en los distintos países y regiones de la comunidad se pueden observar elementos o rasgos peculiares, que por ahora no entorpecen o dificultan la normal intercomunicación entre las distintas partes de la *koiné*, pero que, exagerados o desarrollados en el futuro, llevarían a la fragmentación de la lengua hoy común.

3.ª Esas diferencias tocan más o menos por igual a la fonética, la morfología, la sintaxis y el vocabulario (y mínimamente a la ortografía). Pero considerados socialmente, los distintos fenómenos diferenciadores tienen más intensidad en unos niveles que en otros. Los fonéticos y morfológicos se exageran más en medios populares y llegan, en general, reducidos o simplificados hasta las capas superiores. Los de léxico, por el contrario, se originan a veces en capas superiores (entre técnicos, negociantes, etc.), y desde allí se propagan.

4.ª Consideración especial merecen los problemas dialectales dentro de cada país. El problema principal es el que plantea la pronunciación que, sin intención de dar una explicación genética, llamaremos de tipo andaluz, no claro en el seseo, que no hay para qué tocar, sino en otros aspectos fonéticos, evitados en general por gentes cultas, y que son muy destructivos porque perturban la morfología (recuérdese, por ejemplo, la enorme extensión de -s > -h, Amado Alonso, *RFH*, I, 1939, 323).

5.ª Creo que forma parte también del problema la posición de los órganos mismos encargados de resolverlo, es decir, de las Academias. Es necesario que éstas cambien profundamente su idea de lo que puede ser la rectoría del lenguaje: que no se trata de un problema de impurezas, sino de próxima rotura. No tiene importancia ninguna para el idioma la introducción de un extranjerismo, con tal que se den dos condiciones: 1.ª Que la fonética y la morfología sean normales en castellano: ha sido una verdadera pena la introducción y propagación de *fútbol* con su *tb* impronunciable para las gargantas hispánicas, de donde resulta que cada uno lo dice a su modo —nuevo elemento de fragmentación—, *fúlbol, fúrbol, fúbol, y fulból, furból,* etc. (los italianos lo resolvieron muy bien resucitando su antiguo *calcio);* es grave asimismo el peligro de los plurales en -s, *dancings,* etc.[7]. 2.ª Que ese extranjerismo sea aceptado por todos los hispanohablantes.

El afán de pureza lingüística puede actuar también como agente provocador. Cuando un flagrante extranjerismo, o una voz erróneamente derivada, o una acentuación antietimológica, etc., ruedan por todo el mundo hispánico y así todos los hispanohablantes se entienden, cuando tal ocurre, ¡no me toquéis ese extranjerismo, ese barbarismo, esa viciosa acentuación! Al querer corregir lo que todos decían, aquello con lo que todos se comunicaban perfectamente, no se hace sino

---

[7]   Que ha señalado Emilio Lorenzo (*Dos notas sobre la morfología del español actual,* en "Estudios dedicados a Menéndez Pidal", t. VI, Cons. S. de Inv. Cient., 1956).

introducir desorden y fragmentación en lo que era orden y unidad. ¡Cuánta anarquía y división han introducido en los inmensos espacios del castellano algunos imprudentes intentos de "limpiar" la lengua! Lo que todos los hispanohablantes nombran y dicen de una sola manera, es limpio, porque está purificado por esa misma unidad. No lo toquéis: creéis "limpiar", y lo que inconscientemente hacéis es fomentar la fragmentación idiomática.

CÓMO DEBE SER LA DIRECCIÓN

DE NUESTRO IDIOMA COMÚN

1.º Para la rectoría, con miras al futuro, de nuestra lengua es necesario partir del actual *statu quo:* es decir, de la manera como se habla actualmente el castellano por la sociedad culta (medios universitarios, etc.) de cada uno de los países de nuestra comunidad idiomática. No se debe luchar contra las pequeñas diferencias existentes, sino admitirlas, como usos nacionales dentro de nuestra comunidad internacional. Hay que luchar, en cambio, con toda decisión y con todo entusiasmo contra el ulterior desarrollo de esas tendencias. Es decir, admitiremos la pronunciación del -*ao* madrileño (*soldáo*), pero lucharemos para evitar que a través de *ạo* llegue a *o* (que no haya un día en que *soldado* se diga *soldó);* admitiremos el rehilamiento argentino de *ll* e *y* (es decir, *cabažo* 'caballo'), pero procuraremos que ese sonido no pueda tener las evoluciones secundarias que ha tenido en otros sitios, etc. En el léxico, no querremos, de ningún modo, exigir que en toda la comunidad se diga *gasolina,* o se diga *gas,* ni tampoco que en todas se diga *nafta* o bien *bencina.* Pero lucharemos para tratar de impedir que cuando otro producto o invento nuevo llegue a la comunidad, se fragmente su denominación, desde un principio, como por desgracia ocurrió con la gasolina. En una palabra: mantenimiento del *statu quo* idiomático, con las variedades nacionales usuales entre gentes cultas: lucha, dentro de cada nación, contra el vulgarismo y (cuestión más delicada, que no puedo tratar como merece por falta de tiempo) contra el dialectalismo.

2.º El ahondamiento o progresión de las diferencias (es decir, lo que queremos evitar) tiene ritmos y modos muy distintos.

En la fonética, y como consecuencia en la morfología, el avance de los fenómenos diferenciadores suele ser lento, apenas perceptible (aunque puede, cuando el medio es favorable, tener un desarrollo rápido en breve tiempo). Sería de desear la redacción de un *Manual de Fonética Hispánica,* de tipo normativo; es decir, que en él se registrara la pronunciación correcta, entendiendo por tal, como he explicado, la de las personas cultas de todos los países de nuestra comunidad idiomática, con las variaciones nacionales de cada país. Esas variaciones nacionales de ningún modo se reprimirían, tal como las practican los hablantes cultos. Pero en cada nación habría que luchar contra la exageración plebeya y deformación por ulterior desarrollo de esas tendencias. Hay que oponerse decididamente a todo intento de total uniformidad en la pronunciación de la comunidad hispana. Más aún: hay que rechazar de plano esa pronunciación normalizada, mixta, que la avidez de oro de los industriales de Hollywood suele defender: es una burda falsificación.

Más difícil es la defensa en el terreno morfológico y sintáctico. Serán admitidas las variaciones nacionales cuando se encuentren en los buenos escritores, y los usos del lenguaje hablado, cuando sean generales en el país. No creo, personalmente (pero puede ser que esté equivocado), que tengan la menor ventaja los intentos de reposición del tuteo en la Argentina; creo que allí (y en las otras zonas donde existe) debe mantenerse el voseo, tal como se practica en medios cultos.

Creo lo más fácil la lucha en el terreno del vocabulario mediante atenta vigilancia y el servicio de urgencia que propongo después. Hay que tener en cuenta que aquí (al contrario de lo que ocurre en lo fonético) el mal está en la rapidez con que se producen las quiebras diferenciadoras. Basta a veces que un nuevo producto sea introducido en dos naciones distintas por compañías de diferentes países extranjeros para que la consecuencia sea que las dos naciones hermanas denominen aquel producto de manera diferente. Si a la primera aparición del producto tenemos un órgano avizor que dé la voz de alarma, todo se puede arreglar.

Ni que decir tiene que los órganos a quienes estará encomendada la ejecución del plan de defensa serán los pedagógicos, entendida la pedagogía en el sentido más amplio (antes y después y siempre, la escuela; y también los institutos o liceos y las universidades; y la radio, y la prensa). La dirección habrá de competer a las Academias. Por muchas razones. La principal, porque esta comunidad de las Academias ha de ser el más exacto espejo de la hermosa comunidad natural de nuestro idioma. Si el espejo no se rompe, nuestra lengua no se romperá. Esta corona de Academias es el único organismo que puede tener mirada a la vez nacional para las peculiaridades e intereses del propio país, y supranacional para los sagrados intereses de nuestra comunidad idiomática.

Para esta misión, y con ello vuelvo a un tema que ya rocé al principio, es necesario que las Academias se preparen. Me temo que será necesario también que se reformen a sí mismas.

Lo primero que hace falta es que cada académico de la lengua sea un ser entusiasta, bien persuadido de la nobleza (y también del interés material) de nuestra causa: la defensa de la unidad de lenguaje. Ocurre que, por muchas razones evidentes, las Academias —todas las del mundo— tienden a ser poco activas y entusiastas; al fin y al cabo, son entidades formadas por personas de edad, y que lo que prefieren es, sobre todo, evitar las incomodidades. Es necesario, creo, abrir las puertas a gente más joven, que disponga de más tiempo y esté especializada en lingüística. Y, claro está, es necesario que las Academias retribuyan generosamente el trabajo del académico que, con preparación técnica, quiera trabajar. Nada más absurdo y más contrario al sentido de nuestra época que el creer que el académico es el auténtico sastre del Campillo, que cosía de balde y ponía el hilo. Para esto habrá que convencer a los Estados de que el velar por el futuro de la lengua es trabajo difícil, y que debe ser bien retribuido.

Es necesario, además, que, subordinado a cada Academia, trabaje un Instituto de especialistas —retribuido también, claro está— que estudie los fenómenos actualísimos del lenguaje para dirigir o encauzar el desarrollo futuro. Y no hay que asustarse del nombre Instituto. El número de colaboradores puede ser muy variable: en un Estado de pequeña extensión territorial podría hacer el trabajo una sola persona, quizá un académico mismo. Otros Estados necesitarían un desarrollo algo mayor.

Puede servir de modelo lo que en la perspectiva histórica ha hecho la Real Academia Española, con sus ficheros de portentosa riqueza, y con su *Seminario de Lexicografía,* que funciona con método irreprochable y gran entusiasmo y exactitud, dirigido por el académico D. Julio Casares, con otro académico, D. Rafael Lapesa, como vicedirector. Esto (la recolección histórica del léxico) me parece muy importante y sería de desear que se hiciera en todas las Academias. Pero al lado de ese Instituto, existente ya, o, en otro caso, deseable, debería haber ese otro de especialistas que ahora propongo, académicos o no, pero siempre bajo dirección académica, que a base de los movimientos recientísimos de la lengua escudriñaran avizorantes su futuro y trataran de impedir su catastrófica rotura.

Estas ideas se condensan en las siguientes proposiciones:

MEDIOS PARA LA DEFENSA DE LA COMUNIDAD IDIOMÁTICA HISPÁNICA

1.º La dirección de la defensa de la lengua, dentro de cada nación hispanohablante, corresponde a su Academia; y dentro de la *koiné* idiomática hispánica a la comunidad de todas las Academias de nuestra lengua.

2.º En cada Academia se organizará un Instituto (o sección, o como se quiera llamar) formado por especialistas, académicos o no académicos, pero que siempre estará dirigido por un académico. La función especial de este Instituto será el registro inmediato y el estudio de los modos de hablar (en lo fonético, morfológico, sintáctico y en el vocabulario) o de escribir, que puedan poner en peligro la comunidad idiomática. Estos Institutos formarán un fichero de todas las formas peligrosas (o sospechosas de serlo) para la unidad. Estarán alerta para sorprender las nuevas necesidades de denominación en el momento en que se produzcan (por ejemplo, por introducción de una nueva sustancia o aparato, etcétera).

3.º Los presidentes de todos estos Institutos formarán una comisión interacadémica: cada miembro de ella actuará

como representante de su propia Academia, para resolver con
la rapidez necesaria en los casos de urgencia (denominación de
conceptos nuevos, etc.), y en cualquier caso, para comunicar
los acuerdos de la comisión interacadémica a su propia corporación.

4.º Es necesario que las Academias convenzan a sus res-
pectivos Gobiernos de la necesidad de suministrar fondos para
organizar esta defensa del idioma.

No sé, no entiendo mucho de estas zarandajas administra-
tivas: seguramente habrá ahí mucho que modificar.

Sólo me daría por satisfecho si quedara demostrado:

1.º Que la lucha por la "pureza" del idioma pudo ser el
santo y seña del siglo XIX, pero que hoy ya no puede ser nuestro principal objetivo: nuestra lucha tiene que ser para impedir la fragmentación de la lengua común. ¡Bienvenida una
impureza, un extranjerismo, si se adapta bien a nuestras costumbres fonéticas y todos los hispanohablantes lo adoptamos
a una! "Unidad idiomática": ésa debe ser nuestra principal
preocupación.

2.º Que es necesaria la creación de un organismo interaca-
démico cuya exclusiva atención sea la unidad idiomática. Que
dentro de cada Academia tiene que funcionar otro Instituto
de especialistas con el mismo lema: Unidad idiomática.

(Esta fue la ponencia presentada por mí al "Segundo Congreso de Academias de la Lengua", Madrid, 1955, y aprobada
en él. "Aprobar" es una cosa, y "hacer", otra. ¡Ojalá el público de lengua española quiera enterarse de estos problemas y
colaborar para aminorar los peligros que acechan a nuestro
tesoro común! Madrid, 1957.)

LAS CONFERENCIAS

Mi programa de obligaciones para la semana que entra:
lunes: conferencia de X; martes, conferencia de Y; miércoles, conferencia de Z; jueves, ¡conferencia mía!
Dios mío, Dios mío, ¡líbrame de las conferencias!

No sé dónde he leído un elogio de los cursos de "conferencias" más antiguos, que me impresionó muy hondo. Un
día el estudiante se levantaba mucho antes que el sol; hacía
provisión de unos dátiles y comenzaba a caminar. Le había
llegado noticia de que en tierras extremas vivía retirado un
hombre de inmenso saber. Y el estudiante caminaba, caminaba... Atravesaba desiertos, grandes ríos como mares interiores, reinos de fieras o de bandidos, meses, quizá años. Y
llegaba por fin a una casita humilde o a una cueva en un
valle profundo. Saludaba al maestro, le iba a buscar un cántaro de agua al pozo. Volvía, se sentaba a los pies del sabio,
y escuchaba: comenzaba a escuchar. A veces daban los dos
un paseo, hablando, comentando. Y así, muchos días, muchos
años.

...Y un día entre los días, se levantaba, traía el último
cántaro del pozo, se despedía del maestro, y caminaba de
nuevo, atravesando meses, peligros, anchos brazos de agua, sedes, desiertos, para volver a su tierra natal.

Hoy, al conferenciante (un señor que acaba de caer del cielo en un aeropuerto; un pobre hombre cansado, al que en media hora le presentan cincuenta caras, cada una con su nombre, caras que ya bailarán para siempre una danza desajustada en su recuerdo), sí, hoy, al pobre conferenciante le ponemos brutalmente, de hoz y coz, ante un público que, a veces, apretuja el esnobismo. Cada uno, de su mundo, de su negocio, de su preocupación. Han pasado cuarenta y cinco minutos. La masa aplaude, porque esa es su obligación como masa: aplaudir. Aplaudir discretamente: es lo social. (La masa sólo aplaude frenéticamente los conciertos —y casi cualquier concierto—: aunque el que estuvo sentado al piano haya sido —como tantas veces ocurre— un imbécil virtuoso, es decir, un cretino con los dedos ágiles.)

En fin, la conferencia ha terminado. Y el conferenciante, aburrido (¡señor, es ya la enésima vez!), recoge sus papeles. Mañana será disparado de nuevo al cielo y caerá, cansado meteorito, a cientos o a miles de kilómetros: para la vez "enésima más una".

Allá, en un vago Oriente y en la antigüedad, aprender era asunto de lentas impregnaciones. Hoy vamos a volcar en cuarenta y cinco minutos nuestras preocupaciones o nuestras manías o nuestro corazón, sobre lo más volandero e inestable, sobre el aburrimiento de éste, la indiferencia de aquél, la malignidad del otro: sobre el esnobismo de todos, el esnobismo de nuestra época. Y a los cuarenta y cinco minutos, cada uno se irá a su mundo, a su negocio, a su preocupación. De la conferencia...: de la conferencia las señoras suelen recordar algún sombrero que estaba tres filas delante; los graves varones maduros, algún lindo rostro muy juvenil; las niñas, nada: un gran agujero vacío que se ahondaba sin término: la más verídica imagen de la eternidad. Las conferencias son la expresión de la hipocresía esnobista y de la incurable superficialidad de nuestra época. Son el fruto legítimo de nuestro inconsciente apresuramiento; es decir, de nuestra barbarie. Porque cultura es lentitud.

Sí, yo odio las conferencias. No sé qué odio más: si darlas o si oírlas. Pero amistad y agradecimiento todos los días me obligan a ser público; y la penuria habitual en el escritor o absurdos, insensatos deseos de viaje me hacen con frecuencia ser conferenciante yo mismo.

Y mi vida —como la de cualquier europeo de nuestro siglo— se me va —¡ay!—, se me desgasta sin fruto, en una sucesión interminable de conferencias.

LA MUERTE DEL "USTED"

Los lenguajes tienen dilatados períodos de calma y también tempestades súbitas. En Francia, al ir a comenzar la Revolución, hace ya mucho tiempo que el diptongo *oi* se pronuncia *ué: roi, loi, moi,* suenan *rué, lué, mué.* La gente del pueblo pronuncia *ruá, luá, muá,* pero es un vicio mantenido a raya por el buen gusto y por los gramáticos. Ahora, la Revolución sigue su curso: República, Consulado, Imperio, Waterloo. Ha pasado un cuarto de siglo: Luis XVIII, que ha vivido en emigración, entra en Francia. El Rey, cuando dice la palabra "Rey", pronuncia, claro está, *le rué.* Es curioso: la gente, al oírlo, se ríe. Lo que ocurre es que en ese período la pronunciación *ruá* se ha impuesto a todos. Vida azarosa, despreocupación gramatical, subida de gentes modestas a puestos importantes...; la lengua ha cruzado un río para el que no hay puente de retorno. Sólo los nobles emigrados habían mantenido el antiguo uso.

Sí, en pocos años nos es dado a veces observar en la lengua un cambio de esos que normalmente exigen siglos. Recuerdo los tiempos de Filosofía y Letras. Era por 1920: aún no había ocurrido la invasión femenina de nuestra Facultad. Durante aquellos años de convivencia, jamás apeamos a nuestras pocas compañeras el respetuoso *usted.* Y así tratábamos también a algunos compañeros algo más viejos que nosotros. Y recuerdo otros amigos muy queridos de aquellas horas. Bastaba una pequeña diferencia —edad, categoría social— para mantener frenado el *tú* muchos años. A veces la amistad se hizo entrañable, y, sin embargo, no pasamos nunca del *usted*. Era que nos encontrábamos en él agradablemente, que no sentíamos necesidad de cambio; más aún: que temíamos el cambio. Es verdad; ha habido amistades a las que las ha asesinado el primer *tú*.

Sin embargo, ya por aquellos años de antes de 1936 eran evidentes los avances del tuteo. Pero fue con el desgarrón de España con lo que recibió el impulso decisivo. Dos ímpetus contrapuestos coinciden en una cosa: en fomentar poderosamente el *tú*. La camaradería de la vida militar dilata aún más el ámbito del tuteo. La juventud de ambos sexos lo admite como una de las formas naturales de su concepción de vida. Otras causas, no políticas, van a colaborar.

Porque en estos años se ha producido también un fenómeno que, ciertamente, yo no llamaré desagradable. Hace veinticinco, treinta años, la mujer vivía "lo que viven las rosas". Hoy, estas rosas conservan durante mucho más tiempo su encanto. Si Balzac viviera hoy, no escribiría *La femme de trente ans,* sino sólo de *quarante ans* o más... Claro está que algunas veces la mujer, que ha recibido con el natural júbilo esta prolongación de su vida, tiende a exagerarla un poquito. Pues bien: entre otras formas juveniles, la mujer ha recibido ahora la del tuteo, del que es una gran difundidora. Tras ella va el marido: tampoco deja de halagarle.

Presencio esta escena. Ha surgido la presentación de dos señoras. Éstas, ¡ay!, están en la última línea de esa prolongación juvenil. Es posible que hace diez años se sintieran ya un poco viejas, que en ellas su adhesión actual a los modos juveniles no haya sido un suplemento, sino un "levántate y anda". Las acaban de presentar. Y oigo, asombrado, estas palabras de una de las venerables niñas: "Encantada de conocerte. Había oído hablar mucho de ti a los X." *¡De conocerte!* ¡Y las acaban de presentar!

Pero ¿acaso no invade el *tú* mis propios años? Encuentro en la calle a una de aquellas compañeras tratadas por mí durante cuatro cursos con toda ceremonia. Íbamos los dos "a lo nuestro"; hemos tenido que detenernos hipócritamente, sin gana. Sigo mi camino, y me doy cuenta de que la he tuteado. Sí, ahora; los dos ya casi dos carcamales... Y revuelvo otra vez amistades antiguas y de hoy. Allí están las pocas de antaño, las que quizá se detuvieron en el *usted*. ¡Amistades, aquéllas! Y, en cambio, al conocido de ayer ¡le he tuteado; qué remedio! Empezó él por llamarme de *tú*... ¡Bueno!...

A veces, estos rápidos movimientos del lenguaje de repente se frenan. Pero lo natural es que sigan su curso con velocidad creciente. ¿Va a extinguirse el *usted* en España? ¿Va a quedar relegado a una antigualla solemne, una especie de *vuecencia?* Mutilaciones semejantes han tenido otras lenguas. El inglés, que tuvo su *thou* (tú) y su *you* (usted), quedó reducido, por un proceso inverso, a su actual *you*. Otros cambios de léxico tienen menos importancia. Pero éste, expresivo por excelencia de la relación social, no puede por menos de afectar profundamente al lenguaje, que es, ante todo, un sistema social de relación.

Ese *usted* que retrocede es casi la vida de uno. Y nos sentimos incómodos en el nuevo *tú*, con sensación de máscara. ¡Qué suave era el *usted,* qué sincero, cuántos matices permitía! La amistad, el *tú,* se ganaban, se construían lentamente. El *tú* era entonces un verdadero *tú*: para Dios, para nuestra familia, para la sabrosa y sedimentada intimidad. La lengua es un sistema inestable: cada cambio en un punto tiene su inmediata reacción en otro. Y el hundimiento del *usted* ha traído consigo la profanación del *tú*.

MIS BIBLIOTECAS

Había terminado el verano: Ribadeo, octubre de 1907 (¿o de 1906?). Nos preparábamos para salir hacia Madrid: hacia el frío, hacia el colegio, hacia la calle sombría (calle de Santa Teresa, ¿número 12?). Al llegar esa época, y con ella la larga separación de casi nueve meses, los parientes de Ribadeo me solían hacer algún regalito. Aquel año fue un libro de cuentos de la Biblioteca Perla lo que me regalaron: un grueso volumen, encuadernado, con relucientes tapas. Yo, claro está, ya había tenido otros libros, algunos libros, estudiante ya de tres sucesivos colegios. Pero fue aquel volumen de la Biblioteca Perla lo que me reveló qué cosa encantadora eran los libros, cómo se les amaba, cómo era un placer, sí, leerlos, pero también manejarlos, acariciarlos, tener muchos, ordenarlos, reconocerlos.

Esa revelación, que había de estigmatizar para siempre mi vida (ya hace más de medio siglo), ocurrió exactamente en la carretera de Ribadeo a Lugo. La diligencia de caballos —toda la aventura de los viajes en el siglo XIX, proyectada aún sobre esos primeros años del XX— salía muy temprano, mucho antes de amanecer: había que ahorrar luz del día para las dieciséis horas de viaje. Recuerdo que aquella vez yo iba muy contento, con una sensación de superioridad. Por extraña coincidencia, en aquel viaje, de tanta importancia para mi vida espiritual, había de sentir también por primera vez los encantos de la burguesía: ¡viajábamos en berlina! Era la parte de delante de la diligencia: íbamos mi madre y yo en ella, solos. La berlina estaba —me parecía estar— lujosamente almohadillada, y tenía como unos agarraderos de paño para colgar los brazos; se metía el brazo por aquello, y el brazo se quedaba allí, tan cómodamente: no se le sentía. Yo hice largo uso de aquellos agarraderos, aunque tuviera que estirar para ello mis insuficientes huesos de ocho años. ¡Un día feliz!

Pasaba despacio el paisaje; hacía un sol agradable de otoño gallego, por la "Terra chá", alturas de Villalba. Y yo llevaba el libro de la Biblioteca Perla en la mano. Preciosos cuentos (creo que eran los de Andersen); preciosas ilustraciones las de los cuentos. A veces cerraba el libro: miraba por la ventanilla; miraba al libro cerrado. La tapa era un cromo de vivos y alegres colores. En ella, ocupando todo el espacio que dejaban las letras, se veían los anaqueles de una biblioteca con muchos libros. Algunos estantes no aparecían llenos; en ellos, los últimos volúmenes se inclinaban, reposaban sobre sus compañeros inmediatos. Un niño y una niña estaban ordenando los libros. La niña tenía un lazo, ¿rosa?, ¿azul?, en el pelo. El niño estaba subido en una escalera: iba a colocar un libro en uno de los estantes altos. ¡Dorada imagen de aquel interior! ¿Qué deseos, qué vaga aspiración, nunca sino hasta muchos años después definida, hizo nacer en mi alma?

★ ★ ★

Ahora veo bien claro que, como "composición de lugar" de ese deseo, desde aquel día, allá en los fondos de mi conciencia, han estado asociados siempre los libros, las estanterías para colocarlos y las escaleras para subir a los últimos estantes. Criaturas todas afines, hechas las unas para las otras. Sólo ya hombre muy maduro, tuve escaleras para ascender al paraíso último de los libros. Y las tuve a pesar de que mis amigos eruditos —Cossío, Moñino, Eugenio Asensio...— me advirtieron del peligro de las escaleras, y me contaron la historia del Marqués de Morante —creo que se llamaba así—, un bibliófilo que murió víctima de su afición misma, no de indigestión de libros, sino de espléndido batacazo... Pero yo, a pesar de los pesares, puse mis escaleras de mano, y quizá todo fue por el encanto de aquellas tapas de la Biblioteca Perla.

Un poquito mayor, en el colegio de Nuestra Señora del Recuerdo (en este Chamartín de la Rosa, que había de ser ya el destino de mi vida), descubrí algo aún más atrayente. Pocas veces nos era dado visitar la biblioteca, llena de librotes (no ciertamente para niños). Pero ¡qué encanto tenía aquel lugar! Yo entraba de puntillas: el aire era profundo, como un agua de siglos. Aquel ambiente, aquel reposo, serenaban el alma. El techo era alto, y a poco más de media altura, a todo lo largo de las paredes, corría, volado, un saledizo, provisto de barandilla. Una escalera llevaba hasta él, y así el lector, andando, por aquella especie de galería, como por un segundo piso, podía cómodamente usar los estantes altos.

En este mismo momento, al evocar estas cosas, tan lejanas, tan sumidas en nieblas y tiempo, es cuando descubro que el poseer una biblioteca con esa especie de "triforio" a media altura, ha sido un hondísimo deseo (que nunca salió a la superficie) de mi vida. Pero yo nunca pasé de tener, no una galería volada, sino una modesta barra de metal, que, también paralela al suelo, corre por todas las estanterías, y en la que se engancha la escalera de mano. Dios lo quiso así: mi vida nunca había de pasar de la medianía dorada.

¡Y ahora caigo, ahora me doy cuenta, por qué me produjo tanta impresión la casa de Alfonso Reyes, que he visto en mis dos visitas a la ciudad de Méjico! Posee mi amigo un hotel de una altura como de dos plantas; pero no tiene dos plantas. Es sólo como un cascarón; sólo muros, sin división de piso. Todas las paredes llenas de libros. A media altura, corre, con su barandilla, una galería volada, como esas de las bibliotecas conventuales; pero ésta de obra de albañilería, que arranca del mismo muro del edificio. Esa galería se ensancha a veces, y avanza algo, siempre volada, como hacia el centro del recinto: en uno de esos ensanchamientos está la mesa de trabajo de Alfonso Reyes; en otro, su cama; en otro, unas butacas forman un rincón agradable para descansar o charlar con unos amigos. Casa ideal para un hombre de letras; casi su doble, su imagen de piedra, cemento y ladrillo.

Es que el hombre de letras —y no hablo de ese zascandil volandero, que con tal título anda por nuestras ciudades—, el hombre que, como Dédalo (y como Stephen Dedalus), se ha sumido en su vocación,

et ignotas animum dimittit in artes,

no es, no puede ser "normal"; es un ser extremo, está deformado. Todos conocemos esos cangrejos que tienen una de sus tenazas enorme y la otra raquítica: otro símbolo del intelectual. Muchas cosas separan de los demás hombres al que se ha sumergido profundamente en las aguas de una vocación literaria. Sí, es un ser anormal, monstruoso. Pero no me le toquéis: hay algo sagrado y casi especialmente divino en él.

Y aquella casa de Alfonso Reyes es como la proyección sobre la vivienda, de esa deformación del intelectual. La biblioteca ha crecido tanto que ha anquilosado, casi suprimido, las demás partes de la casa. En un recinto así parece que se han eliminado todas las necesidades materiales, que allí no se come, y que dormir es sólo un entresueño para velar los libros, acariciándolos, aún, en el trasmundo. Biblioteca, que es ya la casa del escritor; casa que no lo es, sino sólo biblioteca.

★ ★ ★

Ya sé que, esparcidas por todas las regiones del mundo, hay muchas gentes, a veces de ideas extremadamente opuestas —curiosamente, nunca coinciden más que para esto—, que, indignadas, tal vez amenazantes, protestan; pero a pesar de sus gritos, o de sus amenazas, yo mantendré el derecho del hombre de letras a apartarse de todo bullicio exterior. No se trata de lo que hace cincuenta años los estetas llamaban su "torre de marfil". Nada de eso: quien se desentiende de las formas pasajeras de la vida para reconcentrarse en las permanentes, no es insolidario de los anhelos de la humanidad, sino que va a buscarlos en sus raíces más profundas. Añadiré aún que, por mis pecados, a mí la vida nunca me colmó ese deseo. Zarandeado por lo exterior, jamás he podido refugiarme, con algo de permanencia, en un puerto de calma.

Rechazo, pues, esa acusación de "insolidaridad" que tantas veces se lanza sobre el hombre de letras. Es necesario, creo, deshacer aún otro equívoco que suele presentarse. He confesado mi natural apetencia de libros y bibliotecas. Sin embargo, nunca había de ser yo (o sólo etimológicamente) un "bibliófilo". Hay "bibliófilos" y "bibliófilos": conozco muchos de enorme gusto, de gran talento, de amplísima lectura, pero yo me refiero ahora a otra cosa, a eso que la gente por ahí llama "un bibliófilo". ("¡Tiene preciosidades en su casa!"). Conozco ese animal tan útil, y en el fondo tan generoso, a quien la humanidad debe la conservación de buena parte de su tradición cultural: siempre avizor, siempre espeluznado y con las llaves en la cinta, siempre temeroso del hurto, de la polilla, del "otro" bibliófilo, de la humedad, de la mancha... Generoso, sí, ¿qué mayor generosidad que no leer nunca los libros y conservarlos para que —cuando ya él esté pudriéndose en el sepulcro— otros los utilicen? El bibliófilo hace con los libros lo que el avaro con el oro. El género humano no ha entendido nunca la altura moral de estos dos monstruos del desprendimiento, o tal vez su inocente locura. Yo, por desgracia, soy mucho menos generoso.

Soy menos generoso porque quiero los libros para mí, para "usarlos" y no para "poseerlos". El libro es mío cuando, abierto entre mis manos, lo leo. Lo gano entonces, lo gano en buena lid, a través de esa lucha —la lectura—, esa batalla de dos espíritus en que uno siempre vence, pero no pierde ninguno, contienda de que habló, hace seis siglos, un grande y delicado compañero de todos los hombres de letras, el rabí Sem Tob:

> *...Non ha tan noble joya*
> *nin tan buena ganancia,*
> * nin mejor compañón*
> *como el libro, nin tal;*
> *e tomar entención*
> *con él, más que paz val.*

Donde (dudo que los lectores modernos de Sem Tob puedan, sin anotación, darse cuenta de ello) *entención* significa "lucha", "contienda" [1]. Dice, pues, el rabí que luchar con el libro

---

[1] También se decía *entencia*.

vale más que toda clase de paz. Y lo confirma aún en los versos que siguen:

> *Cuanto más va tomando*
> *con el libro porfía,*
> *tanto irá ganando*
> *buen saber toda vía.*

Desde que leí esos versos por primera vez, quise seguir la amonestación del viejo rabí del siglo XIV: yo no sería "bibliófilo"; ganaría los libros, los poseería, luchando con ellos, leyéndolos. He gozado, por eso, intensamente, tanto como en mi biblioteca particular, en las ajenas. Deseo a mi alrededor esa atmósfera de tradición, ese respetuoso silencio de las bibliotecas. Eso es todo. ¿Qué más me da que sea en mi librería particular, o en una biblioteca pública? Cierto que el hombre de letras, que tiene un prurito insaciable, que no puede interrumpir nunca esa "lucha" con el libro, necesita "poseer" también algunos en su propia casa, y así yo en la mía.

★ ★ ★

Mucho debo a las bibliotecas: las mejores horas de mi vida. *Ex abundantia cordis,* he hablado muchas veces de ellas. Algún día he evocado, con amorosa pasión, la sección de manuscritos de la Biblioteca Nacional (libros y manuscritos son más que hermanos, son la misma cosa: el libro es el ser perfecto y alado que llega a todas partes; el manuscrito, la larva que aún no ha podido alcanzar su desarrollo, o quizá, en las bibliotecas, una triste crisálida que espera, muchas veces en vano, la hora de su perfección a destiempo: criatura ligada, enormemente vulnerable, y sin vuelo). Podría haber hablado, lo mismo, de tanta delicia gozada en la sección de "Raros", de nuestra Biblioteca. He contado también otras veces la emoción de mis lecturas en aquel viejo caserón de la biblioteca universitaria de Cambridge (no en el edificio de ahora, que yo no alcancé), aquel caserón lleno de encantadores recovecos, escaleras de caracol, salitas misteriosas y recónditas rinconadas. Me remuerde la conciencia, en cambio, de nunca haber hablado de semanas y semanas de felicidad pasada en la sala circular de lectura del Museo Británico, aquella inmensa rotonda con cien mil libros de consulta al alcance de la mano de cualquier lector. Los libros, pedidos por correo, esperaban siempre, con británica puntualidad, mi llegada; a la una, sólo unos minutos para el "lunch" en la taberna de enfrente; y vuelta a la dulce lámpara y al amplio pupitre de hule. ¡Qué lejos, allá fuera, la niebla, la humedad y la melancolía! Y tantas y tantas bibliotecas de España, de Alemania, de Francia, de Italia, de Portugal, a las que debo eterna gratitud.

He escrito otra vez, y lo mantengo, que el paraíso, el verdadero paraíso terrenal (y lo que yo deseo como representación de todo posible paraíso futuro) lo he encontrado en las grandes bibliotecas universitarias de los Estados Unidos, ante todo en las de Yale y Harvard. Las pude usar a mi placer durante cuatro medios cursos universitarios, sobre todo en los dos que pasé en Yale: como iba y venía entonces entre Yale y Harvard para pasar vacaciones y fines de semana en casa de mi amigo Amado Alonso (que tan pronto nos dejaría), tuve la dicha de usar alternadamente, muchas semanas, las dos bibliotecas. Nunca he tenido tal sensación de ser millonario: diez millones de libros estaban entonces al alcance de mi mano (cuatro y medio en Yale y cinco y medio en Harvard). Que me perdone Séneca, para quien la abundancia de los libros lleva a la disipación (*Distringit librorum multitudo*), y añade: "Puesto que no se puede leer tantos como se puede tener, basta con tener tantos como se pueda leer." Claro está que hablaba de bibliotecas particulares. ¡A Séneca le hubiera querido yo ver dentro de la de Harvard! Sale de mi bolsillo una llave; las muchas puertas de los *stacks* (los anaqueles de la librería) todas responden a esa llave prodigiosa. Cada lector autorizado, posee una. No hay miedo de que algún sabio olvidadizo se deje la puerta abierta, porque ella misma, como impulsada por un genio protector de los libros, se cierra solemne y suave. Ya puedo avanzar por dentro de la estructura metálica —todo metal: pasillos, escaleras, armarios— de esta ciudad de los libros. Las signaturas, señaladas a la entrada de cada pasillo, me van guiando. Voy encendiendo luces, que yo (como todos) olvido apagar: dos estelas luminosas, la de mi avance físico y la que se va grabando en mi alma. ¡Qué gusto avanzar por los barrios de mis preferencias, entrar aquí y allá, hacer calas! ¡Ah, pero este libro no le conocía yo, ni éste, ni éste! ¡Qué gusto —para quien sufre la inevitable atadura de la especialización— perderse por zonas totalmente desconocidas! Se aprovecha al paso una mesilla, un nicho de los que allí por todas partes hay. Y se lee desordenadamente, con abundancia, con despilfarro, con frenesí, maldiciendo sólo el reloj, que de modo implacable avanza. La lectura más profundamente enriquecedora del espíritu es ésa, la desordenada, aunque otra cosa digan las tristes pedagogías y los tristísimos pedagogos. Algunos días, mis días "de campo", yo me ofrecía esas vacaciones, ese turismo, por los barrios más alejados de mis conocimientos: ¡qué gozo! Un gozo, ¡ay!, ya nostálgico de otros aún más intensos; porque esa trepidación, ese frenesí, me recordaba aquellas noches orgiásticas de libérrima lectura, desde mi adolescencia, allá entre los quince y los veinticinco años: la vela que ya se acaba (como en tantas noches de aquel verano de San Rafael: 1914, y el bullicio de la guerra reciente), y la aurora que asoma (como tantas veces en

Madrid, calle de Rodríguez San Pedro). No, eso ya nunca más: eso lo da la vida sólo una vez. Estos años maduros ya son otra cosa. Hombre ligado por mil circunstancias, nunca podré olvidar los gozos —hacia mis cuarenta y tantos años— de las bibliotecas de Harvard y Yale.

La casa de Alfonso Reyes; las largas, hondas bibliotecas conventuales; los grandes depósitos de libros de Harvard y Yale; o mi modesta librería con sólo sus escaleras movibles para alcanzar los libros de las alturas...: distintos rincones de un mismo reino indivisible. Las bibliotecas: son como un recinto único, estirado, como el mar que se mete por todas las regiones del mundo. Lo mismo da acá o allí, en América o en Europa, biblioteca pública o privada. Entremos al recinto. Dentro están el orden y el silencio, o todo lo más, a veces —como en mi propio rincón—, las alegres y queridas voces de la amistad. Orden, tradición, innovación y silencio, allí, entre lentos siglos de amor y de inteligencia, sedimentados en los libros, mientras, fuera, gritan, vanagloriosos, el odio y la incomprensión.

Bibliotecas, queridas bibliotecas, ahora que ya mi vida se va inclinando hacia la sombra, os doy gracias, y lo hago como a seres vivos, como se dan las gracias a amigos buenos y generosos.

★ ★ ★

Todo ese destino —toda una vocación de hombre de letras, todo un futuro de goces que no tienen semejante en los otros goces de la vida humana— pendía sobre aquel niño que viajaba junto a su madre, en la berlina de la diligencia de Ribadeo, con un tomo de la Biblioteca Perla sobre las rodillas, hace ahora más de medio siglo. ¡Viaje lleno de augurios! Porque aquel niño no iba ya a Lugo ni a Madrid, ni al colegio, ni a la calle sombría. Aquel niño partía ya, feliz, para la vida, para una vida con un libro en la mano, siempre con un libro en la mano. Cuando miro hacia atrás, a lo largo de mi vocación, veo como su punto inicial, las tapas coloreadas de aquel tomo de la Biblioteca Perla.

FLORES EN LA POESÍA DE ESPAÑA

¡Bien por el antologista y bien por el editor de esos dos libros [1] dedicados a los pájaros y a las flores de la poesía española! El antologista —José Manuel Blecua— trabajó con tanto entusiasmo como desinterés, y ha puesto en el juego sus extraordinarios conocimientos de poesía española (muy pocos habrán leído tanta del Siglo de Oro). Y en los dos prólogos de estos libros juntó doctrina, nunca farragosa, y acertada orientación del gusto. El editor —Juan Guerrero—, que ahora, en 1955, acaba de írsenos para siempre, logró, por su parte, que en esta época, desastrosa para el arte de imprimir, pudieran salir a luz dos volúmenes impresos tan limpiamente y en tan agradable papel.

Excelentes libros los dos. Apetitosos tesorillos temáticos de poesía española. La lectura del de las flores me sugirió algunas observaciones apresuradas, muchas de las cuales podrían también aplicarse al de los pájaros.

"Dígame —me preguntó aquella señora inglesa, señalando unas florecillas de color violeta que crecían bajo los árboles—, ¿cómo llaman ustedes a aquellas flores?" La escena era en el Retiro, hace ya —¡Señor, Señor!— más de treinta años. Yo miré y respondí de sopetón: "Sencillamente, *violetas.*"

---

[1] *Los pájaros en la poesía española*, selección de José Manuel Blecua, ed. Hispánica, 1943. Y *Las flores en la poesía española,* selección de José Manuel Blecua, ed. Hispánica, 1944.

Una sonrisita burlona de la dama me hizo sentirme incómodo en mi amigable papel de *cicerone* madrileño. (Luego, durante tres largos años, una vez cada *term,* en aquel salón de Cambridge, presidido —como por exótica joya— por un vulgar botijo español de barro blanco, me tuve que sentar, con la taza de té entre las manos, al lado de alguna vestal con gafas (de Girton o de Newnham) mientras la dueña de la casa, que era la misma señora a la que en Madrid había yo acompañado, salía socialmente del paso con decir: "Este es el señor Alonso. El señor Alonso le explicará todo lo que se puede saber acerca de violetas. Es un especialista." Y se largaba, como una gacela, para atender a otros huéspedes.) Aquel malhadado día del Retiro había confundido yo la *violeta* con la *vinca.* Sí, nada menos que con la *vinca pervinca.* He necesitado tener un huerto, aunque modestísimo, para saberlo.

En otro sitio he contado lo de Villaespesa y los nenúfares. Yo creo que a muchos poetas españoles les hubiera pasado lo mismo que a Villaespesa y que a mí. Y, claro está, también a la mayor parte de nuestros compatriotas no poéticos. Y creo, además, que toda esta falta de contacto con las flores está basada en condiciones sociales y económicas de nuestra vida. Pero quiero dejar aparte todo lo no literario.

El mal, en poesía, está en nuestro romanticismo. Es necesario que digamos, sin miedo (puesto que la poesía española tiene tantos valores universales), que el Romanticismo español fue una cosa desconsoladoramente pobre, mezquinamente estrecha y, sobre todo, tardía y mal rebotada. Un tema como el de las flores, que en otros climas atrae apasionadamente la sensibilidad romántica, ¿qué produce en España? [2]. Si Es-

---

[2] Seguramente que uno de nuestros mejores conocedores de la literatura del siglo xix, y hoy el que más valientemente trabaja sobre los olvidados libros de poesía de esa época —Dionisio Gamallo Fierros—

pronceda llega a él, lo hace en un soneto de giro y resonancia a lo clásico ("Fresca, lozana, pura y olorosa..."), basado en el lugar común de la brevedad de la flor; y, en fin de cuentas, en él la rosa no le ha servido más que de trivial término de comparación con la brevedad de su propia dicha amorosa:

> *Mas, ¡ay!, que el bien trocóse en amargura,*
> *y deshojada por los aires sube*
> *la dulce flor de la esperanza mía.*

Un poco más adelante encontramos la nórdica nostalgia de la "Violeta", de Enrique Gil, con un emocionado eco de los inolvidables tercetos de Eulogio Florentino Sanz. En fin, Bécquer se acercará en tres o cuatro momentos a las flores para pasar veloz junto a ellas y temblar un instante en su sueño. Y eso es casi todo. Nada semejante al poema "A la margarita", de Wordsworth, o los maravillosos "Dafodelos"[3] del mismo poeta. (Y otro tanto se podría decir del tema de los pájaros. Nada en nuestra poesía romántica comparable, para no citar sino obras maestras, a esos poemas de Wordsworth que se llaman "A la alondra", "A un verderón", "Al cuco" —alegre y esperadísimo heraldo de la llegada de la primavera

---

tendrá mucho que rectificar aquí. (Y yo me alegraré de que lo haga.) Pero yo no me refiero a la *existencia* de poemas, sino a su *virtualidad operante*, a su presencia, ya imborrable en la mente de un pueblo.

[3] Es el título de la traducción de ese poema por Leopoldo Panero. *Daffodil* es un narciso amarillo de flor única y grande. Su nombre procede de la misma palabra griega que el español *asfódelo* (que solemos pronunciar *asfodelo*). Pero el *asfodelo* español es una flor muy distinta; no sirve, pues, ese nombre para designar al *daffodil*. Uso, por tanto —y he usado otras veces—, el anglicismo *dafodelo*, y también, como acabo de decir, lo usa Panero en su traducción. Creo que lo justifica el ser flor muy popular en Inglaterra y muy ligada a la sensibilidad inglesa. (Y me cortaría una mano antes de llamar a esa delicadísima criatura *narciso trompón*, que es el nombre que a una variedad de dafodelo dan nuestros cultivadores.)

para los ingleses— o a las odas a la alondra y el ruiseñor, de Shelley y de Keats.)

La sensibilidad de Wordsworth fue un descubrimiento para el mundo. Así, a nosotros nos reveló —en gran parte— la generación del 98 (aunque ahora esté de moda no agradecérselo) la mística de nuestro paisaje y con ella mucho del alma española. Pero hemos carecido de una generación del 98 de las flores. Y hay que saltar sobre los colores o enterizos o ajironados de Rueda para llegar al jardín variado, dulce, profundo y penetrado de aromas en que se sumerge la Andalucía universal de Juan Ramón Jiménez. Sí, hay que llegar a Juan Ramón Jiménez para encontrar un verdadero embriagado de las flores en la poesía moderna de España.

¿Y en lo antiguo? Hay unos cuantos deliciosos lugares (el jardín de la *Razón d'Amor,* el prado de Berceo, el agua olorosa del Rabí...). Y luego, el mundo poético de ese gran inmerso en la fuerza de la naturaleza: Gil Vicente.

En el Siglo de Oro, primero vemos los monótonos arrastres de la tradición: de un lado, la imagen petrarquesca (la rosa de la mejilla, la azucena de la frente; y, luego, el clavel de los labios). Oh, todo imagen, todo flores pensadas; mejor dicho, ni pensadas; utilizadas por inercia. Y de otra parte, el tema filosófico de la brevedad de las flores, de la juventud, de la vida. Sí, ya sé que hay una admirable variedad de matización, que hay joyas como el soneto "En tanto que de rosa y azucena...", de Garcilaso, o el de Eugenio de Salazar (ahora justamente valorado por Blecua): "Oh lozanico vaso vidrïoso..." Sin embargo, lo común es tan fuerte que enneblina los matices diferenciales, por lo menos a la primera asomada a tan extenso paisaje. Aun las mismas flores, tan celebradas —y con tanta justicia— de Rioja, resultan como desvaídas, como atenuadas por tanto lastre tradicional.

Nos llevará a las flores —quién lo diría— lo mismo que origina (en parte) el barroquismo: el cansancio. Pronto notamos que ha surgido otra veta, y con ella un conocimiento más cercano y más exacto de las ardientes y tiernas criaturas. Está ya en algún andaluz relativamente temprano como Pedro Espinosa, y también, cómo no, en el inmenso jardín esparcido, casi siempre en breves retazos, de Lope. Pero es el apogeo del barroquismo lo que pone al poeta español, directamente, sin recuerdos literarios, frente a las flores. De modo curioso, se encuentra en el barroquismo español desde Lope y, claro, desde Góngora, algo como un repetido deseo de un nuevo realismo. Es un realismo, entiéndase bien, muy especial: se quiere dar en fórmulas breves, recortadamente reveladoras, el rasgo distintivo de un ser de la realidad. Y todo a base de la imagen, porque es lo limpio de la imagen, la exactitud de su instantánea vislumbre, lo que nos revela aquel trazo caracterizador: así, "las azucenas en camisa", de Lope. Góngora empleó el procedimiento en las descripciones de sus famosas series (de regalos para unas bodas, de pescados, de halcones, etc.). Sólo ocasionalmente lo aplica a las flores. Pero la fórmula cuaja en los epígonos. Así, Matías Ginovés nos dirá del clavel que

> *...sobre sus sienes de escarlata*
> *dos cuernecillos de bruñida plata*
> *le nacen de la roja cabellera...*

Polo de Medina, tratando de la rosa, hablará de

> *la lechuguilla abierta de rubíes...*

Pero nadie mejor que Gabriel Bocángel para caracterizar frutos y flores. Ejemplos suyos son los que siguen:

> *Sobre el oro difunto, el nácar vivo*
> *mostraban las manzanas palpitando...*

Por el cañón puntado, su tesoro
a cuajar desangraba el clavel tirio...
De terciopelo azul vestido el lirio
que entre puñales verdes se conserva...
...de nieve castamente viva,
con letra de oro escribe la azucena
la nariz que pecó de sensitiva.

Es un arte de recortada miniatura, a base de imagen hiperbólica; pero manzana, clavel, lirio, azucena, quedan imbo-
rrablemente evocados o mentados en el cerebro del lector...
Nótese, porque es importante, que en el procedimiento de
muchos de estos breves retratos hay humor, es decir, que
son un tipo de "caricatura". Así, el barroquismo llega a la
realidad, por la elusión de la realidad, por la hiperbólica
imagen. En arte lo real tiene siempre su venganza...

★ ★ ★

...Junto al quebranto y al dolor, junto al abandono o la
invencible nostalgia, nos ha sido dado, como un consuelo, el
encanto de esos misteriosos seres, de esas delicadas criaturas: las flores. Ah, sí; la Naturaleza las hizo tan breves porque nos fueran aún más preciosas. Y el hombre las ligó a su
vida —sin preguntarles su misterio: dulces, bellos prodi-
gios—; ellas, eternas compañeras de la Humanidad, siempre
han presidido esos momentos en que la vida del hombre se
carga de ternura o de dolor: el amor, la enfermedad, la
muerte.

Que estas otras criaturas de arte, que estas imágenes de
flores (y de pájaros) encerradas en esos dos bellos libros,
que reunió Blecua, sean consuelo para muchos hombres.
Entre las manos de la novia, en la cabecera del enfermo, en

los rendidos intervalos del que sostiene esta horrible lucha de vivir. Que descansen, pensativamente abiertos, estos libros, sobre las rodillas de los que aman, de los que sufren:

los más puros ejemplos de alas y de flores [4].

---

[4]   Juan Ramón Jiménez.

DOMINGOS CON PIMENTEL

Les agradezco mucho que se hayan acordado ustedes de mi viejo ensayito sobre la poesía de Luis Pimentel [1]. El mérito de aquellas líneas, si tienen alguno, consiste en haber sido escritas cuando Pimentel era casi un total desconocido.

Mi amigo Vicente Loriente, que tanto ha hecho por la cultura en esa pequeña zona del mundo en la que me siento radicado (en la ría del Eo, "entre Galicia y Asturias"), vivía entonces en Lugo.

Él fue quien primero me habló de Pimentel. El poeta me remitió, mecanografiado, su *Diario de un médico de guardia*, y otros poemas, y yo vi en seguida la delicada sensibilidad que aquellos versos revelaban, su belleza y su intensidad.

Junté entonces algunos recuerdos personales de la ciudad de Lugo, por la que siento curioso cariño, pues nunca he vivido en ella, y sólo la conozco —desde mi más temprana niñez— por rápidas, aunque muy reiteradas, visitas. En ese cariño se me ligan el recuerdo emocionado de Pimentel y la

---

[1] Nota de 1962: Hace unos tres años, en una velada en homenaje a Luis Pimentel, fue leído mi artículo *Prólogo para un libro de Luis Pimentel*, impreso ya desde 1952, en mis *Poetas españoles contemporáneos* ("Biblioteca Románica Hispánica", Editorial Gredos, 2.ª edición, 1958, págs. 385-389). Para acompañar a esa lectura escribí la breve nota que reproduzco ahora en el texto.

dulce tristeza de las tardes de domingo. Casualidad: siempre era domingo en todas mis últimas visitas a Lugo. Yo adoro el domingo: pobre trabajador intelectual, condenado a no tenerlos, me place ver esa alegría, tan triste, de la buena gente.

En estos años en que uno añora la soledad, únicamente en Lugo —anónimo y de paso— he podido vivir unas tardes de domingo intensas, profundas, mías, solo. Solo; y descolgarme desde el parque hasta el río, entre la gente que apura su día de fiesta por la tarde. Tierno paisaje, y bajar hasta el río y cruzar el puente mientras suenan, lejos, los ecos, tan melancólicos, ya casi rurales, de los bailes del arrabal.

En esas mis últimas visitas a Lugo, como digo, ya Pimentel no estaba entre nosotros. Pero algo de su espíritu me acompañaba en esos paseos. En ellos he evocado siempre su fino perfil humano, aquellos sus pueriles terrores, y su extraña sensibilidad, la gran potencia emotiva de su verso tan delicado, de su verso castellano, de su verso gallego —en poesía no admito parcelas; la gran poesía es indivisible. En esas tardes de domingo, Luis Pimentel, ya muerto, me ha acompañado siempre.

Durante años mantuve —compartido por muy pocos— el secreto "Luis Pimentel". Hoy se le reconoce como una de las auténticas bases sobre las que podrá asentarse una poesía gallega tan enraizada en la genuina tradición como vertida hacia el futuro y hacia lo universal. Por eso, amigos míos, les agradezco a ustedes que se hayan acordado de ese artículo escrito hace tanto, tanto tiempo.

PROCEDENCIA DE LOS ARTÍCULOS Y NOTAS RECOGIDOS EN ESTA OBRA

Sancho-Quijote; Sancho-Sancho: *Homenaje a Cervantes*. Lo dirige y edita Francisco Sánchez-Castañer. Valencia, Mediterráneo, 1950, tomo II, págs. 53-63.

El hidalgo Camilote y el hidalgo don Quijote: *RFE*, 1933, XX, 391-397, y 1934, XXI, 283-284.

Maraña de hilos: *RFE*, 1927, XIV, 275-282, y 1937-1940, XXIV, 213-217.

Un soneto de Medrano imitado de Ariosto: *Hispanic Review*, 1948, XVI, 162-163.

Lope en Antequera: *Fénix*. Revista del tricentenario de Lope de Vega, 1635-1935. Madrid, 1935 (n.º 2), 167-175.

Para la biografía de don Luis Carrillo: inédito.

La santidad de don Luis Carrillo: inédito.

Dos cartas: *Correo Erudito*, 1940, I, 178-179.

Luis Rosales, la lírica barroca y los desengaños de Imperio: *Escorial*, 1943, XIII (n.º 39), 275-283.

Fuenteovejuna y la tragedia popular.

Predicadores ensonetados: *Correo Erudito*, 1943, III, 76-78.

Tres rehabilitaciones literarias: *Rev. de Occid.*, 1927, XVIII (número 54), 396-397. (Reseña de la *Antología poética en honor de Góngora*, recogida por Gerardo Diego).

Un diario adolescente de Bécquer: *ABC*, 19 de agosto de 1961.

Menéndez Pidal y su obra: en R. Menéndez Pidal, *Los Reyes Católicos según Maquiavelo y Castiglione*. Con una semblanza del autor, por Dámaso Alonso. Madrid, Publicaciones de la Universidad de Madrid, 1952, págs. 5-29.

La poesía de Pedro Salinas, desde *Presagios* hasta *La voz a ti debida: Rev. de Occid.*, agosto 1931, XXXIII (n.º 98), 239-246, y *Diablo Mundo*, 2 de junio 1934, I, n.º 6, 3-4.

España en las cartas de Pedro Salinas: *Ínsula*, febrero 1952, VII, número 74.

Carta última a don Pedro Salinas: *Cuadernos Hispanoamericanos*, julio 1952, XI (n.º 31), 50-54.

Barroquismo de hoy en la poesía de Adriano del Valle: *Santo y Seña*. Alerta de las letras españolas, 5 nov. 1941, n.º 3 [y en Adriano del Valle, *Arpa fiel*, 2.ª edic., Madrid, A. Aguado, 1942].

Amado Alonso ante la muerte: *Ínsula*, junio 1952, VII, n.º 78, página 1.

La poesía de Eduardo Alonso: en Eduardo Alonso, *Sólo ceniza. Versos*. Prólogo de Dámaso Alonso. Madrid, Viñuela, impr. 1951.

Antonio Rodríguez Moñino, bibliófilo ejemplar: *Escorial*, 1944, XVII (n.º 50), 149-155.

Rafael Lapesa en la Academia: en Real Academia Española. *Los decires narrativos del Marqués de Santillana*. Discurso leído el 21 de marzo de 1954... por... Rafael Lapesa... y contestación de... Dámaso Alonso. Madrid, 1954, págs. 99-114.

Carta a José A. Muñoz Rojas: *Ínsula*, abril 1952, VII, n.º 76.

Recuerdos felices: Colombia: inédito.

Hacia un conocimiento científico de la obra poética: *Ínsula*, oct. 1950, V, n.º 58 [y en C. Bousoño, *La poesía de Vicente Aleixandre. Imagen. Estilo. Mundo poético*. Prólogo de Dámaso Alonso. Madrid,

Defensa de la lengua castellana: *Memoria del Segundo Congreso Ediciones Ínsula, 1950*].

de Academias de la Lengua Española, Madrid, 1956, págs. 33-48.

Las conferencias: *Ínsula*, marzo 1952, VII, n.º 75.

La muerte del "usted": *ABC*, 23 nov. 1947.

Mis bibliotecas: *Novedades Editoriales Españolas* (Boletín publicado por la Comisión Ejecutiva para el comercio exterior del libro), Madrid, otoño 1956, XVI, 33-37.

Flores en la poesía de España: *Escorial*, 1944, XIV (n.º 43), 447-451.

Domingos con Pimentel: inédito.

ÍNDICE GENERAL

BIBLIOTECA ROMÁNICA HISPÁNICA

Director: DÁMASO ALONSO

I. TRATADOS Y MONOGRAFÍAS

Walther von Wartburg: *La fragmentación lingüística de la Romania.*

René Wellek y Austin Warren: *Teoría literaria.*

Wolfgang Kayser: *Interpretación y análisis de la obra literaria.*

E. Allison Peers: *Historia del movimiento romántico español.*

Amado Alonso: *De la pronunciación medieval a la moderna en español.*

Helmut Hatzfeld: *Bibliografía crítica de la nueva estilística aplicada a las literaturas románicas.*

Fredrick H. Jungemann: *La teoría del sustrato y los dialectos hispano-romances y gascones.*

Stanley T. Williams: *La huella española en la literatura norteamericana.*

René Wellek: *Historia de la crítica moderna (1750-1950).*

Kurt Baldinger: *La formación de los dominios lingüísticos en la Península Ibérica.*

II. ESTUDIOS Y ENSAYOS

Dámaso Alonso: *Poesía española (Ensayo de métodos y límites estilísticos).*

Amado Alonso: *Estudios lingüísticos (Temas españoles).*

Dámaso Alonso y Carlos Bousoño: *Seis calas en la expresión literaria española (Prosa-poesía-teatro).*

Vicente García de Diego: *Lecciones de lingüística española (Conferencias pronunciadas en el Ateneo de Madrid).*

Joaquín Casalduero: *Vida y obra de Galdós (1843-1920).*

Dámaso Alonso: *Poetas españoles contemporáneos.*

Carlos Bousoño: *Teoría de la expresión poética.*

Martín de Riquer: *Los cantares de gesta franceses (Sus problemas, su relación con España).*

Ramón Menéndez Pidal: *Toponimia prerrománica hispana.*

Carlos Clavería: *Temas de Unamuno.*

Luis Alberto Sánchez: *Proceso y contenido de la novela hispano-americana.*

Amado Alonso: *Estudios lingüísticos (Temas hispanoamericanos).*

Diego Catalán: *Poema de Alfonso XI. Fuentes, dialecto, estilo.*

Erich von Richthofen: *Estudios épicos medievales.*

José María Valverde: *Guillermo de Humboldt y la filosofía del lenguaje.*

Helmut Hatzfeld: *Estudios literarios sobre mística española.*

Amado Alonso: *Materia y forma en poesía.*

Dámaso Alonso: *Estudios y ensayos gongorinos.*

Leo Spitzer: *Lingüística e historia literaria.*

Alonso Zamora Vicente: *Las sonatas de Valle Inclán.*

Ramón de Zubiría: *La poesía de Antonio Machado.*

Diego Catalán: *La escuela lingüística española y su concepción del lenguaje.*

Jaroslaw M. Flys: *El lenguaje poético de Federico García Lorca.*

Vicente Gaos: *Poética de Campoamor.*

Ricardo Carballo Calero: *Aportaciones a la literatura gallega contemporánea.*

José Ares Montes: *Góngora y la poesía portuguesa del siglo XVII.*

Carlos Bousoño: *La poesía de Vicente Aleixandre.*

Gonzalo Sobejano: *El epíteto en la lírica española.*

Dámaso Alonso: *Menéndez Pelayo, crítico literario. Las palinodias de Don Marcelino.*

Raúl Silva Castro: *Rubén Darío a los veinte años.*

Graciela Palau de Nemes: *Vida y obra de Juan Ramón Jiménez.*

José F. Montesinos: *Valera o la ficción libre (Ensayo de interpretación de una anomalía literaria).*

Eugenio Asensio: *Poética y realidad en el cancionero peninsular de la Edad Media.*

Daniel Poyán Díaz: *Enrique Gaspar (Medio siglo de teatro español).*

José Luis Varela: *Poesía y restauración cultural de Galicia en el siglo XIX.*

José Pedro Díaz: *Gustavo Adolfo Bécquer (Vida y poesía).*

Emilio Carilla: *El Romanticismo en la América hispánica.*

Antonio Serrano de Haro: *Personalidad y destino de Jorge Manrique.*

Ricardo Gullón: *Galdós, novelista moderno.*

Joaquín Casalduero: *Sentido y forma del teatro de Cervantes.*

Antonio Risco: *La estética de Valle-Inclán en los esperpentos y en el "Ruedo Ibérico".*

Joseph Szertics: *Tiempo y verbo en el romancero viejo.*

Miguel Batllori, S. I.: *La cultura hispano-italiana de los jesuitas expulsos (Españoles - Hispanoamericanos - Filipinos. 1767-1814).*

Emilio Carilla: *Una etapa decisiva de Darío (Rubén Darío en la Argentina).*

Edmund de Chasca: *El arte juglaresco en el "Cantar de Mio Cid".*

Gonzalo Sobejano: *Nietzsche en España.*

J. A Balseiro: *Seis estudios sobre Rubén Darío.*

Rafael Lapesa: *De la Edad Media a nuestros días. Estudios de historia literaria.*

Giuseppe Carlo Rossi: *Estudios sobre las letras en el siglo XVIII (Temas españoles. Temas Hispano-Portugueses. Temas Hispano-Italianos).*

Aurora de Albornoz: *La presencia de Miguel de Unamuno en Antonio Machado.*

Carmelo Gariano: *El mundo poético de Juan Ruiz.*

Paul Bénichou: *Creación poética en el romancero tradicional.*

Donald F. Fogelquist: *Españoles de América y americanos de España.*

III. MANUALES

Emilio Alarcos Llorach: *Fonología española.*

Samuel Gili Gaya: *Elementos de fonética general.*

Emilio Alarcos Llorach: *Gramática estructural.*

Francisco López Estrada: *Introducción a la literatura medieval española.*

Francisco de B. Moll: *Gramática histórica catalana.*

Fernando Lázaro Carreter: *Diccionario de términos filológicos.*

Manuel Alvar: *El dialecto aragonés.*

Alonso Zamora Vicente: *Dialectología española.*

Pilar Vázquez Cuesta y Maria Albertina Mendes da Luz: *Gramática portuguesa.*

Antonio M. Badia Margarit: *Gramática catalana.*

Walter Porzig: *El mundo maravilloso del lenguaje (Problemas, métodos y resultados de la lingüística moderna).*

Heinrich Lausberg: *Lingüística románica.*

André Martinet: *Elementos de lingüística general.*

Walther von Wartburg: *Evolución y estructura de la lengua francesa.*

Heinrich Lausberg: *Manual de retórica literaria (Fundamentos de una ciencia de la literatura).*

IV. TEXTOS

Manuel C. Díaz y Díaz: *Antología del latín vulgar.*

María Josefa Canellada: *Antología de textos fonéticos.*

F. Sánchez Escribano y A. Porqueras Mayo: *Preceptiva dramática española del Renacimiento y el Barroco.*

Juan Ruiz: *Libro de buen amor.*

V. DICCIONARIOS

Joan Corominas: *Diccionario crítico etimológico de la lengua castellana.*

Joan Corominas: *Breve diccionario etimológico de la lengua castellana.*

Diccionario de autoridades.

Ricardo J. Alfaro: *Diccionario de anglicismos.*

María Moliner: *Diccionario de uso del español.*

VI. ANTOLOGÍA HISPÁNICA

Carmen Laforet: *Mis páginas mejores.*

Julio Camba: *Mis páginas mejores.*

Dámaso Alonso y José M. Blecua: *Antología de la poesía española. Lírica de tipo tradicional.*

Camilo José Cela: *Mis páginas preferidas.*

Wenceslao Fernández Flórez: *Mis páginas mejores.*

Vicente Aleixandre: *Mis poemas mejores.*

Ramón Menéndez Pidal: *Mis páginas preferidas (Temas literarios).*

Ramón Menéndez Pidal: *Mis páginas preferidas (Temas lingüísticos e históricos).*

José M. Blecua: *Floresta de lírica española.*

Ramón Gómez de la Serna: *Mis mejores páginas literarias.*

Pedro Laín Entralgo: *Mis páginas preferidas.*

José Luis Cano: *Antología de la nueva poesía española.*

Juan Ramón Jiménez: *Pájinas escojidas (Prosa).*

Juan Ramón Jiménez: *Pájinas escojidas (Verso).*

Juan Antonio de Zunzunegui: *Mis páginas preferidas.*

Francisco García Pavón: *Antología de cuentistas españoles contemporáneos.*

Dámaso Alonso: *Góngora y el "Polifemo".*

Antología de poetas ingleses modernos.

José Ramón Medina: *Antología venezolana (Verso).*

José Ramón Medina: *Antología venezolana (Prosa).*

Juan Bautista Avalle-Arce: *El inca Garcilaso en sus "Comentarios" (Antología vivida).*

Francisco Ayala: *Mis páginas mejores.*

Jorge Guillén: *Selección de poemas.*

Max Aub: *Mis páginas mejores.*

VII. CAMPO ABIERTO

Alonso Zamora Vicente: *Lope de Vega (Su vida y su obra).*

E. Moreno Báez: *Nosotros y nuestros clásicos.*

Dámaso Alonso: *Cuatro poetas españoles (Garcilaso - Góngora Maragall - Antonio Machado).*

Antonio Sánchez-Barbudo: *La segunda época de Juan Ramón Jiménez (1916-1953).*

DATE DUE